Catrin o Ferain

Richard Cyril Hughes

'... *Catrin wych, wawr ddistrych wedd,*
Cain ei llun, cannwyll Wynedd ...'
WILIAM CYNWAL

Argraffiad Cyntaf—1975
Argraffiad Newydd—2001

ISBN 1 84323 012 7

ⓗ Richard Cyril Hughes

Cedwir pob hawl. Ni chaniateir atgynhyrchu unrhyw ran o'r cyhoeddiad hwn na'i gadw mewn cyfundrefn adferadwy na'i drosglwyddo mewn unrhyw ddull na thrwy unrhyw gyfrwng electronig, electrostatig, tâp magnetig, mecanyddol, ffotogopïo, recordio, nac fel arall, heb ganiatâd ymlaen llaw gan y cyhoeddwyr, Gwasg Gomer, Llandysul, Ceredigion.

Dymuna'r cyhoeddwyr gydnabod cymorth
Adrannau Cyngor Llyfrau Cymru.

Argraffwyd gan
Wasg Gomer, Llandysul, Ceredigion SA44 4QL

I'r
pedwar mab
Rhiryd, Rhys, Sion
a Huw

Diolchiadau

I
   fy ngwraig
   teuluoedd presennol Berain a Lleweni
   Clifford Kearns
   Huw Lloyd Edwards
   Vic John
   T. Emrys Parry
   a Gwasg Gomer a Chyngor Llyfrau Cymru
   am bob cymwynas garedig.

Diolch hefyd i Gyngor Celfyddydau Cymru am gefnogaeth
a chynghorion da.

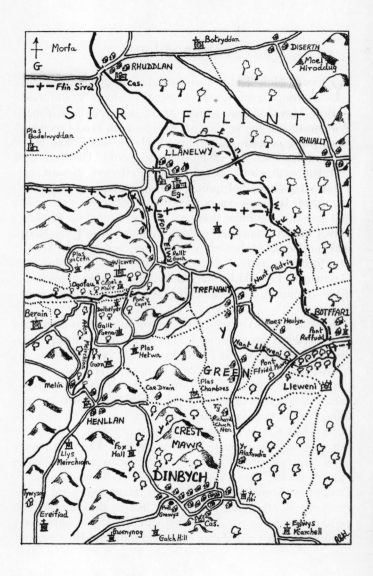

Pennod I

Yr oedd Huw Tudur wedi hen alaru ei enaid ar gwmni John Salesbury, aer Lleweni. Paham y trefnodd y Bod Mawr iddynt gwrdd ag ef a'i gyfaill o Ysgol Winchester, ar geg yr English Bridge, wrth fynd i mewn i Amwythig, ni allai Huw ddirnad. Hyd y fan honno bu'r daith o Lundain yn gwbl ddidramgwydd. Dim un o'r ceffylau wedi cloffi, arian Tudur ap Robert, Berain, ac yntau yn gyflawn bob grôt a neb wedi cymaint â bygwth ysgarmes. Bu Huw yn bur bryderus bob cam o'r ffordd gan fod rhai ugeiniau o bunnoedd gan Tudur ap Robert, mewn darnau mawr tair sofren gan mwyaf, yn y cwdyn dan ei ddwbled. Arhosodd y ddau y noson gyntaf yn Stony Stratford cyn symud ymlaen erbyn yr hwyr neithiwr i Damworth. Yr oedd hanner can milltir y dydd yn galed ar ddyn ac anifail, a doeth oedd bod ganddynt ddwy gaseg bob un.

Byddai wedi cymryd hanner dwsin fan leiaf o ddynion lysti i feddwl am ymyrryd â Huw a Tudur ap Robert. Yn bump ar hugain oed yr oedd Huw Tudur cyn gryfed ag y byddai byth ac yn gyfarwydd â thrin cleddyf main gyda'r gorau. Safai'n gwta chwe throedfedd, a llanwai ei frest gadarn y sercyn ledr laes a wisgai dros ei ddwbled lachar felen. Ar ei ben yr oedd capan isel llac o'r un lliw a defnydd â'r ddwbled. Gwisgai Huw y cap wedi ei dynnu i lawr ychydig tua'r glust chwith yr un ochr â'r bluen paun oedd arno. Prynasai amryw o ddilladau newydd gan Edward Jones, Plas Cadwgan, a oedd yn brentis ieuanc i Deiliwr y Frenhines yng Nghwrt Hamptwn. Am bris rhesymol fe allai gael y toriad a'r lliwiau diweddaraf. Yr oedd yn ŵr golygus a lygadwyd yn eiddgar gan amryw o ferched siambr y Frenhines Mari ond nid oedd Huw mewn unrhyw frys eto i briodi. Er mai yn Llundain y magwyd ef, yr oedd wedi ei drwytho cymaint gan ei frawd, y bardd Siôn Tudur, yn niwylliant ei genedl, yn enwedig ei barddoniaeth, fel na thyciai dim i'w blesio ond cael tir yng Nghymru ryw ddydd a Chymraes landeg yn fam i'w blant. Yr oedd, mae'n wir, ddigon o ferched Cymru o gwmpas y plasau brenhinol yn San Steffan ond cymeriadau go amheus oeddent fel rheol, fel y gwyddai Huw yn ddigon da.

Yr oedd ei gydymaith ar y daith o Lundain i Ddyffryn Clwyd, Tudur ap Robert, yn hŷn o dipyn na Huw. Ymddeol o Gard y Frenhines Mari roedd yntau, ond yn wahanol i Huw Tudur yr oedd ap Robert yn ei breim ac wedi gwasanaethu'r Brenin Harri a'i fab Edward, ac yn ddiweddar y frenhines. Eto, yr oedd ap Robert yn dal yn heini a'i gorff yn galed fel haearn. Bu Huw yng nghwmni ap Robert nifer o weithiau cyn hyn. O gwmpas un o'r plasau fel Richmwnd a'r Neuadd Wen neu weithiau yng nghyffiniau'r Tŵr Gwyn y gwelsai ef amlaf.

'Y dyn gore yn y byd i fod efo fo pan fyddi di mewn argyfwng, 'machgen i, ydi Tudur ap Robert, Berain,' fyddai geiriau brawd Huw yn wastad. Fe ddylai Siôn Tudur wybod. Bu Siôn ac ap Robert am gymaint o flynyddoedd yn y Gard gyda'i gilydd, ers dyddiau olaf Harri VIII yn wir. Byddai Siôn Tudur yn hoff o adrodd eu hanes yn Ffrainc wrth Huw. Aeth dros yr un stori wrth drefnu fis yn ôl i Huw gael trafeilio i Ddyffryn Clwyd o Lundain yng nghwmni Tudur ap Robert.

'Fe ffeindi di mai un o'r rhai tawel yma ydi o, ond aros di os aiff hi'n dynn arno, ac fe gei di weld beth ydi llew. Rwy'n cofio adeg Gwarchae Bolougne yr oeddwn i wedi crwydro draw at ryw fferm i chwilio beth welwn i, a dyma chwech o'r Ffrancwyr yna yn dod allan o'r stable pan oeddwn i ar fynd i'r buarth. Fe nabyddon nhw fy lifrai yn syth ac fe aeth yn galed arna i, na fu erioed sut beth. Fe lwyddais i fynd rhwng dau adeilad go glòs rhag bod gormod o gleddyfe yn medru fy nghyrraedd. Pe bai *halberd* gan un ohonyn nhw fe fyddai wedi darfod amdana i. Fe gefais drywaniad yn fy ysgwydd ac un arall yn fy ystlys ac roedd fy ngwallgofrwydd bron â throi yn anobaith pan glywais sŵn carne ceffyl. Trwy ryw ryfedd wyrth yr oedd Tudur ap Robert wedi digwydd bod ar berwyl bwyd fel finne. A diolch am lifrai'r Gard, fe welodd mai un o ddynion Harri oeddwn i ac fe hyrddiodd ei geffyl i'w canol. Roedd dau o'r Ffrancwyr yn gelain a'r pedwar arall wedi hel eu traed cyn iti ddweud dy bader. O! na, fydd dim angen gweision arnat ti ar y ffordd i Gymru efo *fo* wrth dy glun.'

Hyd yn hyn ni fu raid profi geiriau Siôn Tudur ond fe brofodd Huw gadernid ap Robert ymhell cyn cyrraedd glannau hyfryd Clwyd a hynny oherwydd penchwibanrwydd John Salesbury.

Ef, Huw, a sylwodd gyntaf ar y pedwar ceffyl yn tuthio i ymuno â'u llwybr am yr English Bridge ar gwr Amwythig. Ni chymerodd fawr sylw o'r ddau ŵr bonheddig a'u gweision llychlyd, hyd nes i ap Robert gyfarch yr agosaf wrth ei enw a chyda llw o syndod.

'Y nefoedd wen sy'n gwybod, John Salesbury!' bloeddiodd.

'A! Meistr Tudur,' meddai'r llanc o uchelwr. Aeth pethau o chwith o'r foment y cyfarchodd Tudur ap Robert aer ieuanc Plas Lleweni yn Nyffryn Clwyd.

'Fy mab yng nghyfraith, John Salesbury. Dyma fy nghydymaith Huw Tudur o Lundain. Y mae ar ei ffordd i'r Wicwer, Cefn Meiriadog, i feddiannu'r drefgordd dros ei frawd a'm cyfaill gore, Siôn Tudur.'

'Un o'th denantiaid, felly, Meistr Tudur. Gad i minne gyflwyno fy nghyfaill Owen Brereton o Gaergyrle. Mae o'n gyd-ddisgybl â mi yn Ysgol Winchester.'

'*Roeddwn* i'n gyd-ddisgybl, John. Bydd colled Winchester yn ennill i ferched siroedd newydd Gogledd Cymru.'

Chwarddodd y ddau lanc fel dwy lodes wirion heb gymryd rhagor o sylw o Huw Tudur ond troi at ap Robert am ragor o sgwrs wrth groesi'r bont i'r dref.

Fe wyddai Huw am deulu Lleweni, wrth gwrs. Pwy na wyddai? Onid y llipryn gewlw yma a'i foesau Seisnig oedd aer mwyaf pwerus siroedd y Gogledd oll, onid Cymru gyfan? Nid oedd Ysgol Amwythig ei hun yn ddigon da i hwn, na Westminster chwaith o ran hynny, heb sôn am Ysgol Esgobaeth Llanelwy. O! nac oedd. Sut eglurodd Siôn Tudur hefyd y modd y cafwyd John Salesbury i Ysgol Winchester yn ddisgybl? Yr oedd yn ofid i galon Siôn Tudur, fel yr eglurodd i Huw lawer gwaith, i weld a chlywed fel yr oedd yr uchelwyr Cymreig yn camddefnyddio, meddai ef, y breintiau newydd a enillwyd dan deyrnasiad y Tuduriaid. Troesai Dâm Siân Salsbri, mam y John ffroenuchel yma, bob carreg i gael ei mab i'r ysgol fonedd orau yn y deyrnas. Costiodd yn ddrud i Salsbriaid Lleweni i gael dylanwad ar John White, Warden Winchester. Wedi dyfal holi a stilio darganfu Dâm Siân bod White yn gyfeillgar â Thomas Runcorn, Rheithor Llanrhaeadr, a neb llai nag Esgob Llanelwy yn gyfaill arall iddo. Bu raid i Syr Siôn Salsbri wared peth o'i dir gwerthfawr ac o leiaf un tŷ yn nhref Dinbych. Rhaid oedd i wobr lwgwr o Leweni fod yn fwy na chil-dwrn neb arall. Gallasai'r arian a wariwyd ar amcanion cyffelyb yn Nyffryn Clwyd yn unig, godi ysgol ramadeg heb ei bath yn Ninbych neu Ruthun. Pa well warden na William Salesbury i'r fath ysgol, yn lle bod yr athrylith hwnnw, fel ag yr oedd, yn cuddio yn Hiraethog oherwydd erledigaeth Mari Waedlyd am ei fod yn Brotestant? Yn ffortunus i aml un fel William Salesbury nid oedd yr ustusiaid yng Ngogledd Cymru mor danbaid grefyddol â'r Frenhines ei hun.

'Mae nasiwn y Cymry wedi gwallgofi Huw,' fyddai Siôn Tudur yn ei ddweud yn aml. 'Mi hoffwn ganu mwy o gywydde merch a llatai ond mae angen pregeth ar gywydd i ddod â'r uchelwyr, a'r beirdd o ran hynny, at eu coed.' Felly y dwrdiai Siôn Tudur.

Yr oedd uchelgais Dâm Siân Salsbri yn ddihareb. Flynyddoedd cyn cael mynediad i'w mab i Ysgol Winchester yr oedd hi wedi ei briodi, yn ddeng mlwydd oed, i Catrin ferch Tudur ap Robert, Berain, ond mai Kathryn a ddywedai Dâm Siân bob amser. Y ferch fach brydferth o Ferain oedd man cychwyn ei gobeithion ar gyfer John Salesbury. Onid oedd hi'n unig aeres ei thad a daliadau tir ganddi yn frith yn Sir Ddinbych a chyn belled â Môn? O! do, bu Dâm Siân yn effro i weld gwerth Catrin o Ferain. Byddai'r ffaith bod taid y ferch, Syr Rowland Felfil, yn blentyn siawns i'r brenin Harri VII gynt, yn ddefnyddiol tu hwnt ac yn ychwanegiad at ei statws, ac yr oedd statws yn bopeth. Hynny ydyw, yr oedd Catrin o'r un gwaed â'r Frenhines Mari. Gwyddai Huw Tudur hanes helyntion y Salsbriaid yn dda, neu mewn geiriau eraill helyntion Dâm Siân Salsbri.

Aeth awr heibio ers y cyfarfyddiad tyngedfennol ar y bont i Amwythig a dyma hwy ill pedwar, Tudur ap Robert, Berain, John Salesbury, aer Llewenni, a'i gyfaill Owen Brereton, a Huw Tudur, yn y drydedd dafarn er pan iddynt gyrraedd y dref. Yn y dafarn gyntaf bu'r gwesteiwr yn rhy araf yn dod i'r golwg wrth fodd John Salesbury. Bu'n bloeddio'n uchel ac yn ddiamynedd am dro neu ddau, yna trodd ddwy o feinciau hirion ar wastad eu cefnau â chlep ar fflagiau'r llawr cyn cyhoeddi, 'Dewch gyfeillion, mae digon o gwrw yn Amwythig heb i ni aros yn y bragdy budr yma.'

Yr oedd y lle'n drewi a dweud y lleiaf, ond wedi teithio o Damworth ers y bore bach, ni theimlai Huw yn glên iawn ar ddiwedd dydd yn gorfod chwilota am ail dafarn. Rhaid nad oedd etifedd Lleweni wedi dod hanner y pellter neu ni fyddai mor barod ei gŵyn. A dyma'r hen ymgecryn a gâi merch ac aeres Berain yn gywely, pan elent i gydfyw â'i gilydd yr haf hwn fel gŵr a gwraig am y tro cyntaf ers eu priodas plant.

Ni fu arhosiad y cwmni yn yr ail dafarn yn hwy. Cymaint oedd syched Huw a Tudur ap Robert erbyn hyn fel mai prin y gwlychodd y chwart cyntaf o gwrw coch y White Swan eu llwnc. Roeddent newydd dywallt eu hail chwart o'r cwrw o'r ystên fawr a adawyd iddynt gan y lodes pan roddodd honno ysgrech uchel o'r tu cefn i'r setl lle'r eisteddai Huw. Trodd Huw i edrych heibio talcen y setl a gwelai'r ferch wedi ei dal gerfydd ei gwallt o'r tu ôl gan John Salesbury. Parhâi i sgrechian a Huw yn crugio'i enaid iddo gwrdd ag un mor stwrllyd â Salesbury.

'Tynn dy eirie yn ôl, y bitsh!' ysgyrnygai John Salesbury gan roddi plwc arall i'r gwallt. Pa le y dysgodd drin morynion fel yna? meddyliai Huw. Nid gartref yn Nyffryn Clwyd, bid siŵr. Yn nhafarnau Winchester debycaf.

'Tynn dy eirie'n ôl, gnawes,' meddai eto. Ond gwrthodai ddweud gair o'i phen. Trodd yntau at ei gyfaill, Brereton.

'Fydde hi'n hoffi diod bach, Owen? Rwy'n siŵr fod syched ar mei ledi,' cilwenodd ar ei gyfaill.

'A Winchester bath perhaps?' cynigiodd hwnnw, a chodi eu hystên o gwrw yn uchel uwchben y ferch. Rhoddodd hithau ysgrech arall pan ddeallodd eu bwriad, ac yna dechreuodd Owen Brereton dywallt ei gwrw dros ei hwyneb, i'w cheg sgrechlyd. Arllwysodd i lawr ei hwyneb a'i gwddf noeth a'i dwyfron helaeth a'i chynddeiriogi cymaint fel y llwyddodd i dorri'n rhydd a dianc i'r tywyllwch yng nghefn yr ystafell. Deuai ei llwon bras Saesneg i'w clyw a chwarddai John Salesbury ac Owen Brereton yn afreolus a phlentynnaidd, yn nhyb Huw

Tudur. Yr oedd y ddau uchelwr yma yn ymddwyn yr un ffunud â'r fintai gynyddol o feibion uchelwyr a heidiai i hobnobian o gwmpas Ysbytai'r Gyfraith yn Llundain.

'Ac yrŵan, ymborth sydd arna i eisie, Meistr Tudur; caiff y merched aros eu twrn,' cyhoeddodd Salesbury.

'Rwy'n ame a fydd fawr o lewyrch ar luniaeth yn y twll chwain yma, John. Gad i ni gael hyd i'r Hwrdd Du cyn iddi dywyllu,' ebe Brereton.

'Yno fyddwn ni'n aros, Meistr Tudur,' eglurodd Salesbury, 'ac fe fyddem yn falch o'th gwmni.'

A oedd ei wahoddiad yn swnio'n debycach i orchymyn, ynteu dychymyg Huw oedd ar waith? Hefyd, ai damwain oedd hi na chyfarchodd Salesbury ef unwaith yn uniongyrchol ers iddynt gwrdd ar y bont?

'Ie, purion,' meddai ap Robert, 'gan fod yno fwyd bonheddig. A chan eich bod chwithe eich dau wedi dechre cicio'ch sodle fel dau ebol blwydd,' ychwanegodd.

Trodd Huw Tudur am y drws. Yr oedd gweision y ddau ebol blwydd yn cwrcydu'n amyneddgar yn y stryd yng ngofal y meirch, a lles y meirch hynny oedd ar feddwl Huw ers amser, a dweud y gwir. Hyd yn oed os oedd dros ugain punt yn ei bwrs ni allai fforddio esgeuluso ei dda.

Ystraffagliodd y gweision ar eu traed blinedig pan ddaeth Huw i'r golwg ac i lawr y stepiau o'r dafarn. Ar y stepen isaf lledorweddai hen ŵr carpiog.

'Dimai i un o hen wŷr y brenin, syr?' cwynfanodd y creadur hyll yn Saesneg.

Nid oedd gan Huw ddim llai na hanner grôt, fe wyddai, ac yr oedd wrthi'n penderfynu bod hynny'n ormod i'w roi pan ddaeth Salesbury ifanc i lawr y stepiau.

'Cilia i dy well, mab y . . .' Ond ni chafodd John Salesbury o Ysgol Winchester orffen ei lw. Dyma fwcedaid o ddrewdod gwlyb o ffenestr y llofft isel i lawr am ei ben a sgrechiadau o chwerthin oddi wrth y ferch a brofodd y 'Winchester bath' gynnau. Aeth Salesbury yn gandryll. Dawnsiai mewn cynddaredd a dagrau gwylltineb. Yn sydyn, trodd am y grisiau a'i ddagr yn ei law pan gafodd ap Robert afael yn nhrwch penysgwydd ei ddwbled fochaidd. Nid yn hawdd y darbwyllwyd balchder a thymer Salesbury ond llwyddodd ei dad yng nghyfraith i'w oeri a'i gael i daflu ei ddwbled a'i het a'i ffril i'r gweision. Rhoddodd y gweision glogyn iddo i'w wisgo dros ei grys ac arweiniodd ap Robert y fintai i fyny'r stryd serth yn y gwyll i gyfeiriad yr Hwrdd Du yn nhop y dre i gyfeiliant melltithion 'Welsh bastards' merch y dafarn.

Wedi cyrraedd yr Hwrdd aeth Huw yn syth i gyfarwyddo'r gweision ac i'w fodloni ei hun y byddai'r meirch yn cael pob chwarae teg. Yr oedd yn dda cael bod allan o sŵn Salesbury a'i gyfaill yn ogystal. Erbyn gweld, yr oedd y ddau was o Leweni yn bur fedrus.

'Dwi'n nabod dy frawd Siôn Tudur, Meistr Huw,' meddai'r hynaf cyn hir. 'Gŵr abal, fel Meistr ap Robat. Mi glywes iddo ga'l 'rhen aflwydd y chwys fawr. Sut mae o erbyn hyn, syr?'

'Wedi mendio'n dda odieth, diolch i ti,' atebodd Huw.

'Dwi'n cofio Siôn Tudur yn ymaflyd codwm efo Siôn y Bodie—mae'n ddrwg gen i, efo Syr Siôn Salsbri, dwi'n feddwl—ar y Green rai blynyddoedd yn ôl, syr. Dew! dyna i ti ornest. Ro'dd Syr Siôn wedi ca'l y godwm gynta yn rhwydd. Siôn Tudur heb ga'l 'i fesur o, ti'n gweld. Wel, ro'dd 'no stŵr am chwarter awr. Maen nhw'n deud hyd heddiw fod y banllefe i'w clywed o Fotffari. Y gaseg 'ma yn c'nau fel sidan, Meistr Huw. Ie, be oeddwn i'n ddeud hefyd? O! ie, yr ail godwm. Wel, i Siôn Tudur yr aeth hi yn sydyn chwap, a'r hen Siôn y Bodie, Syr Siôn, ar 'i din ar y glas ac yn chwerthin yn iawn, chware teg iddo. Dâm Siân Salsbri yn bur wyn ei gwep pan glywodd hi. Do'dd hi'n hidio fawr am i Syr Siôn chware o gwbl mewn ffair, a dweud y gwir.'

Aeth yr hen frawd yn ei flaen yn afiaith ei stori.

'Ro'dd hi'n dipyn o beth, wyddost ti. Neb wedi'i roi o 'rioed o'r blaen ar wastad 'i gefn, Meistr Huw. Wel, i ti, fe gafodd yr hen Syr Siôn ddeng munud arall go anhydrin cyn ca'l y godwm ola yn erbyn Siôn Tudur. Ie, gŵr nobl ydi dy frawd, syr. Mae o'n medru'r Gerdd Dafod cystal â'r gore ohonyn nhw os oes coel ar Lewis ab Edward, Botffari acw.'

'Pan gaiff ei alw i neithior y tro nesaf y bydd gartref, mae Siôn Tudur yn berygl o gael gradd Disgybl Penceirddaidd. Mae gen i gywydd neu ddau o'i eiddo yn fy waled i'w danfon i ambell gydnabod,' eglurodd Huw.

'O! felly, Meistr Huw. Felly wir. I rywun o bwys, sicr gen i.'

'I Gruffudd Hiraethog a Wiliam Cynwal.'

'Gruffudd Hiraethog, ie? O, felly wir. Mi orffenna i y march i ti ga'l mynd am dy hwyrbryd. Wyt ti'n mynd i breswylio efo Meistr Tudur ym Merain, Meistr Huw?'

'Na, rwy'n mynd i'r Wicwer. Mae ap Robert wedi gosod rhan o'r drefgordd i fy mrawd. Cyn hir fe fydd ynte'n gadel y Gard yn Llundain ac yn aros weddill ei ddyddie yn Is Aled.'

'Is Aled, ddwedaist ti, syr? Dembisheiar ydi popeth rŵan. Dembisheiar, myn Beuno! Dyna enw!'

'Mae'r byd yn newid. Fe adawa i'r gaseg i ti. Beth ydi'r enw hefyd?'

''Run enw â thithe, syr. Huw. Huw Tyddynreithin.'

Aeth Huw Tudur o'r stablau am ddrws cefn yr Hwrdd Du tan wenu. Yr oedd ar ei gythlwng. Cafodd hyd i'r cwmni mewn ystafell ar eu pennau eu hunain, wedi dyfal holi amdanynt yn yr hen westy mawr.

'*Yn* mynd i dorri'r cig yma oedden ni, gyfaill,' eglurodd ap Robert, 'ac os nad wyf yn camgymryd, cherddodd o ddim ymhell yn ei ddydd. Fe ddylai fod yn dyner fel John Salesbury!'

Yn rhyfedd iawn ni thorrodd Salesbury unrhyw air. Yr oedd y Saesnes fach ar gwr y dref wedi torri ei grib, neu ynte fe gafodd ap Robert air gydag ef ar ei ben ei hun. Nid oedd o fusnes i Huw. Yr unig beth a dynnodd ei sylw oedd yr arogl. Gwisgai John Salesbury ddwbled lân ac ogleuai'n gryf o ddŵr rhosys. Rhaid ei fod wedi tywallt tua chwart ohono am ei ben i waredu'r drewdod o'r ffenestr llofft honno.

'Bwytewch, gyfeillion, fe ddaw gwin yn y man, ac fe gawn noswylio,' gorchmynnodd Tudur ap Robert. 'Os boregodwn, siawns na chawn ni well hwyrbryd yn Nyffryn Clwyd yfory nos.'

'. . . Bara a chaws, bir a chig,

       Digon o bob pasgedig . . .' meddai John Salesbury yn sydyn.

Myn Mair! meddyliodd Huw, mae o'n dechre dod ato'i hun ac mae'n ymddangos nad ydi disgyblion Ysgol Winchester heb rywfaint o ddiwylliant wedi'r cyfan.

18

Pennod II

'Mae hi'n argoeli gwneud Sulgwyn teg, Heulyn Goch,' meddai Catrin wrth iddynt adael Botryddan. Dim ond 'Ydi, meistres,' eithaf cwta a atebodd y gwas. Nid oedd Heulyn fawr am ymddiddan, meddyliai Catrin, ond yr oedd yn ufudd a pharod bob amser. Ychydig a wyddai hi mai yn unig wrth ei hebrwng o gwmpas gwaelod Dyffryn Clwyd ar âi Heulyn mor dawedog.

Yr oedd Catrin mor dlws fel yr oedd yn boenus bron gorfod cadw ei chwmni a'i gwarchod. Neithiwr ddiwethaf y bu hi'n ei freuddwyd tra chydgysgai â gweision Botryddan yn un o'r llofftydd stabl. Byddai gweision y rhan fwyaf o blasau'r fro yn arfer dannod iddo ei feistres hardd. 'Syr Heulyn Salsbri' oedd ei lysenw gan weision Plas Cinmel, er enghraifft. Ond ni phoenai Heulyn ddim am y llysenwi. Beth a'i ffromai oedd rhai o awgrymiadau'r gweision ar adegau, ynglŷn â beth yr hoffent ei wneud â chorff Catrin pe cawsent ei swydd ef. Nid oedd Heulyn yn ddigon hen a phrofiadol i lawn sylweddoli nad oedd yna yr un gwas yn yr holl ddyffryn a feiddiai roddi blaen ei fys ar aeres Berain ar boen cael ei grogi. Dull y gweision bras o fynegi eu hedmygedd o'r ferch oedd y cyfan, petai ond yn gwybod.

Pa le bynnag y codai enw Catrin, boed yn blas uchelwr neu esgob, yn ffermdy neu fwthyn, cyfrifid nad oedd ei hail o ran pryd a gwedd. Pryd golau oedd hi ac os oedd un o'i nodweddion yn rhagori o gwbl ar y lleill yna ei gwallt oedd hwnnw. Dyfeisiai beirdd y fro lu o gymariaethau i'w foli pan ganent iddi.

> . . . Catrin eurwallt, cytir arian,
> Plethau'i dwydid o sidan . . .

a chwpledi cyffelyb. Wedi canu llinellau lawer i'w gwallt rhuddaur, liw efydd ac yn y blaen, aent ymlaen i ddyfalu ei thalcen tal unionsyth a'i llygaid glaslwyd golau. Cerddai eu cywyddau ymlaen at wynder ei gwddf a thegwch ei bronnau, ond yn wahanol i'r arfer, nid celwyddau oedd geiriau'r beirdd, fel yn achos llawer i ferch fonheddig, ond annigonol i gyfleu yr effaith fywiog lachar a gâi Catrin pan ymddangosai yn unrhyw gwmni. Nid gormodiaith oedd ei chymharu i fflam neu haul neu leuad Fedi ddisglair. Gorffennai'r cywyddau bob amser drwy gyfeirio at ei thaldra gosgeiddig, ei boneddigrwydd wrth wrêng, a'i gwybodaeth a'i deall. Unwaith eto, nid geiriau gwag confensiwn oeddynt. Trwythwyd hi yn niwylliant ei chenedl, yn ei hanes a'i chwedlau ac yn elfennau'r iaith Gymraeg. Gallai gywiro beiau amlwg cynghanedd ac arferai'r grefft o ganu crwth. Ychydig a wyddai, na fawr neb arall yn y dyddiau hynny, ei bod hi a'i chyfoeswyr bonheddig gyda'r to olaf o uchelwyr mawr i goleddu gogoniant eu pobl yn feunyddiol ac mor naturiol ag anadlu neu fwyta.

'Fe awn ni ar draws llawr y dyffryn, Heulyn,' cyfarwyddodd Catrin, wedi gadael pyrth Botryddan. 'Fydda i ddim yn galw ar neb nes cyrraedd Lleweni, felly y llwybr byrraf piau hi.'

Anogodd ei chaseg las i duthio'n ysgafn a dechreuodd fwynhau ei siwrnai o Fotryddan, yn ardal Diserth, i fyny glannau Clwyd i gyfeiriad Dinbych a Lleweni. Fe fu Siôn Conwy, Uchel Siryf Sir y Fflint, a Jane Conwy ei wraig, yn fawr eu croeso fel arfer er mai newydd gladdu tad Siôn Conwy yr oeddent, a'r hen wraig, Elisabeth Hanmer, yn bur ddigalon. Cysur mawr i'r hen wraig, serch hynny, oedd baban bach cyntaf Jane Conwy. Mwynhaodd Catrin y tridiau cymharol dawel ym Motryddan ar gwr Morfa Cwybr ac yr oedd yn fendigedig cael cerdded Traeth y

Foryd. Er nad oedd yn gynnes iawn ddoe ar y foryd, oherwydd awel fach fain ar draws y bae o gyfeiriad y Creuddyn, fe fynnodd Catrin gael trochi ei thraed. Rhybuddiodd Jane Conwy hi rhag cael annwyd a rhag gwlychu godrau ei sgert a'i pheisiau. Wrth drochi felly, lle'r oedd dyfroedd glân afonydd Clwyd a Gele yn cymysgu â'r heli môr, dechreuodd Catrin feddwl faint tybed a gymerai dyfroedd afon Clwyd i redeg o erddi blodeuog Lleweni i lawr i'r fan honno? A oedd o'n gynt na cheffyl? Yr oedd yn hoffi rhifo. Byddai Syr Siôn Salsbri, ei thad yng nghyfraith, yn mynnu ei bod yn archwilio cownt rhenti ei stiward stad bob blwyddyn.

Parodd meddwl am Syr Siôn iddi gofio am yr holl brysurdeb ym Mhlas Lleweni y dyddiau diwethaf hyn. Prysurdeb ydoedd a droai o gwmpas Dâm Siân Salsbri. Yr oedd gan Dâm Siân obaith magu eto am y nawfed tro. Y nawfed tro heb golli yr un ohonynt. Gwnaethai Catrin i Jane Conwy chwerthin wrth iddi ddisgrifio, a dynwared yn wir, sut yr oedd pawb a phopeth, o Syr Siôn i lawr at y gweision mwyaf distadl, yn gaeth i'w mympwyon lleiaf. Yn ychwanegol at ei beichiogrwydd yr oedd dychweliad John Salesbury o Ysgol Winchester yn rhoi iddi fwy o hawl nag arfer i lywodraethu ar bawb. Teimlai Catrin ryw hapusrwydd yn llenwi ei bron hefyd y bore hwn o haf cynnar. Edrychodd o'i chwmpas, wrth duthio ymlaen, ar yr harddwch gwyrdd a'i hamgylchynai ar bob llaw yn y dyffryn coediog eang, a'r olygfa wedi ei diogelu gan fryniau Clwyd ar y chwith ac ucheldir Hiraethog ar y dde. Sylwodd Catrin ei bod yn fwy ymwybodol o harddwch natur yn ddiweddar. Arwydd o henaint cynnar, meddyliodd wrthi ei hun. Edrychodd o'i blaen a gwelai dŵr sgwâr Eglwys Gadeiriol Llanelwy yn codi ar y gefnen rhwng afonydd Clwyd ac Elwy tua dwy filltir i ffwrdd. Yn union dros ben Llanelwy, rhyw bedair milltir arall i ffwrdd wedyn, fe wyddai Catrin y swatiai Berain, cartref ei thad a'i hen gartref hithau, ar odrau Hiraethog lonydd. Yr oedd gwychder a chyfoeth Plas Lleweni yn deilwng o'r dyffryn bras yma, ond yr oedd plasty bach Berain, nid nepell o Henllan, yn dwt ac yn annwyl. Byddai ei thad yn dychwelyd o Lundain unrhyw ddiwrnod. A beth a'i gwnâi yn ddwbl felys oedd bod Tudur ap Robert yn dychwelyd am byth y tro hwn.

Cymaint y bu Catrin yn ei mwynhau ei hun yng nghwmni Jane Conwy fe fyddai wedi aros mwy ym Motryddan oni bai bod arni eisiau bod yn Lleweni i groesawu ei thad. Byddai'n siŵr o alw cyn mynd yn ei flaen i Ferain, achos deuai'r ffordd dros fryniau Clwyd i lawr at Bont Llundain yn ymyl Lleweni. Byddai'n rhaid i'w thad groesi stad Lleweni ar ei daith i fyny i Henllan a Berain. A beth fyddai ei anrheg, tybed? Tlysion neu las o Frwsel efallai? Fe glywodd Dâm Siân yn dweud bod gweithwyr Brwsel yn pwytho las heb netin na lliain o fath yn y byd yrŵan, a'i fod mor gywrain â gwe pry cop. Byddai las newydd i'r dim ar gyfer y bodis melfed y bu'n ei frodio â rhosynnau arian. Dyna syniad! Os câi hi las mor ffein â hynny fe gadwai ei bodis newydd i'w neithior yr haf yma. O! gobeithio y byddai John Salesbury yn fwy o ddyn y Sulgwyn hwn nag yr oedd y llynedd. Yr oedd ei lythyr y Nadolig diwethaf yn gall a chyfrifol ond a fyddai wedi newid cymaint ag y newidiodd hi! Sut beth oedd y cysgu gyda gŵr yma mewn gwirionedd? Gwenodd, a daeth yn ymwybodol fel yr oedd ei mynwes yn dychlamu i gerddediad y gaseg fach. Oedd, yr oedd ei bronnau wedi tyfu'n ddel. Nid oedd yna fawr o amser ers iddi fod yn bryderus ynddi ei hun ac yn genfigennus iawn o Elisabeth Salesbury, chwaer John, a'i chwaer yng nghyfraith hithau. Er nad oedd Elisabeth ond chwe mis yn hŷn na hi, fe fu gan Elisabeth fynwes lawn cyn iddi fod yn bymtheng mlwydd oed. Yr oedd hi'n ddelach nag Elisabeth, fe wyddai hynny, ac yn wir yr oedd yr haf hwn yn mynd i fod yn gynhyrfus iawn. Mor gynhyrfus ag y gallai unrhyw ferch ddeunaw oed ei ddymuno.

Gyda syndod y sylweddolodd Catrin ei bod hi a Heulyn Goch yn croesi Pont Ffridd Mawr dros nant Lleweni. Mor brysur y bu ei meddwl. Dros y filltir olaf drwy goed derw llawr y dyffryn, meddyliodd eto am ei thad. Yr unig siom a fu ei thad iddi erioed oedd pan adawodd iddi adael Berain yn ddeg oed i briodi John Salesbury. Fel pob merch fach, yr oedd wedi mwynhau mynd i briodas ond yr oedd *hi* wedi gwneud yn well na hynny. Yr oedd wedi cael priodas i gyd iddi hi ei hun. Aethpwyd â hi i lawr i Leweni ac yno cyfarfu â Syr Siôn Salsbri a Dâm Siân, John y priodfab a'i chwaer Elisabeth, Robert a oedd tua wyth oed ar y pryd, a Thomas wedyn yn fachgen bach chwech oed, ac yn olaf Hugh y lleiaf o blant Lleweni yn bedair. Llond tŷ mawr anferth o blant a phawb yn cael gwisgo'n hardd fel brenhinoedd. Cofiai Catrin iddi gael gwisg sidan a bodis melfed porffor wedi ei drimio ag arian a mân berlau. Penwisg fechan fel capan twt a pherlau'n addurno'i ymylon. Cofiai'r daith yn y cerbyd i'r Eglwys Gadeiriol yn Llanelwy i gael priodas esgob. Cerdded drwy'r bobl wrth ochr ei thad, ac yntau mor hardd gyda'i farf gwta bigfain, a'r miwsig yn yr eglwys yn llenwi ei chlustiau. Oedd, yr oedd y briodas yn ardderchog ond bu raid iddi aros yn Lleweni o'r noson honno ymlaen, gyda Dâm Siân. Yr oedd Dâm Siân yn ddigon hoffus. Yr oedd yn siarad llawer ac yn dweud na yn aml, ond yr oedd ei llysfam Marged Wen yn un arw am ddweud na, pa 'run bynnag. Hefyd, byddai Dâm Siân yn trefnu chwaraeon a dawnsiau ac yn adrodd chwedlau, ond wir yr oedd Lleweni yn gallu edrych mor fawr ar adegau. Yn arbennig felly, fe gofiai Catrin mor unig oedd y lle y noson gyntaf y cysgodd yno. Yr oedd ei thad wedi dychwelyd i Ferain a hithau wedi crio ar ei ôl. Aethpwyd â hi a'r plant eraill i gyd i fyny'r grisiau llydan a didolwyd pawb i'w wely fesul ystafell. Nid oedd oriel hir yn Lleweni ar yr amser hynny, dim ond un ystafell gysgu'n arwain i'r nesaf o hyd. Moesymgrymodd John Salesbury iddi yn osgeiddig a Dâm Siân yn ei dysgu i roi cyrtsi fel y gelwai hi'r ystum. Gadawodd ei gŵr bach deng mlwydd wedyn a chafodd fynd i gysgu am y nosweithiau cyntaf gydag Elisabeth, ei chwaer yng nghyfraith, cyn cael ei hystafell ei hun ym mhen pellaf y gyfres llofftydd. Bu ei hystafell yn ddihangfa ac yn fan breuddwydio iddi byth ers hynny.

Ymysgydwodd Catrin oddi wrth ei hatgofion wrth i'w llwybr hi a Heulyn Goch droi i'r chwith tuag at Leweni. Daeth y plas i'r golwg ar y dolydd eang ar lan afon Clwyd. Dyma'r plasty mwyaf mawreddog yn y dyffryn; yn holl siroedd y Gogledd, meddai rhai, ac yr oedd Dâm Siân am ei gadw felly. Pan godod Siôn Wynn ap Meredudd Blas Gwydir dair blynedd yn ôl, ar lan afon Conwy, yr oedd ei weithred yn fygythiad i statws Lleweni. Llwyddodd Dâm Siân i'w gwahodd ei hun i Wydir i gael gweld drosti ei hun. Daeth oddi yno wedi penderfynu ymgynghori â Rhisiart Clwch Ieuanc ynglŷn â sut i ehangu Lleweni. Dyna beth oedd y sŵn curo mawr a ddeuai i'w clyw wrth agosáu at gefn Lleweni—ateb Dâm Siân i Siôn Wynn a phob uchelwr arall yng Nghymru, nad oedd dim cystadlu â'r Salsbriaid i fod. Ers dwy flynedd bu'r seiri meini a'r seiri coed wrthi'n ailgodi'r neuadd gydag oriel uwch ei phen. Y bwriad oedd ei chael yn barod i wledd fawr y Llungwyn os yn bosibl. Bu cryn waith perswadio Syr Siôn Salsbri i wario ar y gwelliannau, ac yntau eisiau rhoi ei arian mewn menter mwyn plwm yn Nhegeingl ac i gynyddu ei stoc. Dâm Siân a orfu yn y diwedd ond dryswyd y cynlluniau ar gyfer neithior Catrin a John

Salesbury pan ddarganfu meistres Lleweni ei bod yn cario plentyn. Byddai'n rhaid aros tan ar ôl geni'r baban cyn y gallai Dâm Siân fwynhau pwysigrwydd y neithior.

'Ac fe rydd hynny fwy o amser i sicrhau y bydd y neuadd yn hollol barod. Mae arnaf ofn na fydd Robert Owen yr Abbey wedi gorffen gosod y paneli erbyn y Llungwyn yma hyd yn oed. Wn i ddim pam na wnei di ei orfodi i gyflogi mwy o weision, Siôn Salsbri,' cwynai Dâm Siân.

Pan gyrhaeddodd Catrin ar y buarth cefn yn Lleweni, pwy oedd yno yn llewys ei grys heb unrhyw fath o ddwbled yn y byd a dwy drosol bum troedfedd yn ei law, ond Syr Siôn Salsbri.

'Catrin fach, can croeso, fe ddeuaist yn ddiogel,' bloeddiodd.

'Do, diolch i ofal Heulyn Goch,' atebodd.

'Rho dy law i'th feistres oddi ar y gaseg, 'machgen i, a phaid ag edrych mor syn. A rho ymgeledd i'r ddau greadur yn syth, cofia.'

Gwridodd Heulyn at fôn ei glustiau wrth gymryd pwysau'r ferch a'i glanio ar y buarth.

'A beth oedd hwyl Siôn a Jane Conwy?' holodd Siôn Salsbri. Cyn i Catrin ateb rhoddodd newyddion syfrdanol iddi.

'Yrŵan, beth ddyliet ti, Catrin? Mae dy dad wedi bod yma neithiwr.'

'Nhad? O! Syr Siôn, pryd? Ble mae o?'

'Yrŵan, cymer dy wynt, cymer dy wynt,' apeliai Siôn Salsbri yn garedig, gan afael â'i ddwylo mawr o bobtu ysgwyddau'r ferch gynhyrfus. 'Do, fe ddaeth yma yn hwyr, wedi marchogaeth o Amwythig, a rhyfedd o fyd, yr oedd o wedi cyd-deithio efo John drwy'r dydd. Y ddau gwmni wedi cyfarfod ar bont Amwythig.'

'Mae John yma hefyd?'

'Ydi, ac mae ei fam yn gwbl ddireol. Mae hi fel iâr ar farwor, wir. Mae'r tŷ fel petai'r Sesiwn Fawr ei hun ar agor, myn Mair!'

Teimlodd Catrin ryw drymder sydyn a daeth rhyw gryndod drosti. Rhaid bod Siôn Salsbri wedi synhwyro rhywbeth achos dywedodd, 'Paid â chynhyrfu, lodes. Mae John wedi prifio ac mae o'n dalach na mi erbyn hyn. Ond yn dene, yn dene fel milgi. Wn i ddim beth oedden nhw'n gael i'w fwyta yn Winchester yna—gwellt eu gwelye, yn ôl a wela i, neu mae'r cythrel bach wedi bod yn ofera. Mae o wedi costio digon i mi, beth bynnag. Na hidia, mi borthwn ni'r bachgen i ti, Catrin. Nid cymaint â hyn, cofia,' meddai Syr Siôn gan chwerthin a chyfeirio at ei ganol boliog ei hun.

Fel rheol byddai Catrin wedi ymuno'n rhwydd ag ef yn ei hwyl, ond am reswm na ddeallai hi ei hun yn iawn, yr oedd arni eisiau gweld ei thad yn ddiymdroi.

'Fydd hi'n iawn imi fynd i Ferain ar ôl pryd o fwyd, syr?' gofynnodd yn gyflym a braidd yn ffurfiol.

'Y Brenin Mawr sy'n gwybod! Ond rwyt ti wedi marchogaeth llawn digon i unrhyw ferch mewn un bore. A bydd John am dy weld. Mae . . . mae Dâm Siân ar ben ei digon wedi ei gael gartre. Weles i ddim ohoni mor harti ers blwyddyn. Naddo, ar fy ngwir. Paid ti â'i thaflu oddi ar ei hechel yrŵan. Cer di i mewn, ferch, maen nhw'n siarad fel pwll tro yn yr oriel yna yn rhywle.'

'Ga i fynd, syr, y pnawn yma?'

Gwlychodd Siôn Salsbri ei wefusau a chuchio'i aeliau braidd. Yr oedd yn hoff ryfeddol o Catrin, byth ers pan ddaeth atynt i Leweni yn ddeng mlwydd oed yn ddarpar wraig i John, yr aer, ac ni welodd erioed mohoni yn groes ond yn wastad yn llon, yn chwim ei meddwl a bywiog ei hysbryd. Wrth weld ei dau lygad glân mor boenus nawr, meiriolodd ac meddai, 'Os daw rhai o'r plant i'th hebrwng, efalle na fyddai . . .'

'O! diolch, diolch, syr, mae rhywun yn siŵr o ddod,' a rhoddodd gusan cyflym i Siôn Salsbri ar ei gern blewog.

'Ie, wel ie, cawn weld. Cer di i mewn yrŵan. Mae dyfal ddisgwyl amdanat ti.'

Trodd Catrin tua'r drws ac aeth Syr Siôn am y weirglodd agosaf i ymarfer taflu ei drosolion.

'Tyrd efo mi'r gwalch i ti gael casglu'r rhain i mi,' meddai'n hwyliog wrth un o blantos y morynion. 'A chofia di sefyll naill du neu mi dorri dy ben.'

''Marfer am Ŵyl y Sulgwyn wyt ti, Syr Siôn?' gofynnodd y llefnyn yn ddigon parod ei dafod. Yr oedd y plant yn hoff o 'Siôn y Bodie', chwedl gwerin y fro.

'Wel, beth arall? Mae pawb yn mynd â gwaith o fy nwylo i, fachgen, fel nad oes gen i ddim ond chware i'w wneud. Wn i ddim i beth mae'r byd yn dŵad. Wiw i uchelwr faeddu ei ddwylo y dyddie yma.'

Dilynodd y bachgen ar ôl corpws enfawr meistr y dyffryn.

Erbyn hyn cyrhaeddsai Catrin at Dâm Siân i gyhoeddi ei dychweliad. Eisteddai'r feistres yn ôl ar ei chlustogau yn ei hoff alcof yn yr oriel a golwg foddhaus ar ei hwyneb del. Nid oedd yr un rhych yn yr wyneb hwnnw, er ei fod yn bymtheg ar hugain oed. Wrth ei hochr, yn dal ei llaw ac yn gwisgo'r ffril fwyaf a welodd Catrin erioed, yr oedd ei gŵr, John Salesbury. Mae'n rhaid mai John ydoedd ond yr oedd cymaint talach erbyn hyn a thamed o locsyn pig tenau ar ei ên.

Beth ar y ddaear sy'n bod arna i? meddyliodd Catrin.

Yr oedd ei phennau gliniau yn wan. Llyncodd ei phoer a daeth ymlaen yn eithaf simsan. Yna fe'i rheolodd ei hun, ac yn osgeiddig, fel y dysgwyd iddi yn Lleweni, cynigiodd ei llaw i'w chusanu gan ei gŵr a'i darpar gywely. Gwenodd Dâm Siân a'i phen ar un ochr a'i hedrychiad yn llawn cymeradwyaeth. Gwyddai ei bod wedi magu boneddiges yn hon. Boneddiges deilwng o ŵr a allai fod ryw ddydd yn Llywydd Cyngor Cymru a'r Gororau.

Ni fu Catrin erioed mor falch bod Dâm Siân mor siaradus. Ni chafodd fawr neb gyfle i ddweud gair yn ystod y pryd bwyd, heblaw John Salesbury a'i fam. Nid oedd y plant lleiaf yn cael cydfwyta heddiw.

'Alla i ddim goddef sŵn pawb efo'i gilydd yn fy nghyflwr i,' oedd eglurhad Dâm Siân. 'Fe gaiff Robert ac Elisabeth eistedd efo ni. Mae chwech yn hen ddigon. Yrŵan, John, eisteddwch chi wrth fy ochr i, a Kathryn yr ochr arall. Elisabeth, eistedd di efo dy dad, mae o'n cerfio mor drwsgwl, a Robert, cei di helpu pawb.'

Sylwodd Catrin unwaith yn rhagor ar y *chi* a ddefnyddiai Dâm Siân i gyfarch John. Ni wnaeth y fath beth erioed o'r blaen. Yr oedd y gair yn chwithig iawn. Swniai'n debyg i Saesneg, rywfodd, ac mor oeraidd.

Clebrodd meistres y plas yn ei blaen.

'Pwy welsoch chi yn Llwydlo, felly, John? Rhywun o bwys? Gobeithio eich bod chi ac Owen Brereton wedi bod yn sifil tua llys y Cyngor. Beth ddywedi di, Elisabeth?'

Gwridodd Elisabeth ychydig wrth i'w mam gyfeirio at Owen Brereton ac edrychodd yn slei i gyfeiriad Catrin.

'Efallai y byddwch chi yn Llwydlo ryw dro fel *aelod* o'r Cyngor o leiaf, gawn ni weld, John. Mae ymddygiad dyn mor bwysig. Wn i ddim beth sy'n bod ar eich tad. Pam na dderbyniodd gynnig Iarll Penfro llynedd i'w enwebu ar y Cyngor, dyn a ŵyr. Wir, mae arna i ofn weithie fod ei wrthodiad yn mynd i wneud drwg i ni fel teulu. Eistedd yn syth, Robert, ar y fainc yna, da ti. Mae eich tad, John, yn llawer rhy fodlon ar fod yn ustus heddwch ac yn aelod seneddol. Popeth yn iawn mewn bod yn uchel siryf bob hyn a hyn, ond yn y Cyngor mae ei le ac ynte'n farchog ers cymaint o flynyddoedd erbyn hyn,' ffromodd Dâm Siân.

'Mam annwyl, paid â phoeni dy ben, fe glywais ddweud yn Llwydlo na fydd Iarll Penfro ddim yn hir yn ei swydd,' meddai John.

'Rhoi y swydd i ryw Sais, mae'n debyg,' cwynodd Syr Siôn.

Dyna ryfedd. Dim ond tua thair neu bedair cenhedlaeth yn ôl fe gyfrifai y Salsbriaid eu hunain yn Saeson.

Aeth y sgwrs ymlaen ynglŷn â swyddi ac addysg, a sut i ddathlu dychweliad John Salesbury yn anrhydeddus ar y Llungwyn, gyda Noson Lawen yn ôl Syr Siôn, ond Gwledd Groeso y galwai Dâm Siân yr achlysur. A'r pryd bron ar ben, mentrodd Catrin ofyn a gâi hi ganiatâd i fynd i fyny i Ferain i weld ei thad.

'Purion o beth, Siân, ddywedwn i. Mae dwy flynedd er pan welon nhw ei gilydd, pan aethon ni i Lundain,' meddai Siôn Salsbri fel saeth. Syrthiasai wyneb Dâm Siân pan soniwyd am hyn ac aeth ei gŵr yn ei flaen yn syth, 'Fe gaet ti John i ti dy hun am ddeuddydd neu dri. Gall ynte fynd i fyny yfory neu drennydd i'w gweld ym Merain. Er, llawn gwell inni gadw'r ddau yma hyd braich, neu hyd rhywbeth, oddi wrth ei gilydd tan eu neithior yr haf yma, a!' chwarddodd.

Twt twtiodd Dâm Siân yn flin.

'Rwyt ti mor gwrs â beirdd y glêr, Siôn Salsbri. Alla i ddim dweud fy mod i'n hoffi'r trefniade o gwbl.'

Daliodd ei gŵr ati.

'Beth petai hi'n cael tridie efo ap Robert ym Merain? Gall fod yn ôl mewn llawn bryd ar gyfer y Sulgwyn. Byddet tithe wedi cael dy wynt atat erbyn hynny. Mae llawer gormod o dy gwmpas y dyddie hyn a thithe'n magu fel rwyt ti.'

Yr oedd hon yn araith hir i Syr Siôn ac yr oedd yn amlwg fod ei ofal drosti wedi dylanwadu ar ei wraig. Cafodd Dâm Siân y pleser o wneud y penderfyniad hefyd, a dywedodd, 'Fe aiff Heulyn Goch i'th hebrwng, Kathryn. Mae John druan wedi ymlâdd, rwy'n gwybod, ar ôl marchogaeth o'i ysgol. Fe ddaw i'th weld a'th hebrwng yn ôl mewn tridie. Siôn, beth am i ti anfon Heulyn Goch yn ei flaen wedyn at Gruffudd Hiraethog, i Lansannan, i weld pwy o'r beirdd mae o wedi drefnu ar gyfer y Sulgwyn yma?'

Aeth Dâm Siân drwy ei threfniadau. Yr oedd hanner Dyffryn Clwyd yn cael ei wahodd i Leweni, yn ôl maint y rhestr. Nid oedd Catrin yn ddiddig hyd oni ddringodd o'r garreg farch ar y buarth, ar gefn y gaseg las. Dim ond chwe milltir a byddai gyda'i thad.

'Fe groeswn ni'r Green a heibio Plas Chambres i Henllan. Tyrd,' gorchmynnodd i Heulyn.

Arferai Catrin alw i mewn ar unrhyw fonedd a chyfarch unrhyw wrêng a adwaenai pan farchogai yn y dyffryn, ond am yr eildro heddiw yr oedd am gyrraedd ei nod heb oedi. Yr oedd y gaseg fach yn foddfa o chwys erbyn dringo o'r dyffryn i'r gweundir da lle safai pentref Henllan. Cymaint eu brys drwy'r pentref bach cysglyd fel yr oeddent drwyddo cyn i'r gwragedd fedru cyrraedd y drysau i weld pwy oedd ar y fath ffrwst. Ardal gymdogol oedd hon a gweddai Plas Berain i'r gymdogaeth yn naturiol. Nid oedd i'r plas furiau uchel a beiddgar fel Lleweni, yn cyhoeddi ei bresenoldeb o bell. Yn hytrach, deuech ar draws Berain yn weddol ddisymwth gan y swatiai'n gysgodol mewn ychydig o bant coediog. Ysbeciai ei furiau llwyd cadarn rhwng y coed ynn a masarn a rhoddai ei fân ffenestri argraff o groeso parod rhagor na rhwysg o unrhyw fath. Bychan a chynnes oedd neuadd Berain hefyd ond gellid ehangu llawer arni pe codid mwy o ystafelloedd at y tŷ. Barnai Catrin ei fod yn sefyll yn ddigon pell o'r ffordd fach a arweiniai ymlaen i Lanefydd, i ganiatáu adeilad croes yn ymestyn tuag at y ffordd. Gellid creu mwy o ystafelloedd byw yn y rhan newydd ac ehangu'r neuadd yr un pryd. Dyna drueni na fyddai Rhisiart Clwch gartref gyda'i dad yn Ninbych. Yr oedd yn gynllunydd heb ei ail ym marn Dâm Siân. Ef oedd wedi cynllunio'r gwelliannau yn Llewenni y tro diwethaf y bu gartref o'r Iseldiroedd. Ni fynnai Catrin am i Rhisiart Clwch, na neb arall, chwalu'r plasty bach am ddim yn y byd ond fe ellid codi ato heb golli ei gymeriad. Byddai hynny wrth ei bodd.

I ba un o'i drefi yr âi ei thad i fyw efo'i llysfam ar ôl iddi hi a John Salesbury ddod i Ferain i fyw, tybed? Llawer gwaith y rhybuddiodd Dâm Siân hi na thalai dwy feistres yn yr un tŷ. Byw fel gwerin oedd hynny, meddai hi. Yn sicr, croeso go gam a gâi gan ei llysfam wedi cyrraedd Berain. Ond nid oedd hynny ddim gwahanol i'r ychydig droeon o'r blaen y bu i fyny yno yn y blynyddoedd diwethaf yma.

Un o atgofion cyntaf Catrin oedd angladd ei mam yn wraig ieuanc un ar hugain oed, ar enedigaeth ei brawd. Sut frawd bach a fyddai ganddi, meddyliodd, pe bai ef a'i fam wedi cael byw? Cofiai gael ei thywys i'r llofft lle gorweddai ei mam yn farw, ac arogl y blodau yn y mwsogl llaith yn ei mygu. Byth er hynny neidiai ei meddwl yn ôl i'r ystafell drist honno pan glywai arogl blodau yn gryf.

Arweiniai'r meddyliau hyn hi hefyd yn syth i'w hail atgof cynnar. Priodas ei thad â Marged Wen o Ginmel. Yr oedd y briw yno o hyd. Efallai mai bai Marged oedd hyn. Gwyddai mai Catrin fyddai yr aeres ac mai iddi hi yr âi Berain a thri ar ddeg o ddaliadau gwahanol eraill, ar hyd ac ar led Hiraethog, yn ogystal â thiroedd ym Mhentraeth a Phenmynydd, Môn. Fe ddeuai rhenti o dros drigain punt y flwyddyn o Hiraethog yn unig. I'r Wicwer yr hoffai Marged Wen symud, fe wyddai Catrin hynny.

Fel y disgwylid, croeso digon oeraidd, a dweud y lleiaf, a gafodd Catrin pan groesodd riniog Berain. Nid oedd chwarter awr wedi mynd heibio cyn i Marged ddechrau edliw yn ei chenfigen. Cost warthus y darlun a baentiwyd o Catrin yn Llundain ddwy flynedd yn ôl oedd y gŵyn y tro diwethaf y bu'r ddwy yng nghwmni ei gilydd. Heddiw, colli'r Wicwer i Siôn Tudur y bardd oedd asgwrn y gynnen.

'Does arna i ddim eisie symud o'r gymdogaeth 'ma, wir. Mae gen i gyfeillgarwch gwerthfawr yma rŵan, yn y Garn a Phlas Hetwn a lleoedd eraill. Ac mae Dimbech yn hynod o hwylus i ni. Wir, mae tai eraill dy dad yn rhy fach. Na, dy dai *di*, wrth gwrs, ydyn nhw. I'r pant y rhed y dŵr bob gafel. Pwy fedr droi allan Robert Parry a'i debyg o Dwysog a lleoedd eraill? Mi fydd yn rhaid i dy dad godi tŷ newydd imi.'

Ni chafodd Catrin wybod hyd eto ble oedd ei thad, a bu'n rhaid iddi ofyn o'r diwedd, moesau da neu beidio.

'O! mae o i lawr tua afon Elwy. Roedd arno fo eisie mynd i bysgota, medde fo. Pysgota! ac ynte ond newydd ddŵad adre o Lundain. Sut mae o'n fyw, wn i ddim. Beth am ei ofal amdana i, a'r lle yma hefyd, a ninne heb ei weld ers cytrin o amser?'

'I ble oedd o'n mynd yn hollol, Marged?' gofynnodd Catrin gan ymatal rhag dadlau â hi.

'Pont y Capel,' oedd yr ateb swta.

'Fe af i yno. Fe fydda i'n aros yma heno, Marged, ac am ryw dridie. Paratô fy ystafell; fe'th wela' i di amser noswyl!'

Trodd Catrin ar ei sawdl a gadael Marged Wen yn geg agored ar ganol llawr y gegin orau.

Pennod III

Yr oedd gweision Wicwer nid yn unig wedi cadw noswyl ond wedi cael llond eu boliau o rual a bara ceirch a llaeth enwyn erbyn i Huw Tudur gyrraedd o Amwythig. Er cyn hwyred oedd hi, cawsai Huw ei hebrwng o Leweni i lawr Rallt Goch ac i fyny i'r Wicwer gan Tudur ap Robert. Bychan o gyfle a gafodd Huw i fwynhau dim ar ogoniannau Lleweni ond gadawyd argraff o'i gyfoeth arno.

Wedi i Tudur ap Robert dderbyn croeso gweision a morynion Wicwer, cyflwynodd Huw iddynt. Ni ddangoswyd fawr o syndod pan eglurodd i Modlen a'r gweddill ei fod wedi gosod Wicwer i frawd Huw, sef Siôn Tudur y bardd. Yr oedd gwerin fel hwy wedi hen ddysgu plygu i bob mympwy o eiddo eu gwell.

'Ac rwy'n gobeithio y byddwch i gyd yn fodlon aros yng ngwasanaeth Huw Tudur hyd Galan Gaeaf o leiaf.'

Yr oedd ei dôn llais yn awgrymu gorchymyn, rhagor na dymuniad.

'Fel y bydd Huw Tudur yn gallu prynu anifeiliaid dros ei frawd, fe symudwn ni'r da sydd yma i Ferain ac fe drefnwn eto ynglŷn ag unrhyw hau o'r newydd wnawn ni.'

'Mi edrychwn ni ar ôl y gŵr ifanc, Meistr Tudur, paid â phryderu,' meddai'r hen Fodlen o ben y bwrdd. 'Mi adwaen i Siôn Tudur, ac os ma'r gŵr bonheddig hwn ydi ei frawd mi fydd hi'n iawn arnon ni. Anodd tynnu dyn oddi ar ei dylwyth.'

'Fe ddyweda i nos da i ti felly, gyfaill,' meddai ap Robert wrth ymadael â buarth Wicwer i fynd i'w gartref ym Merain. 'Weli di'r bont i lawr acw ar afon Elwy?' gofynnodd.

Craffodd Huw i'r gwyll i lawr y graig serth y safai

Wicwer arni, i'r ddôl islaw, ond ni allai weld yn ddigon clir.

'Mae gen ti lygaid cath, ap Robert.'

'Ydi, mae hi'n tywyllu,' meddai ei gymar. 'Dyna fy llwybr, beth bynnag, ac wedyn ar hyd y ddôl tu hwnt i'r afon ac i fyny acw drwy'r coed. Mae Berain ryw ddwy filltir draw a'r llwybr yn ddigon dyrys. Tyrd i chwilio amdana i yfory os bydd unrhyw angen, neu fe awn i bysgota neu hela os mynni. Da bo ti.'

Neithiwr ddiwethaf y bu hyn i gyd, felly nid aeth Huw ar gyfyl ap Robert mor fuan rhag ei boeni, er y teimlai'n ddigon unig heb na châr na chydnabod yn y fro ond ap Robert ei hun. Yr oedd hi'n gywilyddus o hwyr arno yn deffro ar ôl y daith o Amwythig ac edrychodd Modlen braidd yn gam arno yn y bore pan ofynnodd am ddŵr glân i ymolchi. Aeth Modlen i chwilio am badell iddo gan ddweud rhywbeth dan ei dannedd am arferion gwŷr y trefi.

Treuliodd Huw hynny a oedd yn weddill o'r bore yn trefnu ei ddillad. Cafodd gymorth Lowri'r forwyn fach.

'Bydd yn rhaid imi gael wardrob a chist newydd yn fuan, Lowri. A does dim cadair yn unman, hyd y gwela i, dim ond stolion a meincie di-gefn. Rhaid imi gael cadair neu ddwy.'

'Ie, syr. Le wyt ti isie imi roi'r cryse 'ma?'

Ni welsai Lowri gymaint o grysau yn ei byw.

'Gad nhw'n olaf, bydd yn haws cael atyn nhw ym mhen ucha'r gist.'

Yr oedd Huw i fod i brynu hynny o ddodrefn parod Wicwer ag a ddymunai gadw yno a symud y gweddill allan ar gyfer eu casglu gan ap Robert. Dyna oedd y trefniant a wnaeth ei frawd yn Llundain gyda meistr Berain, cyn i Huw gychwyn ar ei daith.

Ar ôl dadlwytho ei eiddo bu Huw yn chwilota'r tŷ a'r tai allan, neu'r bydái, fel y galwai Modlen nhw. Llanwodd hyn ei amser hyd hanner dydd pan chwythwyd y corn bual i alw'r gweision a'r morynion am damaid o fwyd. Fe deimlai Huw braidd yn annifyr. A ddisgwylid iddo gydfwyta â hwy? Ond y cwestiwn a'i poenai fwyaf oedd tybed a oedd y gweision wedi bod yn trafod ei ddiffygion amaethyddol fel tipyn o foneddwr dinesig? Faint o gymhwyster oedd yna mewn addysg ysgol ramadeg yn Llundain, ynghyd ag ychydig o foesau ymylon y llys brenhinol a chyfnodau byrion yn y Gard efo'i frawd? Deallai geffyl a'i anghenion i'r dim, ond pethau gwahanol iawn oedd gwartheg a defaid a chnydau. Darllenasai 'Cyfarwyddiadau i'r Amaethwr' allan o *Yn y lhyvyr hwnn* ond nid oedd fawr elwach. Ychydig a wyddai Huw fod ei radlonrwydd naturiol wrth ymgomio â hwy drwy'r bore, ynghyd â'i gwestiynau call, wedi gwneud argraff ffafriol ar y dynion. Ac yr oedd ei gorff heini a chydnerth wedi peri mwy nag un gymhariaeth ffafriol â'i frawd hŷn. Curai calon mwy nag un o'r morynion yn gyflymach wrth y bwrdd bwyd y diwrnod hwnnw ac yr oedd cryn genfigen tuag at Lowri wrth ei bod hi wedi cael ei helpu. Dygodd piffian chwerthin y morynion bach guchiau i aeliau'r hen Fodlen.

Bu Huw yn ddoeth yn gofyn cyngor Modlen a ddylai gydfwyta â phawb y diwrnod cyntaf. Enillodd gyfeilles werthfawr trwy wneud hynny. Ymddangosai bod y rhan fwyaf o bethau o dan ei gofal hi. Ar ôl bwyta, aeth Huw i grwydro ymhellach. Sylwodd ar y llwybr y tu ôl i'r tŷ a oedd yn disgyn i lawr y llethr serth coediog i ddôl afon Elwy islaw. Cerddodd tuag yno. Ar ben y llwybr yr oedd hwn ŵr yn llewys ei grys yn llusgo boncyff go drwm. Gostyngodd ei ben i gydnabod Huw wrth iddo basio.

'Welais i ddim ohonot ti wrth y pryd bwyd, 'rhen ŵr,' cyfarchodd Huw.

'A! Naddo, syr. Rown i newydd gwympo'r pren 'ma

pan ganodd y corn ac awydd arna i i'w lanhau a'i gael i fyny yma cyn bwyta. Fyddan nhw ddim wedi darfod y cosyn eto. Mi ga i rywbeth gyn Modlen rŵan. A chroeso i Wicwer, syr.'

'Diolch i ti. Beth ydi dy enw di hefyd?'

'Robin Cymynwr. Neu Robin Tyddynreithin mae fy nghâr yn fy ngalw i.'

'Rwyt ti'n fy atgoffa i o rywun. Tyddynreithin, ddywedaist ti? Aros di, dwyt ti erioed yn perthyn i Huw Tyddynreithin, gwas Syr Siôn Salsbri?'

Lledodd gwên foddhaus dros wyneb yr hen ŵr.

'Fy mrawd fenga, syr. Y . . . os ca i fod mor hy, sut fyddet ti'n nabod Huw 'mrawd, sgwn i?'

'Teithio o Amwythig ddoe. Roedd . . .'

'A! Mae Huw 'nôl o'r Lloeger 'na, ydi o? Siarad gyment fyth ag arfer, mi wranta. Un o wendide hogie Tyddynreithin i gyd. Tynnu ar ôl Mam, syr. Wyt ti am chwilio pysgodyn yn yr afon acw? Gwylia syrthio iddi, syr, mae hi'n medru bod dros dy ben di bob cam oddi yma i Bont y Capel.'

Cododd Huw ei law ac aeth i lawr y llethr i'r ddôl. Yr oedd y llwybr yn disgyn am bron hanner can troedfedd yn bur syth i lawr o Wicwer i'r ddôl fach wastad a swatiai rhwng y dorlan uchel ac afon Elwy ei hun. Ar y gwaelod yn guddiedig yn y mangoed yr oedd yna adeilad. Edrychai yn debyg i gapel bychan.

'Wel, wrth gwrs, Pont y Capel oedd draw acw,' ymresymodd Huw. Byrlymai ffynnon eang o dan gysgod y mur, a'i ffrwd yn diflannu dan gornel yr adeilad ei hun. Rhaid ei bod hi'n tarddu o grombil y calchfaen uchel yma y safai'r Wicwer arno. Efallai bod ogofâu yma hefyd gan mai dyna natur calchfaen. Aeth at ddrws y capel a'i gael ar glo, a dim ôl iddo gael ei agor ers amser. A fu Rowland Lee a'i weision cyn belled â hyn erstalwm, tybed?

Gallasent fod wedi ysbeilio'r capel yn amser yr hen Harri. Na, go brin y gallai dieithriaid gael hyd i'r lle heb i fradwr lleol ei fradychu. Sylwodd Huw, o ddrws y capel, fod y bont yn un cyfeiriad, a Wicwer uwchben, yn llwyr o'r golwg. Tyfai coed ar hyd glan yr afon ar draws y ddôl hyfryd yma fel na ellid gweld yn iawn ar draws llawr y dyffryn prydferth. Amgylchynid y cwm â choed i bob cyfeiriad, ac i fyny'r afon, tua'r gorllewin, culheai'r cwm yn arw. Edrychai'n debyg na fyddai ond lle i afon Elwy a llwybr o bobtu, i wasgu rhwng yr ochrau serth ac uchel. Os bu lle dirgel erioed mewn ardal mor gyfannedd, wel dyma'r lle. Yr oedd yn ymyl trafnidiaeth pobl ac eto o'r golwg.

Tybed a oedd rhinwedd yn nŵr y ffynnon? Nid oedd gan Huw ryw lawer i'w ddweud wrth ofergoelion crefyddol a chreiriau. Pa ddyn call a allai, a'r offeiriaid mor ddi-ddal ac anllad rai ohonynt? Medru newid eu credo fel ceiliog gwynt ac yn cadw merched yn y dirgel. A sôn am gribddeilio tir gan yr uchelwyr mawr, nid oedd yna neb tebyg i'r esgobion am wneud hynny. Rheitiach o'r hanner oedd bod buddiannau'r hen abatai yna mwyach gan y bonheddig. Beth oedd yr esgobion ond bonheddig eu hunain? Er fe fyddai Siôn Tudur yn canmol plasau'r esgobion a'r abatai fel lleoedd i noddi beirdd a cherddorion.

'Glyn y Groes, ar asgwrn Dafydd, dyna i ti le nobl oedd hwnnw. Y nawdd gore yn holl dir y Mers yn y fan honno, fachgen.'

Dyna drueni na fyddai Siôn Tudur yma i drefnu'r Wicwer. Yr oedd o wedi amaethu ym Motryddan yn ieuanc. Gobeithio na ddifethid pethau cyn iddo ddod o Lundain.

Croesodd Huw y ddôl at lan y dŵr. Gwir a ddywedodd yr hen gymynwr coed, yr oedd yr afon yn rhyfeddol o ddofn ac ystyried y tymor. Byddai dyn dros ei ben a'i glustiau yn unrhyw fan hyd y gwelai. Trodd ar y llaw dde a cherdded i fyny ar lan Elwy rhwng y coed a'i cysgodai, a'r afon ar ei law chwith. Darfu am y ddôl yr ochr yma ond yr oedd gweirglodd yn dal yr ochr bellaf o hyd, ond culhau yn arw oedd y cwm. Nid oedd ond prin hanner canllath o led. Aeth yn ei flaen drwy goedwig y llethr tawel. A oedd yma lawer o ddwyn da byw y ffordd yma? Ni welsai olwg o unrhyw arfau yn Wicwer. A ddylai brynu rhai, tybed? Tudur ap Robert allai ei gynghori. Faint o ffordd oedd i Ferain hefyd? Rhyw ddwy filltir ddywedodd ap Robert neithiwr.

Cafodd Huw gip ar lwybr yr ochr arall i Elwy a meddyliodd tybed ai hwnnw a arweiniai yno. Yn y lle y cerddai yrŵan, yr oedd y dyffryn wedi cau yn llwyr amdano. Nid oedd ond lle i'r afon ei hun i wasgu drwodd ac yr oedd yn ddyfnach nag erioed. Yr oedd y graig yn brigo i'r golwg mewn lleoedd uwch ei ben. Calchfaen ydoedd fel o dan Wicwer. Ac yna, agorodd y cwm ychydig a chaniatáu dôl fechan eto, a phellhaodd yr afon oddi wrtho at y dorlan bellaf, lle deuai cwm bychan arall i lawr i Ddyffryn Elwy. Dechreuodd ei lwybr ddringo llethr y llaw dde a brigai'r graig i'r golwg yn amlach drwy'r drysi uwchben. Beth oedd hwn? Ogof? Dringodd ati.

Yr oedd yno ogof sylweddol. Mwy nag un. Gwelai un fach ar y dde heb fod yn ddwfn iawn ac yna un fawr uchel, cyn daled â thŷ o'i flaen ac yn ddigon llydan i ddau farchog fynd i mewn iddi ochr yn ochr. Yna gwelai, ar ôl y mymryn lleiaf o dro, fod yr ogof yn mynd yn syth drwy'r graig ac allan yr ochr arall ymhen ugain llath neu fwy. Yr oedd fel cyntedd rhyw deml anwar yng nghanol y coed. Dyma ddihangfa wych rhag ystorm neu fan campus i gyfarfod i gynllwynio brad neu ryw erchylltra arall, neu i garu o ran hynny.

Pa gyfrinachau a glywodd yr hen greigiau yma, tybed, ers amser dynion gwyllt y fforest yn nyddiau'r Hen Frytaniaid? Dyna leoedd rhyfedd a greodd Duw, meddyliodd Huw. Pam y cerfiodd y fath siapau? Mewn mannau yr oedd y graig wedi ei sgwrio'n lân a llyfn fel ochrau padell gron. Edrychodd yn fanylach ar y calchfaen a gwelodd gragen fel cragen môr yn glynu wrthi. Cragen môr? Nage byth! Yr oedd Dyffryn Elwy filltiroedd o'r môr. Rhaid mai rhyw fath o falwen dir ryfedd oedd hi. Ni allai Huw symud y gragen a chwiliodd am garreg i'w tharo i ffwrdd. Trywanodd hi â charreg finiog a thorrodd ddarn i ffwrdd, ond gwelai mai craig ydoedd ar siâp cragen. Ysgydwodd ei ben mewn penbleth a phenderfynodd ei fod wedi cerdded yn ddigon pell.

Ni welai unrhyw ffordd i ddychwelyd ond y llwybr a ddringodd yn barod, felly trodd yn ei ôl gan ailfwynhau hyfrydwch y cwm bob yn ail â phoeni am amaethu a hiraethu am y bywyd llys a ddeallai gymaint gwell nag ogofâu a chregyn rhyfedd. Bu wrthi'n pendroni mor hir fel yr oedd wedi cyrraedd dôl Wicwer a'r capel bach heb sylweddoli.

Penderfynodd fynd draw i gael golwg ar y bont gan ei bod mor agos, ac aeth i bwyso ar ei chanllaw a syllu o'i gwmpas. Nid oedd yn hawdd gweld dim o'r capel o'r fan yma, ond gwelai gyrn a thoeau Wicwer dros ben y coed ar gopa'r llethr a ddisgynnodd awr yn ôl, wedi ffarwelio â'r torrwr coed. Yn y dyfnder o dan y bont safai'r brithyll llwydion yn llonydd, wedi eu hangori yn erbyn lli'r dŵr grisial oer. Yr oedd rhagor yn cuddio o dan gysgod y llwyni gleision ar y glannau. Yn sydyn trawodd ei glun â chlep.

'Wrth gwrs, ond wrth gwrs, dyma'r ddôl y canodd Siôn Tudur iddi yng Nghywydd y Llwyn Glas. Sut oedd hi'n mynd hefyd?' Tarfodd sŵn ar draws rhediad ei feddwl, sŵn carnau march cyflym. Aeth llaw Huw yn naturiol at garn ei gleddyf main ac edrychodd drwy'r coed ar y chwith.

Dros y ffordd gul drwy goed y ddôl gyferbyn carlamai merch. Merch ieuanc yn unig a farchogai mor gyflym, meddyliai. Marchogai'n rhwydd. Beth roedd merch fonheddig yn ei wneud a neb yn ei hebrwng mewn lle mor unig? A oedd hi wedi colli cwmni hela? Myn Mair! yr oedd hi'n hardd. Gwelai Huw hi'n tynhau ei gafael ar yr awenau wrth glosio at dal y bont a thorrodd y gaseg fach fywiog ei charlam. Faint oedd ei hoed? Deunaw, efallai. Arafodd yrŵan wrth agosáu ato gan ddefnyddio ochr dde'r llwybr er mwyn cadw digon o le i droi drachefn pe byddai raid iddi ddianc.

Ni wisgai Huw unrhyw fath o glogyn dros ei ysgwyddau i ychwanegu at urddas ei ystum fonheddig ond ysgubodd ei het a moesymgrymodd yn y dull diweddaraf. Dyna brofi ei fonedd rhag ei dychryn.

'Henffych, foneddiges,' cyfarchodd rhwng difrif a chwarae.

'Rwy'n hoffi moes dy lys,' meddai hi'n siriol, 'ond pa lys ydi hwnnw?'

'Nid yw hynny fawr o foddhad i mi oni hoffi gennad y llys hwnnw,' atebodd yntau gan ffugio ffurfioldeb drama neu chwedl. Prawf pellach o'i fonedd.

'Nid yw yn ein bwriad i'th sarhau, syr, a thithau wedi tramwy o bell. Nid wyt o'r deyrnas hon,' meddai hithau gan gynnal ieithwedd chwedl.

'O Lundain y tramwyais y tridiau hyn. Ac yn awr cyflenwais fy nghais. Fe'th gwrddais, dywysoges, ac af i'r twrnameint yn cludo dy ffafr os hynny a fynni.'

'Hynny a fynnaf . . .' a methodd y ferch â dal dim hwy. Chwarddodd yn rhydd ac ymunodd yntau â hi.

'Fyddai hi'n ddiogel i mi ddisgyn, neu ddylwn i yrru'r gaseg ar dy draws?' gofynnodd.

'O! gyrru'r gaseg ar fy nhraws yn sicr ddigon,' atebodd Huw.

'Fe ddisgynna i, felly. Dy fraich, syr,' gorchmynnodd yn gyfeillgar.

Cymerodd Huw ei phwysau. Nid oedd fawr, a daliodd hi yr eiliad yna sy'n fwy na rhaid. Ond dim ond eiliad.

'Fe fyddai fy enw'n faw pe gwyddai fy nhylwyth fy mod i'n ymgomio efo gŵr dieithr ar y ddôl. Rheitiach i ti enwi dy dras,' meddai hi.

'Huw Tudur ap Hywel ap Dafydd, o'r Wicwer. Ers neithiwr,' ychwanegodd.

'Wicwer!' Llonyddodd y ddau lygad glas ac yna deffroesant. 'O! mae fy . . . mae Tudur ap Robert newydd ei gosod.'

Prysurodd ymlaen i ddweud, 'Fe elwais ar Marged Wen ym Merain gynne fach a chefais y newydd.'

'Mae newyddion yn cerdded yn gyflym yn y cyffinie yma. Rwy'n credu yr hoffai'r gaseg bori ychydig ar y ddôl. Mae hi wedi dy gario dros getyn o ffordd allwn i feddwl. O ble, efo'th ganiad?'

'O . . . y . . . o lawr Dyffryn Clwyd. Cymer ben y gaseg a bydd mor garedig â'i thywysu hi. Fe allen ni gerdded cyn belled â'r capel ac yn ôl. Wedyn rhaid imi orffen fy neges.'

Ni allai Huw gredu ei ffortiwn. Gafaelodd ym mhen y gaseg yn ufudd. Yn wysg ei ochr cafodd gyfle i graffu ar y ferch heb fod yn anfonheddig. Yr oedd ei gwisg yn syml heb unrhyw addurn, ond yr oedd o'r rysed gorau a'i chlogyn cwta o felfed. Ond ei hwyneb a'i gwallt a'i denai. Yr oedd fel sidan aur yn donnau naturiol wedi ei fframio gan y capan del ar gorun ei phen. Edrychodd ar ei thalcen uchel a'i thrwyn hir urddasol. Gwefusau llawn a heb fod yn rhy fawr, a phan edrychai hi arno ef daliai ei llygaid gleision ei holl sylw.

'Fe wyddost am y capel, felly?' gofynnodd Huw.

'Gwn, siŵr. Amser y Brenin Edward fe gaem ambell offeren. Na hidia. Fe wn am y lle. Capel Mair ydyw.'

'Rwy'n dechre cyfarwyddo â'r lle yma. Po fwyaf o'r trigolion hefyd rwy'n dŵad i'w hadnabod, mwyaf yn y byd rwy'n dŵad i hoffi fy stad. Ac yrŵan, dyma fi newydd gyfarfod â thywysoges harddaf Cymru.'

'Mae tafodau melys gan wŷr Llundain, ond pa mor gywir sy'n fater arall.'

'A! dywysoges, mae'r Cymry yn Llundain am fod calonne merched Cymru mor galed.'

'Dyna'r eglurhad mwyaf gwreiddiol a glywais ar yr heidio yno, a finne yn fy niniweidrwydd yn meddwl mai mynd yno i wneud eu ffortiwn a wnaethon nhw. Dwed i mi ydi'r ddinas wedi ei phalmantu ag aur?'

'Ydi, ac mae bron mor felyn â'th wallt, frenhines.'

'O! Rwyf wedi codi yn y byd. Rwy'n frenhines yrŵan.'

Yr oeddent bron wrth Gapel Mair dan gysgod y dorlan goediog. Glesni Mai o'u cwmpas ymhob man.

'Y llwyn a'i wisg oll yn wyrdd,
A'r lle'n lwys a'r lliw'n laswyrdd . . .'

meddai Huw yn sydyn. 'Gynne fach yr oeddwn yn methu'n lân â chofio.'

'Rwyt ti'n fardd yn ogystal â bod yn foneddwr. Dangos dy drwydded Bencerdd.'

'Does dim trwydded Disgybl Ysbas gen i hyd yn oed. Cwpled fy mrawd ydi hi. Yr oedd ar fy meddwl ar y bont wrth i mi edmygu'r ddôl hon.'

'Adrodda fwy, ddatgeiniad.'

'Bydd well i mi beidio,' atebodd Huw.

'Paid â dweud fod dy frawd yn canu cywyddau anllad.'

'Wyt ti'n siŵr dy fod am glywed y cwpled sy'n dilyn?'

'Rwy'n gorchymyn fel tywysoges, nage fel brenhines, iti adrodd y cwpled nesaf.'

'Llwyn anial llawn o annerch
Llwyn gwiail mwyn i gael merch . . .'

Safodd y ddau yn llonydd. Trodd ei phen yn araf tuag ato.
'Cywydd dau gwpled yn unig ydyw?' gofynnodd yn dawel. Aeth Huw yn ei flaen:

'. . . Mae yno dwyn ym min dôl,
Ym min afon, man nefol;
I nithio mawl ni thy' mwy
Ryw lwyn ail ar lan Elwy.'

Bu distawrwydd rhyngddynt.
'Mae o'n gywydd clws, Huw Tudur.'
'Ydi. Rwyt tithe'n glws, ferch,' ac edrychodd i fyw ei llygaid golau.

Canodd y gog yn y mangoed uwchben. Unwaith, dwywaith, teirgwaith cyn iddynt symud.

'Mae'n rhaid imi fynd yrŵan, ddatgeiniad, ar fy neges. Cod fi i'r cyfrwy ac fe af yn ôl at Bont y Capel fy hunan. Paid â fy nilyn.'

Yr oedd ar Huw awydd cryf i wrthwynebu ond ufuddhau a wnaeth. Trodd hithau ben y gaseg las oddi wrth y capel.

'Rwyf wedi dy dramgwyddo,' meddai Huw.
'Nac wyt, ond rwyt wedi fy ngwneud yn drist ac yn hapus yr un pryd.'
'Beth ydi dy enw?'
'Catrin,' atebodd, ac anogodd y gaseg ymlaen a charlamu yn gyflym yn ôl i lawr y ddôl am y bont.

Gallai Huw ailenwi Cywydd y Llwyn Glas yn Gywydd i Catrin, ond pa Catrin ni wyddai.

Pennod IV

Ni chafodd Huw fawr o flas ar weddill y dydd.
'Rhaid iti fwyta'n amgenach na hyn, syr, neu cweir gan Siôn Tudur ga i pan ddaw adre a thithe'n edrych yn symol,' dwrdiodd Modlen amser cynhyswyd hwyr. 'Fydd dim gwell iti fynd i Gaerwys yfory i weld teulu dy chwaer yng nghyfreth? Cait groeso, dwi'n siŵr. Dwi'n cofio Mallt Gruffudd cyn i dy frawd ei phriodi. Eto mi fydde'n braf petai dy frawd yn ailbriodi hefyd. Dydi hi ddim yn iawn i ddyn yn ei breim fod ar ei ben ei hun.'

'Na, Modlen, rwy'n credu y bydda i'n mynd am Ddinbych yfory. Mae arna i eisie cist a wardrob ac mae eisie cadair neu ddwy yn y lle yma. Oes crefftwr go dda yn y dre?'

'Cist a wardrob, ddwedest ti, Meistr Huw? Wnei di ddim gwell na mynd at Robat Owen, jinar, lawr wrth yr Abi yng ngwaelod y dre. Wel, yn nhai yr Abi mae o, a dweud y gwir. Yr hen gomisiwn 'na wedi gwerthu'r cwbl i ryw Sais o rywle ac ma' Robat Owen yn rhentu tai yno.'

'O! dwyt ti ddim yn meddwl y dylai'r Brenin Harri fod wedi cau'r mynachlogydd yna i gyd, Modlen?'

'Nag'dw wir, meistr. Wn i ddim sut ma' Robat Owen yn mentro troi lle o addoliad yn weithdy saer o gwbl.'

'Wedi mynd yn rhemp oedd cymaint ohonyn nhw. Pethe'r oes o'r blaen yn rhygnu byw.'

'Ie, falle dy fod ti'n iawn, rwyt ti wedi ca'l ysgol, syr. Ac roedden nhw'n deud nad oedd yr hen Brior ddim yn ŵr duwiol o gwbl a bod rhai o ferched y dre o'i gwmpas o. Ond eglwys ydi eglwys, ddweda i. Ma' hi fod yno ar ôl i ddynion gwan fynd i ebargofiant.'

'O'r gore, Modlen. Yrŵan, pwy fedri di ei hepgor i ddod efo mi yfory?'

Gwelodd Huw y byddai'n well iddo droi'r stori cyn tramgwyddo Modlen ac adenillodd unrhyw dir a gollodd drwy ofyn pwy allai hi ei sbario.

'Fydd fawr o eisie Dafydd Bach yfory. Mi feder o ddangos bob twll a chornel o Ddimbech i ti. Lowri!' galwodd yn uchel, 'ble mae'r brawd bach direidus 'na sy gen ti?'

Ac felly y trefnwyd. Cychwyn yn rhesymol o fore, a Dafydd Bach yn meddwl ei hun yn gawr o ddyn ac yn ceisio cuddio'i ddeuddeg oed wrth farchogaeth ei geffyl. Bwriadai Huw gyrraedd yn ôl yn gynnar y pnawn er mwyn cael sgwrs ag ap Robert, Berain, os gallai, felly nid oedd amser i oedi. Aethant dros Bont y Capel a throi i'r dde. Gallasent fynd i Ddinbych hefyd drwy fynd i lawr afon Elwy at Bont yr Allt Goch a thorri ar draws y tu ôl i Drefnant, ond dywedai Dafydd Bach fod hynny bron i filltir fwy o ffordd. Holai Huw Tudur ei was ieuanc am y lleoedd yr aent heibio iddynt, boed dai coed a chlai y gwerinos neu'r plastai bychain. Ar y llaw chwith iddynt ar fryncyn amlwg yr oedd yna blasty sylweddol.

'Plas Hetwn ydi hwnna, meistr, ac ma' Gallt Faenan yr ochr dde 'ma ond na elli di ei weld o. Mi awn ni i'r chwith rŵan rhag colli amser yn mynd drwy Henllan.'

'A ble mae Berain, Dafydd?'

'O, welwn ni ddim o Ferain ar y llwybr *yma*, syr. Mae o tu ôl i ni erbyn hyn, dros afon Meirchion.'

'Oes rhywun o'r enw Catrin yn byw yn Plas Hetwn neu Allt Faenan?'

'Catrin? Oes, ma' 'na Catrin Gruffudd yn y Garn, syr.'

'Oes yna wir? Ieuanc, hen, pryd gole, tywyll? Sut ferch ydi hi?'

'O, ma' Meistres Catrin yn hen, syr. Ma' hi dros 'i deugain os ydi hi ddiwrnod.'

'Beth am leoedd pellach, Dafydd?'

45

'Marged Wen ym Merain, Alis Hwmffre yn Llechryd. Catrin Cadwalad yng Nghae Drain, syr. Hi ydi'r ferch fwya propor tua Henllan 'ma. Hi a Lowri 'chwaer.'

'Cae Drain. Faint o blas ydi Cae Drain?'

'O! dim plas, syr,' chwarddodd Dafydd. 'Go brin y galwn i Gae Drain yn blas. Roedd Catrin yn llofft stabal efo Siôn Prys echnos. O! begio dy bardwn, syr. Paid â dweud wrth Siôn Prys, fe laddith fi ar f'enaid.'

Daeth tref Dinbych i'r golwg cyn hir drwy goed y Crest Mawr. Edmygodd Huw safle'r castell. Fe gollai unrhyw ymosodwr ei wynt yn deg cyn gallu rhuthro hanner y ffordd i fyny'r bryn tuag ato.

'Pa ben i'r dref mae'r saer yma i'w gael, dywed?' gofynnodd Huw.

''Rochor bella, syr, yng ngwaelod Stryd Isa.'

Dechreuasant ddod at y tai cyntaf, ar ôl disgyn o'r Crest Mawr. Stryd fach wael yr olwg a'r plantos yn dyrrau bychain noethion o gwmpas y drysau. Yr oedd rhagor, rhai hŷn gan mwyaf, yng ngwaelod y stryd yn trochi traed ac yn ysgentio cerrig gwastad ar wyneb llonydd pwll mawr.

'Pwll Grawys, syr, ydi hwn,' eglurodd Dafydd.

'Oes yna bysgod ynddo?' holodd Huw.

'Dim llawer, mae gormod o fudreddi yn y nant acw sy'n rhedeg lawr drwy'r tai. P'run bynnag, fydde'r haid arabiaid 'ma fawr o dro yn eu sbydu nhw. Pethe anwar ydi plant tre, syr. Drychwch ar nacw. Chymera fo fawr i bledu'r ceffyle 'ma efo'r garreg 'na sy'n 'i law.'

Arweiniodd Dafydd i fyny'r stryd serth yr ochr draw i Bwll Grawys rhwng tai mwy sylweddol a thipyn glanach yr olwg. Tai crefftwyr. Bob yn ail dŷ, a rhwng y tai mewn ambell ale, yr oedd gŵyr a gwragedd yn eistedd ar stolion yn gweithio gwahanol grefftau. Cryddion a nyddwyr oedd llawer ohonynt.

'Rwy'n synnu lle mor brysur ydi'r Dinbych yma, Dafydd. A beth ydi'r ogle yna?'

'Crwyn, syr, ma'r tanars yn gweithio 'rochr yma, tu ôl i'r tai.'

Dyma gyrraedd y Stryd Fawr ar ben yr allt. Yr oedd yna lawer o fynd a dod ar ben y dref. Ar y chwith codai criw mawr o seiri coed adeiladau newydd. Yr oedd yn amlwg mai'r bwriad oedd crogi'r tai dros ben y stryd ar gyfres o bileri praff. Byddai cysgod i'r siopwyr oddi tanodd. Wir, yr oedd olion ffyniant ymhob cyfeiriad a hithau heb fod yn ddiwrnod marchnad chwaith.

'Ma'r lle 'ma yn heidio o bobl ar ddydd Mercher, syr. Ma'r bwrdeiswyr am godi neuadd newydd ymhen draw'r stryd 'ma 'rochr draw i'r groes ar ben Stryd Isa.'

'Rwyt ti'n dweud. Wel gwrando, mae'r ffynnon yma yn codi syched arna i ond fedra i ddim dweud fy mod i'n hoffi'i golwg hi. Rhag ofn i mi gael llyngyr, neu rywbeth gwaeth, fedri di fynd â fi i dafarn sy'n bragu'n dda? Mi awn ni i lawr at y saer ar ôl gwlychu llwnc.'

'Ma' canmol mawr ar y dafarn newydd yn Stryd Isa'. Mae hi ar ein llwybr ni. Yr Hownd an' Bycl.'

'Purion, ledia'r ffordd.'

Cafwyd peth o gwrw'r Hound and Buckle, ac oherwydd bod y lle mor newydd, mwy na thebyg, ni welsai Huw dŷ tafarn glanach ers gadael Llundain; nid bod y rheini mor lân â hynny.

'Mi fydd 'na gardie a disie tua chanol dydd, syr, os hoffet ti aros,' meddai'r tafarnwr. 'Dwi'n disgwyl rhai boneddigion i lawr.' Cododd ei ben tua'r nenfwd i gyfeirio at y ffaith nad oeddynt eto wedi codi.

'Wn i ddim am y chwaraeon, ond os oes bwyd da gennyt a phiwter glân mi ddeuwn yn ôl am bryd o fwyd yr adeg honno. Mae gen i ryw fusnes cyn hynny.'

'Y pryd gore yn y dre, syr. Enwa dy gig ac mae o i ti.

Eidion, oen, carw neu ryw aderyn, syr. Dau gyffylog braf, efalle?'

'Oes gen ti garw ifanc newydd ei ladd? Waeth gen i heb â chael cig cadw.'

'Ddoe, syr, ddoe ddwetha; un o'r rhai gore o'r Crest Mawr. Hansh braf o gig carw, syr?'

'I'r dim. Byddwn yn ôl. Tyrd, Dafydd, i ni gael gweld y saer yma.'

Wedi cyrraedd gweithdai'r saer yn yr Abbey, yng ngwaelod y stryd hir oedd yn mynd i lawr o ben y dref, deallwyd ei fod yn yr efail yn cael tynnu ei ddannedd. Nid oedd dim amdani ond aros amdano, ond penderfynodd Huw edrych ar ansawdd crefft Robert Owen a'i weision, yn arbennig ei ddodrefn tŷ byw. Os oeddent hanner cystal â'r clwydi a'r troliau a oedd yn cael eu gwneud yno ni fyddai lle i gwyno. Ychydig iawn o ddodrefn tŷ a welai Huw ar wahân i stoliau a meinciau ac ambell fwrdd, ond yr oedd yno ddwy gist dderw ac un gadair. Hoffai gael cadair a pheth cerfio arni ond plaen oedd hon er ei bod o wneuthuriad da. Byddai'r patrwm linen yn braf.

Ymhen hir a hwyr daeth Robert Owen i'r gweithdy yn bur simsan ar ei draed ac yn wyn fel y galchen. Er cymaint a chryfed dyn oedd yr hen saer, bu raid iddo roi ei 'din i lawr', chwedl ef ei hun, ar ambell gist a boncyff bob yn ail gan fod ei goesau'n gwegian, a mynd i'r drws bob hyn a hyn i boeri gwaed. Yr oedd yn amlwg fod y creadur wedi cael ysgytwad i'w sodlau.

'Mae'n well i ti fynd i dy wely, ddyn,' meddai Huw wrtho.

'O'r nefoedd wen! na, neu ddo i byth ohono, fel dwi'n teimlo rŵan. Dwi'n gwbod erbyn hyn sut ma'r hen goed 'ma'n diodde pan fydda i'n eu rhwygo efo'r cynion mawr a'r ordd.'

Aeth i boeri rhagor a'i goesau'n gwegian. Trawodd Huw ei fargen am un o'r cistiau a'r gadair a chytuno ar wardrob wedi ei gwneud yn arbennig, ac am ddwy gadair yn ogystal. Fe wyddai Robert Owen yn iawn pa un oedd y patrwm linen ac roedd yn fodlon ei gerfio ar y cwbl. Yn olaf trefnwyd y cludiant i'r Wicwer a chynigiodd Huw dalu.

'Dim diolch i ti, syr,' eglurodd y saer. 'Dau dalu gwael sy 'na. Talu ymlaen llaw, a pheidio â thalu byth.'

Trodd Huw a Dafydd Bach yn ôl am y dref ac am yr Hownd an' Bycl, chwedl y gwas. Yr oedd yno fwy o stŵr o'r hanner y tro hwn, ac yng nghanol y boneddigion swnllyd pwy a welai Huw yn uchel ei gloch ond John Salesbury o Leweni. Fe welodd yntau Huw ond trodd ei ben yn syth heb gymryd arno ei fod yn ei adnabod.

O'r gore, fy ngwas bach i, os dyna dy ddymuniad yna cadw o'm llwybr, meddyliodd Huw.

Yr oedd y cardiau allan ac yr oedd aer Lleweni yn amlwg wrthi'n chwarae ac yn colli. Clywai Huw ef yn ceisio cael y gweddill i newid y chwarae. *Gleek* oedd y gêm, meddai ef. Gêm i ferched gael ysgrechian oedd y *Noddy* yma. Gwyliodd Huw nhw a gwelodd un o'r criw yn rhoddi winc ar un arall ac yn dweud yn anfoddog, 'O'r gore, John Salesbury, ond mae arna i ofn fod y chware braidd yn ddieithr i mi. Wnei di egluro?'

Dyma hen dric ymysg y cyfarwydd ac fe wyddai Huw fod John Salesbury yn mynd i gael ei flingo. Ni fyddai'r ffaith honno ddim wedi blino Huw gymaint pe byddent wedi mynd ati drwy deg. Rhannwyd y cardiau a chafodd John Salesbury ddechrau ennill ambell sofren ganddynt, ac yna dechreuodd y deheurwydd llaw. Deirgwaith yn olynol ni chafodd Salesbury y cardiau a oedd i fod iddo. Yr oedd ynfydrwydd y colledion, a hynny ar draul llafur caled ugeiniau o denantiaid a gweision Lleweni, yn cythruddo Huw, ond yr oedd y cyfle i'w ddangos ei hun yn gymaint mwy o ddyn na Salesbury yn ormod o demtasiwn i'w golli. Pan welodd un o'r criw yn esgus dymchwel y pecyn yn afrosgo ac yn llwyddo i gadw dau gerdyn dethol ar ei lin fe gamodd Huw ymlaen. Dyn cringoch tua'r un oed â Huw oedd y twyllwr cardiau, a'i wallt yn llaesach na'r ffasiwn. Arhosodd Huw iddo chwarae y tro cyntaf, ac yna wrth iddo sleifio'r cardiau a oedd ganddo wrth gefn i'w law chwarae, cipiodd Huw arddwrn y llaw euog.

'Dau yn ormod, gyfaill, a dau go dda allwn i dybio,' cyhuddodd.

'Beth? Wyt ti'n awgrymu fy mod i'n twyllo? Fe gei di . . .'

'Rwyt ti wedi twyllo ers chwarter awr o leiaf.'

'Wyt ti'n deall beth wyt ti'n ddweud?'

'Mynna gael dy iawn, Ifan Llwyd, gan y ffŵl busneslyd,' meddai un o'i ffrindiau.

'Na hidia, fe gaiff o dalu, a hynny . . .'

Neidiodd i fyny fel ewig, ond os disgwyliai ddal Huw'n amharod yr oedd wedi camgymryd, achos defnyddiodd Huw ruthr sydyn y gŵr ieuanc i roi hergwd gref iddo i barhau yn yr un cyfeiriad a'i lanio'n grempog ar y llawr. Gwaeddodd Llwyd mewn poen wrth i'w wyneb diarbed daro cornel y fainc finiog.

Ei gynddaredd a'i cododd ar ei draed, ac yr oedd dagr yn ei law. Mewn eiliad gwelodd Huw ei fod yn dal y llafn at i lawr yn lle at i fyny i allu trywanu drwy'r asennau, a gwyddai nad oedd yr Ifan yma'n brofiadol efo dagr. Rhoes gic i'r fainc o'r ffordd rhag iddi ei faglu. Safai pawb arall yn glir ddigon, un ai o ran tegwch i'r ornest neu mewn ffydd y byddai eu cyfaill yn delio'n effeithiol â'r dieithryn hwn. Arhosodd Huw i weld y fraich a ddaliai'r dagr yn codi i wneud y trawiad. O gil ei lygad gwelai Dafydd Bach yn ceisio estyn dagr iddo yntau oddi ar y bwrdd ond yr oedd yn rhaid iddo roddi ei holl sylw i'r fraich yna. Dyna hi'n codi, ac mewn fflach yr oedd llaw agored Huw yn derbyn yr arddwrn a'r llall yn mynd yn syth dros wegil y gŵr i'w dynnu gerfydd ei wddf i lawr dros ei glun dde.

Â chrac fe dorrodd fraich Ifan Llwyd yn gratsen drwy ei gyrru yn groes i'r cymal. Gadawodd iddo orffen ei gwymp. Nid oedd raid iddo boeni am y dagr mwyach.

Dolefai Ifan Llwyd yn ei boen a bytheiriai ddialedd dros y lle. Yr oedd y cynnwrf sydyn wedi tynnu pobl i mewn erbyn hyn a rhai o'r rhain a aeth at Llwyd. Rhyw sleifio i ffwrdd oedd hanes y boneddigion a fu'n chwarae cardiau gydag ef, gan gynnwys John Salesbury.

'Fe gymera' i fy mhryd, dafarnwr,' cyhoeddodd Huw. 'Tyrd â fo i'r ystafell arall i mi.'

'Beth? O! ia, syr, ar unweth.'

Yr oedd Dafydd Bach yn llygaid i gyd. Ni welodd erioed ysgarmes gyllell mor hyll yr olwg drosodd mor chwim.

'Yn y Gard ddysgaist ti hynna, syr?' gofynnodd.

'Ie a nage, Dafydd. Profiad a dogn dda o lwc, wyddost ti, oedd hwnna.'

Cawsant bryd boddhaol. Tra buont yn bwyta daeth amryw o ddynion i'r drws agored i edrych ar y dieithryn a ddeliodd mor feistraidd efo Ifan Llwyd, Plas Bodidris.

'Tyrd, Dafydd, fe awn ni neu fe fydd trol Robert Owen yr Abbey yn Wicwer o'n blaenau ni.'

Wedi talu eu treuliau aethant allan i iard gefn y dafarn i'r stablau i nôl y ddau geffyl. Yr oedd yno amryw o geffylau. Ceffylau y boneddigion eraill yn ddiau.

Cyn iddynt gael datod pennau'r meirch yn rhydd tywyllwyd y stabl, ac yn y drws yr oedd pedwar neu bump o ddynion.

'Dacw fo! Rŵan!' gwaeddodd y blaenaf ohonynt. Rhuthrodd y cwbl tuag at Huw Tudur.

'Rhed!' bloeddiodd Huw a hyrddiodd Dafydd ymhell i'r gwellt o'r ffordd. Medrodd gymryd dyrnodiau cyntaf y pastynnau ar ei freichiau ond buan y torasant drwodd a dechrau ei anafu. Cwympodd dan draed y meirch ond llusgwyd ef yn glir. Disgynnai'r pastynnau fel gwyntyll ar bobman ar ei gorff. Yn reddfol arbedai ei ben a'i wyneb gymaint ag y gallai a chlywai Dafydd yn sgrechian mwrdwr allan yn yr iard cyn y collodd bob ymwybyddiaeth. Yna, barnodd y dihirod eu bod wedi hanner ei ladd o leiaf a heliasant eu traed gan ei adael yn ei waed.

Pan ddaeth Dafydd yn ôl efo'r tafarnwr cyndyn a rhai eraill o yfwyr y dafarn, nid oedd dim sôn am neb.

'Ydi o wedi marw?' gofynnodd un, nes dychrynodd Dafydd am ei fywyd.

'Mae o'n gwaedu fel mochyn. Gad inni 'i ga'l o i ole dydd i ni ga'l gweld.'

Cariwyd Huw Tudur yn ddiseremoni gerfydd ei goesau a'i freichiau i'r dafarn ac ni fu Dafydd erioed mor falch na'i glywed yn griddfan.

'Pwy ydi o, dwed?' holodd rhywun.

'Meistr newydd Wicwer, Huw Tudur,' eglurodd Dafydd Bach.

'Wel ma'n well iti 'i gwadnu hi am yno gynta gelli di, iddyn nhw ddŵad yma i'w nôl o,' meddai'r tafarnwr.

'Fydd o'n iawn?' gofynnodd y bychan.

'Wel, mi gadwn ni lygad arno fo. Dos di rŵan. Mae o'n dechre dod ato'i hun. Fydd o ddim yr un un erbyn y doi di'n ôl. Mi weles i waeth golwg arnyn nhw cyn hyn.'

Bu Dafydd yn ddigon call i gasglu pwrs Huw Tudur cyn ei adael ac aeth am y ceffylau gan hanner disgwyl eu gweld wedi eu dwyn, ond yr oedd y ddau yno yn ddiogel. Beth ar y ddaear oedd y peth gorau iddo'i wneud? Mowntiodd ei gaseg a dechreuodd dywysu ceffyl Huw Tudur ar drot drwy stryd y dref. Yn sydyn, gwnaeth Dafydd Bach ei benderfyniad, penderfyniad a fu'n dyngedfennol yn hanes nifer o bobl. Y peth gorau iddo'i wneud fyddai mynd yn syth at Tudur ap Robert am gymorth i Blas Berain.

Pennod V

Bu amser pan na feddyliai Gruffudd Hiraethog ddim o gerdded o Lansannan i unrhyw fan yn Nyffryn Clwyd, ond erbyn hyn rhaid oedd iddo farchogaeth ac yr oedd hynny'n ddigon poenus. Ac yntau, yn ei hen ddyddiau, yn gallu fforddio march neu ddau, yr oedd gormod o gryd cymalau yn ei gluniau i wneud hyd yn oed hynny'n gyfforddus. Ni freuddwydiai mwyach am fynd ar deithiau clera i Feirionnydd, chwaethach i'r Deheudir, fel yn y dyddiau gynt. Llweni a Phlas Iolyn at y Doctor Elis Prys oedd yr unig leoedd yr ymwelai Gruffudd â hwy bellach, nid yn unig am fod eu pellter o ganol Hiraethog yn rhesymol ond, rhaid cydnabod, am mai dyma'r ddau blasty oedd â'r statws pennaf iddynt ac a dalai orau hefyd ledled Cymru. Ac nid oedd disgwyl i athro beirdd fynd i dai llai, yn nac oedd? Byddai pob enaid byw yn cyfaddef nad oedd ei debyg fel athro. Yr oedd yn well athro na bardd, mewn gwirionedd. Raff ap Robert o Fachymbyd, William Salesbury Llansannan, Siôn Tudur o Lundain, Simwnt Fychan Tŷ Brith, Wiliam Cynwal ac Wiliam Llŷn ieuanc. Buont oll wrth ei draed, er fe gydnabyddai yr hen Gruffudd iddo fethu gyda William Salesbury fel bardd, hyd yn oed os oedd yn un o'r ysgolheigion gorau a droediodd ddaear Cymru erioed.

Grwgnachai yr hen ŵr bychan y bore arbennig hwn wrth gerdded ei geffyl i fyny o Ddyffryn Aled i gyfeiriad Henllan, a chwynai wrth ei gydymaith ieuanc a'i ddisgybl diweddaraf, Wiliam Llŷn.

'Yn dy oed di, 'machgen i, chymerwn i fawr am redeg y rhiw yma ar droed. Fe dramwyais y llwybr yma ugeiniau o weithiau gyda Tudur Aled. A! dyddiau melys a'r tair talaith farddol Aberffro, Mathrafal a Dinefwr mor gybyddus inni'n dau â chefnau ein dwylo.'

Pitïai Wiliam Llŷn ef, er mor grintachlyd yr edrychai, efo'i gefn crwca. Mor flin y swniai. Fe dyciai i droi'r ystori.

'Wyt ti'n barnu, Gruffudd, y caf groeso yn Lleweni dros yr Ŵyl? Anodd iawn fydd hi i mi raffu rhestr o dai mawrion fel y gelli di.'

Nid atebodd Gruffudd ef, ond meddai, 'Gwrando mewn difrif calon ar y ceiliog bronfraith yna. Cerddor gorau'r llwyni.

Cerddor llawengainc hirddydd.

'Ateba honna, lanc, ac ymarfer dy grefft yn lle poeni am dy groeso. On'd ydi hi'n ddigon i ti fy mod i'n dy gyflwyno i Siôn Salsbri?'

'Canu, er difyrru'r dydd,' meddai'r llanc.

'Beth ddwedaist ti?' brathodd Gruffudd.

'*Cerddor llawengainc hirddydd,
Canu, er difyrru'r dydd,*' ebe Wiliam.

'Purion, purion. A hon, yrŵan. Aros di. Croyw gywydd. Croyw gywydd yn nydd a nos,' meddai'r hen feistr.

'Croyw. Croywach. Croywach na phynciau'r eos.

*Croyw gywydd yn nydd a nos,
Croywach na phynciau'r eos,*' ebe'r llanc eto.

'Mm. Mae ei meddwl hi'n gryf odiaeth; mae ei chynghanedd hi'n wan,' meddai'r athro. Ond er ei gwanned penderfynodd yr hen walch ei chofnodi ar gyfer y dyfodol.

'Gochel di gynganeddion gwan,' meddai wrth Wiliam. 'Mae gwŷr y plasau yn hoffi eu clywed yn clecian, waeth am yr ystyr cyn gymaint â'r grefft. A chrefft sydd gennyt. Mae gormod o sôn y dyddiau hyn, a hynny gan rai o'm cywion i fy hun, mai "Gweddw crefft heb ei dawn", ond cred fi, Wiliam Llŷn, chwys yw deuran celfyddyd. Yrŵan, ateba hon, ynte.'

Cludodd y gynghanedd hwy yn rhwydd i gyffiniau Berain. Bwriad yr hen ŵr oedd galw ym Merain cyn ymlwybro drannoeth i lawr Dyffryn Clwyd i Leweni. Yr oedd ganddo ddau neu dri o esgusodion dros alw yng nghartref Tudur ap Robert.

'Fe hoffwn weld ap Robert, wyddost ti, ac mi gaf newyddion am Siôn Tudur. A! mae'n drueni nad yw Siôn yn canu yn y dalaith yma. Un o'm disgyblion disgleiriaf, er yn ormod o rebel i wneud bardd mawr. Fe glywais gan William Salesbury ei fod o'n chwannog i gopïo beirdd Lloegr hefyd.'

'Ydi hynny'n beth i'w osgoi, Gruffudd?' holai Wiliam.

'Mae gan y Saeson ormod o syniadau a dim digon i foddhau'r glust. Mewn chwedl a thraethawd mae lle syniadau, nid mewn barddoniaeth. Swynwr ydi bardd wrth ei hanfod, a cherddor yn ogystal.'

'Ond roeddwn yn tybio dy fod yn ffafriol i ddysg Lladin a Groeg a'r hen Frytaniaeth.'

'Ydw, ydw. Sôn am beth i'w bwysleisio ydw i. Mae'n rhaid i dy gerdd di *ganu*. Ac yrŵan, os bydd Catrin Salsbri heb ddychwelyd i Leweni o dan adenydd yr hen Dâm Siân, fe gaf air â hi rhag ofn bod gobaith i ti, Wiliam Llŷn, gael bod yn fardd i Ferain dan yr oruchwyliaeth newydd sydd i fod yno.'

Ni ddywedodd yr hen walch mai gweld Catrin o Ferain oedd ei brif bwrpas. Gallai hi ei droi o amgylch ei bys bach. Mor llon a llawn o sylw iddo yn ei henaint ac mor gynhyrfus i fod yn ei chwmni. Deuai hi â'i ieuenctid yn ôl iddo. Fel y dywedai'r Doctor Coch o Blas Iolyn, ni fyddai'r gwres a godai'r stanc mwyaf a welodd unrhyw Babydd na Phrotestant yn holl wledydd Cred, yn ddim i'r gwres a godai *hi* ar ddyn. Hen ac ieuanc yn ddiwahân. Fe dalai i John Salesbury gadw golwg arni unwaith yr âi dros orddrws Llewni. Onid oedd pob plas o Fôn i Faelor a'u llygaid arni o ran ei chyfoeth a'i phrydferthwch? Yr oedd yna ryw si llynedd bod Ifan Llwyd, Bodidris, wedi cael gafael ynddi mewn neithior ym Mhlas Cinmel a bod Syr Siôn Salsbri wedi hanner ei ladd. Ond yr oedd drwg rhwng Lleweni a Bodidris cyn hynny, ynghylch rhyw dir.

'Mae pobl yn chwannog i greu chwedl, Wiliam Llŷn, yn enwedig gweision a morynion,' meddai Gruffudd yn uchel.

'Pam rwyt ti'n sôn, Gruffudd?'

'Na hidia, fe ddaw Berain i'r golwg yrŵan ar waelod y clip yma. Cofia ymddwyn yn syber a gwna sgwrs go glên efo Marged Wen, wnei di? Mae hi'n fy myddaru i, felly rho help i ddyn i ateb sgâr o'i chwestiynau, wnei di?'

Daeth y ddau dros Fryn y Ffynnon ac i lawr at Ferain. Gwelodd Wiliam Llŷn y plasty bychan o gerrig llwydion yn wynebu'r ffordd ar y llaw chwith, yn y pant ar waelod yr allt, ac wrth droi i mewn i'r buarth o'i flaen, bloeddiodd Gruffudd Hiraethog. 'Oes yma bobl? Ble mae gweision dioglyd Berain bnawn heddiw? Cysgu yn y gwellt, mi wranta, yn lle dod allan i groesawu dieithriaid.'

Ni fuasai Gruffudd byth wedi bwrw y fath sen ond mewn rhialtwch cellwair. Gwyddai fod yma amaethu diwyd a chroeso i bawb, ac ar y gair dyma was neu ddau yn ymddangos heibio ochr y tŷ, yn helpu'r hen Gruffudd musgrell i lawr oddi ar ei geffyl ac yn eu hebrwng yn syth i neuadd Berain. Clywsai Marged Wen lais uchel Gruffudd Hiraethog ar y buarth ers amser ac ni fu'n hir cyn y daeth i mewn atynt i'r neuadd a morwyn gyda hi yn cludo cwrw mewn llestr pridd.

'Dwi'n falch o'th weld, Gruffudd Hiraethog, ac yn falch o ymgom newydd. Does neb ond dieithriaid yn cael sylw yma ers tridie.'

'Mae'n ddrwg gennyf dy glywed yn ddi-hwyl, Meistres Marged. Pa ddieithriaid sy'n dy boeni felly?'

'Dydi'r plas yma fawr gwell na hospis i herwyr.'

Aeth ymlaen i egluro fel yr oedd Tudur ap Robert wedi noddi brawd Siôn Tudur o Lundain. Mynd cyn belled â rhoi'r Wicwer iddo, a'r weithred gyntaf a gyflawnodd y Llundeiniwr, fel ag yr oedd o, oedd tynnu cynnwrf yn ei ben yn Nimbech a gorfod cael ei gludo oddi yno yn fwy marw na byw. Dod ag o i Ferain o bob man i greu helbul, ac ers tridie, wedi dwyn holl sylw ap Robert a Catrin a'r morynion a phawb. Wedi iddi hi, Marged Wen, fynnu cael Lowri'n help ychwanegol o'r Wicwer ni wnâi unrhyw wahaniaeth. Yr oedd y ddau, ap Robert a'i ferch, yn y siambr bellaf yn ei gysuro'r funud yma.

'Ond Meistres Marged, mae Siôn Tudur ei frawd yn frodor o Fotryddan, yn fardd gyda'r gorau ac . . .'

'Paid tithe hefyd ag ochri efo nhw, Gruffudd Hiraethog. Tyrd â hanes imi o'r Berfeddwlad neu Ddyffryn Conwy neu rywle. Pryd fuost ti ym Mhlas Iolyn ddiwethaf? Dyna ŵr a rydd sylw i ferch ydyw Elis Prys. Ie, wel, ychydig fwy nag sydd raid, dwi ddim yn dweud llai, Gruffudd Hiraethog.'

Bu'n rhaid i Gruffudd fân siarad am deuluoedd Rhos a Rhufoniog Uchaf a Phenllyn. A rhoddodd iddi hanes marwolaeth ddisymwth Doctor William Glyn, Esgob Bangor. Ymgroesodd Marged. Yr oedd yn llawn diddordeb. Pwy a ddyrchefid yn esgob yn ei le, tybed?

'Wir, mae'n anodd dweud, Meistres Marged. Enwir Gruffudd Robert o Gonwy gan rai, a Morys Clynnog, Rheithor Corwen gan eraill.'

'Dyn da ydi Siôn Lewis, ficer Llanefydd yma, ond dydi o ddim digon o ysgolhaig ganddyn nhw, mae'n debyg.'

Nid oedd gan yr hen Gruffudd gymaint â hynny o ddiddordeb, a llwyddodd i dynnu'r sylw at Wiliam Llŷn a'i chael i holi'r llanc am ei dylwyth, er mwyn iddo gael llonydd i ddrachtio peth ar ei gwrw. Yr oedd Berain bob amser yn bragu cwrw da. Gwell na Lleweni, hyd yn oed os oedd amgenach gwin yn y fan honno. Y gwir oedd nad oedd gan Gruffudd ryw lawer i'w ddweud wrth esgobion. Nid oedd ef, na William Salesbury druan, lawer iawn yn nyled esgobion, y rhai pabyddol yn arbennig. Gobeithiai Gruffudd gael byw i weld marw y Frenhines Mari—Mari Waedlyd. Fu yna erioed well enw ar neb. Efallai y byddai tro ar fyd wedyn. Yr oedd sôn ei bod hi'n eithaf bregus ei hiechyd.

'A diolch i'r Mawredd ei bod yn ddi-blant, ddyweda i.'

'Beth ddywedaist ti, Gruffudd?' gofynnodd Marged.

'Dweud ei bod hi'n dda gythrel fod gŵr y Frenhines yn Sbaen ac yn debyg o aros yno. Hi! hi! hi! hi!' chwarddodd yr hen ŵr. 'Fedar hi ddim fforddio hyd yn oed i wneud camgymeriad heb sôn am gael gobaith magu.'

'Gwylia di rhag i ap Robert dy glywed wrthi, Gruffudd,' rhybuddiodd Marged, ac ar y gair daeth Tudur ap Robert i'r neuadd.

'Paid â chodi, Gruffudd Hiraethog, paid â chodi, fachgen,' cyfarchodd meistr Berain, yn llawen o'i weld.

Tynnodd ap Robert y sylw i gyd oddi ar Marged Wen ac ni fu Marged druan yn hir cyn llyncu mul a diflannu i gyfeiriad y gegin. Wedi i ap Robert a Gruffudd gael hanes ei gilydd, holodd yr hen fardd am ei ddisgybl, Siôn Tudur, a dangosodd ddiddordeb mawr yn Huw, ei frawd anafus.

'A beth yw ei gyflwr, Meistr Tudur, ai gwachul?'

'Nid erbyn hyn, ond fe fydd yn ddyddie eto cyn y cwyd o'i wely. Llythyr go drist fyddai ar ei ffordd i Lundain oni bai am Catrin. Bu fel angyles wrth ei ochr, bron ddydd a nos.'

'A'r cwbl oherwydd i Ifan Llwyd, Bodidris, dwyllo John Salesbury mewn chwarae cardiau. Rhyfedd iawn!'

'Sut felly, Gruffudd?'

'O! dim, dim. Ym . . . meddwl yr oeddwn mai dyna

pam y dangosodd dy ferch y fath ofal. Teimlo fel talu dyled iddo dros achub cam ei gŵr, yn siŵr.'

Gwir y dywedodd ap Robert, i Catrin fod nos a dydd wrth wely Huw Tudur. Oni bai ei fod wedi troi ar wella ers ddoe yr oedd Catrin yn wyllt am nôl y dyn hysbys o Nantglyn. Bu Huw rhwng byw a marw am ddeuddydd cyn hynny. Ni phoerai waed mwyach a chiliodd y boen a fu'n hollti ei ben ond yr oedd yn loes gweld ei gnawd. Prin yr oedd modfedd o'i gefn a'i ystlysau nad oeddynt yn ddu erbyn hyn. Ni pheidiai Lowri'r forwyn fach o'r Wicwer â chrio bob tro y deuai i helpu i'w drin a'i ymgeleddu. Ychydig a wyddai Huw Tudur i Catrin hithau golli dagrau tawelach na Lowri a gweddïo am ei wellhad.

Yr oedd ap Robert newydd adael Huw a Catrin yn y siambr am fod Lowri wedi ei alw at ymwelwyr yn y neuadd. Nid oedd Marged Wen wedi ei gorchymyn. Na, Lowri a gymerodd yn ei phen i ddweud wrtho ohoni ei hun, ac am ei rheswm da ei hun. Dyma'r tro cyntaf i'r ddau fod ar eu pennau eu hunain ers i Huw fod yn hollol ymwybodol.

'Ychydig a feddyliais ar Ddôl y Capel, pryd bynnag oedd hynny, y cawn i dywysoges i weini arnaf.'

Gwenodd Catrin arno. Ceisiodd Huw godi.

'Bydd yn rhaid imi . . .' griddfanodd, a chwympo'n ôl ar ei obennydd.

'Paid â cheisio codi. Yrŵan, bydd yn ufudd, Huw Tudur.' Plygodd Catrin drosto a daliodd ei llaw ar ei dalcen gwelw.

'Roeddwn am ddweud,' meddai ymhen ychydig, 'y bydd yn rhaid i mi wella erbyn yr Ŵyl imi gael gwahoddiad i Leweni. Rwy'n deall mai dathliad hefyd i John Salesbury fydd Gŵyl y Llungwyn eleni.'

Tynnodd Catrin ei llaw yn ôl ar enwi ei gŵr ac edrychodd ymhell.

'Fe hoffwn i gael gwella'n fuan inni gael cerdded Dôl Wicwer eto.'

Nid atebodd Catrin air o'i phen.

'Efalle y cawn ni dro neu ddau arni cyn i ap Robert godi'r tŷ yna y soniodd amdano gynne, iddo'i hun a Marged Wen. Beth alwodd o'r llecyn yna yr ochr yma i'r bont?'

'Dôl Belydr,' sibrydodd Catrin.

'Ar Ddôl Belydr. Mae'n lle hyfryd. Siawns na fedraf gael Siôn Tudur i ganu cywydd newydd inni. Sut oedd y cywydd yn gorffen yrŵan? Chlywaist ti ddim gwerth ohono. O! ie,

> O'r man hwn yr â meinir
> I dâl nef o dewlwyn ir.

Neu a oes well gennyt garol serch gan un o'r glêr? Beth am garol Llewelyn ap Hwlcyn?

> Myfi yw'r merthyr tostur lef,
> Duw Iesu o'r nef a'm helpo!
> Megis llong rhwng ton a chraig
> O gariad gwraig rwy'n curio.'

Dim gair o'i phen oddi wrth Catrin. Yr oedd y chwarae wedi troi'n chwerw. Ond ni allai Huw atal ei hun yrŵan. Aeth ymlaen i'w briwio.

'Neu beth am hon?

> Myfi ydyw'r prydydd afiach,
> Ni chela i mo'm cyfrinach;
> Rwy'n wan fy llais am deg ei llun
> A aeth i ganlyn gelach.'

'Taw!' criodd Catrin. 'Taw. Rwyt ti'n fy mhoenydio.'

Caeodd Huw ei lygaid ac yna nodiodd ei ben yn flinedig.

'Ydw. Ydw, ac yn fy mhoenydio fy hun yr un ffordd, fel glaslanc, ferch.'

Agorodd ei lygaid ac edrychodd arni. Eisteddai wrth erchwyn ei wely. Yr oedd darn defnydd a frodiai â'i dwylo gwynion yn segur ar ei glin, a'i hwyneb tlws yn hollol ddifywyd. Ceisiai Huw ddal ei llygaid ond nid edrychai arno. Llifai goleuni haul y pnawn hwn o Fai mwyn ar Catrin o Ferain drwy ffenestr hirgul y siambr wely. Rhyfeddodd Huw at ei glendid ysblennydd. Sut y gallai fod wedi mynd ati i'w brifo? Nid oedd hi'n gyfrifol fod cymaint o genfigen yn ei gnoi.

'Does dim deall ar dynged,' meddai Catrin yn llipa.

'Dim deall ar dynged?' ailadroddodd Huw. 'Oes, os tynged sy'n egluro popeth ac nid rhai pethe'n unig. O'r gore, dy dynged di oedd priodi yn ddeng mlwydd oed fel llawer aeres arall. Yr un dynged a barodd i'th dad roi'r Wicwer i'm brawd ac i ninne gwrdd ar Bont y Capel. A beth a ddaeth â mi yma i Ferain i ti weini arna i ond yr un dynged eto, ac yrŵan dyma fi wedi ymserchu ynot ti fel na fedra i feddwl am ddim byd arall.'

'Balchder dyn wnaeth y pethe hyn, Huw. Balchder Dâm Siân a'm gwisgodd yn fy sidan a'm dwyn o Ferain yn blentyn. Balchder fy nhad sy'n rhoi'r Wicwer i Sowldiwr Ffortiwn yn Llundain, a balchder dynion yn y dafarn a arweiniodd i'th glwyfo dithe. Mae'n bywyd ni i gyd wedi ei seilio ar falchder. Mae'n benconglfaen ein cymdeithas.'

'Rwyt ti'n swnio'n debyg i'r enwog Siôn Cent ei hun, f'anwylyd. Heb falchder does dim cynnydd.'

'Rwyt tithe'n mynd yn rhy ddyrys i mi yrŵan.'

Yr oedd Catrin mewn mwy o gyfyng-gyngor nag a freuddwydiai Huw. Yr oedd yn cael ei rhwygo gan ei hawydd i gofleidio ac anwylo'n dyner ei gorff briwedig, ac eto fe gafodd briodas, neu'n fwy cywir cafodd wasanaeth priodas a oedd yn hwyl ac yn reiat i gyd flynyddoedd yn ôl. Yr oedd yn dechrau dysgu bod yn rhaid gwneud iawn am gadw reiat.

'Y cwbl wn i ydi fod yn rhaid imi gyflawni fy nyletswydd yn llawn,' meddai hi.

'A gwneud dy ddyletswydd yw boddio Dâm Siân?' gofynnodd.

'Ie. Dâm Siân a fy ngŵr, fy nhad a Syr Siôn Salsbri a'm tylwyth a'm cenedl i gyd.'

'Ond rwyt ti newydd ddweud fod balchder wedi ysbeilio'r cwbl.'

'O! Huw. Rho'r gore iddi. Mae fy mhen i'n troi a 'nghalon i'n friw i gyd.'

'Roddaf fi *ddim* o'r gore iddi. Catrin, rwy'n dy garu. Rwy'n dy garu di, Catrin.'

Daeth cnoc ar y drws a llais Lowri'r forwyn yn galw.

'Meistres Catrin! Meistres Catrin, mae John Salesbury ar y buarth.'

'Llais cydwybod yn galw, Huw Tudur. Mae'n well i mi dy adael i dendans Lowri o hyn allan. Thâl y siarad yma ddim. Rwy'n achos tywallt gwaed yn barod. Mae perygl iddo fod hyd angau y tro nesaf. Ffarwél.'

Cododd Catrin yn chwim ac aeth yn gyflym drwy'r drws heb droi i edrych yn ôl. Ciliodd yr haul o'r ffenestr a gadawyd Huw yn llwydni diflas y siambr, ar ei ben ei hun. Safodd Lowri'n dawel i'w wylio am ychydig cyn cau'r drws yn ddistaw bach.

Pennod VI

Daeth y Sulgwyn, a hwnnw'n Sulgwyn braf, ac yr oedd Lleweni yn brysur fel cwch gwenyn oddi mewn ac oddi allan. Tacluswyd y gerddi newydd i gyd. Nid oedd chwynnyn i'w weld yn unman; torrwyd y lawntiau a thociwyd y perthi gwyrddion, ac yr oedd blagur y rhosynnau yn ernes toreth o flodau. Yr oedd Dâm Siân yn falch dros ben bod llawer o'r blodau tiwlip a gafodd o Amwythig llynedd yn dal yn eu blodau. Gwnaeth Thomas Peake o'r Green waith canmoliaethus ar drefnu gwelyau gwahanol o diwlip coch a melyn a phinc ac ambell wely cymysg. Yr oedd cerdded yn eu mysg i lawr at dorlan afon Clwyd rhwng y llwyni bedw ac yswydd melyn yn un o hoff arferion meistres y plas. Cerddai Dâm Siân yno heddiw yn gynnar y bore, i gynllunio gweithgarwch Lleweni am y dydd, heb yr un o'i phlant o'i chwmpas na'r un forwyn chwaith i darfu arni.

Trodd, wedi cyrraedd glan yr afon, ac ailwynebu'r plas. Am y canfed tro rhoddodd maintioli Lleweni, yn codi fel castell balch ymysg coed derw praff y dyffryn, yr un boddhad iddi ag arfer. Codai'r tŷ yn dri llawr uchel a'r cwbl ohono o'r calchfaen nadd gorau, a rhoddai hyn olwg fawreddog iddo. Uwch ei doeau teils heriai'r simneau tal yr awyr fel tyrau caer. Dotiai Dâm Siân unwaith yn rhagor at y cannoedd cwareli gwydr yn ei ffenestri helaeth, yn enwedig rhes ffenestri'r oriel hir. Edrychai ymlaen at weld a chlywed y neuadd enfawr yn llawn o bobl ar y Llungwyn. Dyna garedig oedd Thomas Chaloner yn dod o Gaer, fel cyfaill i'r teulu, i baentio'r arfbeisiau ar y gwaith plaster a'r paneli derw newydd. Gymaint gwell oedd artist iawn na'r crefftwr lleol. Yr oedd hi am iddo lunio sêl newydd i Syr Siôn hefyd, a chael llun gardes yr Urdd yn amgylchynu'r arfbais ar y sêl. Dyna oedd y ffasiwn ddiweddaraf a thalai dim ond y diweddaraf i feistres Lleweni. Gallai gael *lozenge* gyffelyb i'r sêl iddi ei hun yn ogystal. Fe wnâi hynny argraff ffafriol ar Lady Margaret yn Derby House yn Llundain. Yr oedd am ysgrifennu at Lady Margaret, fel gwraig Herald y *Dragon Rouge*, i'w chael i bwyso ar ei gŵr i gymryd Thomas Chaloner yn ddirprwy yn y Coleg Arfau. Byddai'n braf pe câi le yno, ac wedyn efallai y byddai modd perswadio'r coleg i yrru herald o fri i wneud Ymweliad â Gogledd Cymru i gofrestru arfbeisiau'r teuluoedd bonheddig. Gallai'r herald aros yn Lleweni i wneud y gwaith. Siawns na châi Syr Siôn grest i'w arddangos uwchben ei darian am estyn croeso i Herald brenhinol. Byddai, fe fyddai'n talu i noddi Thomas Chaloner.

Aeth meddwl Dâm Siân yn ôl at y darpariadau am y Llungwyn. Unwaith yn rhagor aeth dros y rhestr ymwelwyr, er y gwyddai ei bod yn rhy hwyr yrŵan i ychwanegu neb o bwys y funud olaf fel hyn. Diolch byth bod Robert Owen yr Abbey wedi gorffen gosod y paneli hynny, mwy neu lai. Nid oedd yr Esgob Goldwell o Lanelwy wedi gallu ymweld â Lleweni dros y Pasg ond yr oedd wedi addo y byddai yno'r Llungwyn. Hefyd yr oedd Richard Thelwall a'i fab Simon o Blas-y-ward, Rhuthun a'u gwragedd yn dod. Yr oedd Jane Thelwall, ail wraig Simon Thelwall, mor ffroenuchel. Byddai'n rhaid rhybuddio John yn ei herbyn a chadw Syr Siôn oddi wrthi gymaint ag y byddai modd. Nid oedd Dâm Siân byth wedi maddau iddi am wneud sbort am ben y ffaith fod Saesneg Syr Siôn braidd yn llafurus y tro diwethaf yr ymwelodd teulu Plas-y-ward â Lleweni. Ond dyna fo—yr oedd ei Saesneg yn well na llawer o'i gyd-ustusiaid. Teimlai'n fwy cysurus wrth feddwl fod Saesneg John ei mab mor raenus ers pan fu yn Ysgol Winchester. Yr oedd Alis, gwraig gyntaf

Simon, mor wahanol i'r Jane Massy yma o Sir Gaer. Yr oedd Alis yn un o'r Salsbriaid pan oedd hi'n fyw druan. Diolch byth fod etifedd o'r briodas honno yn fyw a hwnnw'n fachgen call fel ei dad. Fe fyddai Dâm Siân yn barod am Jane Massy Plas-y-ward y Llungwyn yma, arhosed hi nes iddi gael gweld gwisgoedd Elisabeth a Catrin a'i hun hi ei hun. Yr oedd hi'n sicr o ddod yn gwisgo'i gwallt hefyd yn llyfn o'r rhaniad canolog ac nid yn donnog naturiol o'r rhes ganol, a go brin y byddai ei hwd yn pantio i lawr y canol fel y rhai a gyrhaeddodd i ferched Lleweni ers mis.

Nid oedd yr hen Tomas Mostyn yn ddigon da i ddod i'r dathliad; yn wir, wrth dderbyn y gwahoddiad yn ei le mynegodd Wiliam Mostyn ei bryder am ei dad, ond yr oedd ef ei hun a'i wraig, Margret Powel, yn gobeithio cydfwynhau'r Ŵyl yn Lleweni. Aeth Dâm Siân ymlaen drwy weddill ei rhestr—Maurice Wynn o Blas Gwydir, Richard Myddelton o Galch Hill, Prys Holland ac Elizabeth ei wraig o Ginmel. Yr oedd Prys Holland yn annwyl iawn ond roedd yn biti na fyddai'n gwisgo'n fwy urddasol. Yr oedd ei frethyn cartref allan o le mewn plas, yn ôl idiom Saesneg Dâm Siân. Wrth gwrs fe fyddai Siôn a Jane Conwy Botryddan yno a David Myddelton Gwaunynog, teuluoedd Segrwyd, Plas Hetwn, y Garn, Gallt Faenan o odre Hiraethog, a phwy arall—O! ie, teuluoedd Hafodunos, Bronwylfa a Bachymbyd. Gobeithio na feddwai Raff ap Robert Bachymbyd gymaint y tro yma. Fe fu'n rhaid i Syr Siôn ymladd yn galed ar fainc yr ustusiaid i'w gael yn rhydd o gyhuddiad Richard Pigott o 'hysolt an' batri', chwedl Syr Siôn. Roedd Edward ab Gruffudd o Leweni Bach a'i ddwy chwaer Ales a Catrin yn dod hefyd, wrth gwrs, a Tudur ap Robert a Marged Wen o Ferain. Yr oedd ap Robert wedi gofyn am gael dod â chyfaill ieuanc iddo, Huw Tudur o Wicwer, y gŵr ieuanc oedd newydd ddod o

Lundain. Fe fyddai sgwrs am y brifddinas yn hyfryd iawn os câi hi amser, neu efallai mai ei wahôdd i'r plas ar ôl yr ŵyl fyddai orau. Byddai ganddi fwy o hamdden bryd hynny. Fe gâi weld sut foesau oedd gan yr Huw Tudur yma gyntaf.

Gyda gwragedd a phlant a gweision y tai yma i gyd, fe fyddai neuadd Dâm Siân yn llenwi'n braf a digon o le wrth gefn i'r beirdd a'r cerddorion. Yr oedd ugain o gerddorion a deg o feirdd wedi cyrraedd ers tridiau. Ni fyddai teulu Plas Iolyn yn rhy fodlon bod Gruffudd Hiraethog yn Lleweni yn lle bod gyda hwy, ac yr oedd hynny'n golygu fod rhai o'i ddisgyblion gorau yn ei ganlyn. Canai pawb glodydd y Wiliam Llŷn ieuanc yna. Simwnt Fychan yn herian Wiliam Cynwal fod y llanc yn well bardd na'r hen Hiraethog ei hun, meddai Siôn Salsbri. Un gwael am gymryd hwyl oedd Cynwal. Cydnabyddai Dâm Siân hyd yn oed, ei fod ormod o ddifrif efo popeth ac yn rhy hen ffasiwn, ond gallai gadw cyfrinach yn well na neb.

Erbyn i Dâm Siân gyrraedd cyffiniau'r plas yr oedd yn bur flinedig a phwysau'r bychan yn ei chroth yn argoeli bachgen o faintioli, teilwng o Syr Siôn Salsbri. Henry a fyddai'r enw y tro hwn. Yr oedd ei dad ar dân eisiau enw ei hen ewythr Ffowc arno, ond os âi i ysgolion Lloegr fe barai hynny drafferth a byddai Henry yn fwy hwylus ac yn cydweddu'n well ag enwau ei saith brawd, John, Robert, Thomas, Hugh, Edward, Roger a George. Cafodd Dâm Siân drafferth y tro diwethaf gyda Syr Siôn wrth ddewis George yn enw ar y baban.

'Fedr neb alw baban yn George,' meddai. 'Pwy glywodd faban yn cael y fath enw erioed? Chlyw neb yfi yn galw'r fath enw ar blentyn.'

Ond Dâm Siân a orfu a gwingai bob tro y clywai Syr Siôn yn dweud Siors am George, mewn rhyw ffordd werinol a di-chwaeth.

Erbyn y deuai ei thymp y tro yma ymhen rhyw ddeufis

eto, byddai'r coed rhosynnau a dyfai yn ymyl y plas yn llawn blodau i groesawu'r baban newydd. Yn syth wedi cael y Sulgwyn drosodd fe alwai ar Elin y Fydwraig o Drefnant i mewn i Leweni ac fe âi i'w gwely am y mis olaf. Ar wahân i Syr Siôn ei hun ar ryw adegau neilltuol, nid ufuddhâi Dâm Siân i'r un enaid byw ond Elin Fawr. Dug Elin wyth o'i phlant yn ddianaf i'r byd yma ac aros ymlaen wedyn yn y plas i'w magu am y mis cyntaf tra arhosai hithau yn ei gwely am ei hail fis, ac felly y byddai y tro hwn hefyd. Ar ryw olwg edrychai Dâm Siân ymlaen at orffeniad terfynol ei misglwyf. Fe fyddai hynny yn hwyluso pethau yn fawr iawn gan mai methiant bob tro fu cyffuriau dirgel y Swynwr o'r Alafowlia. Anodd oedd gallu deall Agnes, Bachymbyd, yn mynd ar ei llw ei fod yn effeithiol. Clywsai mai'r unig ateb di-ffael oedd llyncu llygod bach yn fyw ond perswadiai Dâm Siân ei hun mai ofergoel oedd hynny.

Cyrhaeddodd at y drws mawr ac aeth i fyny'r ddwy ris garreg ble'r oedd Betrys a Mari, y ddwy forwyn fach, yn ysgubo'r llawr. Galwodd ar Betrys, y fwyaf ohonynt, 'Tyrd yma, lodes, a cher i nôl yr hwsmon i'r neuadd ata i. Rwyf am iddo drefnu'r cerbydau ar gyfer y Sul. Brysia a phaid ag aros i glebran efo'r gweision tua'r stable yna. Ar dy union, cofia.'

Diflannodd y forwyn fel gwiwer ar ei gair ac aeth Dâm Siân i eistedd i'r neuadd i gael ei gwynt ati ac i fwynhau ehangder newydd y lle. Daeth yr hwsmon ar fyrder a threfnwyd dwy goets i fynd i Eglwys Marchell, ar gwr y stad, i'r offeren bore Sul. Teimlai'r feistres yn well erbyn hyn, ar ôl eistedd cetyn, ac anfonodd Mari y tro yma i nôl ei merch Elisabeth, a Catrin, o'u hystafelloedd ati hi yn y neuadd. Yr oedd am iddynt ddod gyda hi i'r ceginau i orffen trefnu'r bwydydd ar gyfer yr ymwelwyr. Buont braidd yn hir yn cyrraedd wrth ei bodd a chawsant bregeth bach ar ddyletswydd merch i fod yn brydlon ac yn ufudd.

'Ac yrŵan rwyf eisie i chi'ch dwy ddod i'r cegine hefo mi. Nid y neuadd, Elisabeth, ydi'r lle pwysica amser gwledd ond y gegin fawr. Dewch eich dwy i ni gael rhoi trefn ar Cadi a'i morynion. A thalwch sylw i bopeth,' ychwanegodd. 'A cheisia edrych yn fwy byw, Kathryn. Wn i ddim beth sy'n bod arnat ti yn ddiweddar. Welais i erioed mohonot mor ddisylw. Tyrd, yrŵan, dy wledd di ydi hon llawn cymaint â John.'

Dilynodd Catrin ei mam a'i chwaer yng nghyfraith o'r neuadd i gyfeiriad y gegin. Clywent lais Cadi o bell yn galw am hyn ac yn gorchymyn y llall. Distawodd y gegin fywiog ar ymddangosiad Dâm Siân. Sgleiniai'r copr a'r piwtar a'r pres ymhob cyfeiriad yr edrychai Catrin, a disgleiriai'r byrddau mawr yn wyn fel y waliau gwyngalch uchel. Ni allai Dâm Siân gwyno dim ar olwg a threfn y lle, beth bynnag.

Cymerodd y feistres gadair ar ganol y gegin a safodd Cadi Maes Heulyn o'i blaen yn barod i ateb ac egluro popeth yn y gegin yn ôl y gofyn.

'Yrŵan, Cadi, tyrd â'r rhestr ddarperais i yn ôl i mi gael ei hailddarllen. Gobeithio dy fod wedi dysgu'r cwbl ar dy gof erbyn hyn.'

Estynnwyd tudalennau hirgul o bapur i Dâm Siân ac edrychodd ar y gyntaf ohonynt.

'O'r gore, adrodd gynnwys dy fwrdd cyntaf, Cadi,' gorchmynnodd.

Llyncodd Cadi Maes Heulyn ei phoer fel morwyn fach ac edrychodd tua'r nenfwd a'i dwylo ymhleth ar ei bron, yn union fel pe byddai am weddïo. Dyma'r unig adegau yn y flwyddyn gron gyfan y dymunai Cadi gael bod yn llythrennog, sef amser cadw prifwyl. Ar unrhyw adeg arall fe fyddai'n barod i gydnabod bod arni ofn llyfrau a dogfennau.

'Y bwrdd salad,' adroddodd. 'Tair dysglad o frithyll bach a thair dysglad o frithyll mawr mewn dail bresych, cennin a dail surion, berw dŵr a radis bach, efo ychydig o bersli. Chwe dysglad o eog efo dail letys, marchysgall, ffa, nionod, ffenigl a dail mintys. Chwe dysglad o gywion ieir efo salad 'run fath â'r brithyll, a chwe dysglad o chwiaid bach efo salad 'run fath â'r eog.'

Edrychodd ar ei meistres gyda rhyddhad a thuchan yn ddwfn ar ôl bod drwy'r fath restr.

'A beth arall, Cadi?'

Crychodd Cadi ei haeliau yn drwm.

'Beth sydd gen ti wedi ei sgentio arnyn nhw?'

'O! briallu, marigold, fioledau a . . . a . . .' syrthiodd ei hwyneb.

'A sawdl y fuwch. A chofia foddi'r cwbl efo olew a sur a siwgr, Cadi,' meddai Dâm Siân yn flin.

'Ie, meistres,' atebodd Cadi.

'Cymer di'r rhestr hon, Elisabeth, a chadw hi'n ofalus. Ti fydd yng ngofal y salad i'r wledd. Yrŵan, Cadi, defnyddia'r bwrdd yna, agosaf at y drws, i ddal y salad, a chofia rannu'r desgliau yn gyfartal o gwmpas byrddau'r neuadd, a chadwa ddwylo'r gweision oddi ar y bwyd. O'r gorau, yr ail fyrdded.'

Cododdd Cadi ei golygon tua'r nefoedd unwaith eto fel pe bai am gymorth oddi yno.

'Tair dysglad gymysg o golomennod a phetris, a thair gymysg o ffesant a chyffylog. Pasteiod oer a phasteiod poeth . . .'

Aeth Cadi yn ei blaen yn amyneddgar a hirwyntog gan restru'r cigoedd eidion ac oen, alarch a gŵydd, a'r holl ddesglau cymysg o gig a physgod ac wyau a llysiau, rhai cigoedd wedi eu ffrio, eraill wedi eu berwi neu eu rhostio, nes cyrraedd bwydydd melys fel pwdin almon a theisen a grisial a jeli, oedd i'w bwyta'n blith draphlith gyda'r cigoedd a'r llysiau. Yr oedd oriau glwth yn disgwyl uchelwyr Dyffryn Clwyd ymhen deuddydd.

Clustfeiniai Elisabeth yn astud ond ni chlywodd Catrin hanner y fwydlen na sylwadau miniog Dâm Siân pan fethai Cadi druan. Ni fu Catrin erioed yn ei byw mor ddihid a thrwm ei chalon. Dihangai ei meddwl byth a beunydd i Ferain at ei thad ac at y gŵr ieuanc briwedig hwnnw y bu'n gweini arno rai dyddiau'n ôl. Credai yn gydwybodol ei bod wedi achub ei fywyd gan atal neb i'w waedu, fel yr awgrymai Marged Wen, ond rhoi digon o ddŵr dail tafod yr ych iddo a'r wermod lwyd i godi archwaeth bwyd arno. Fel ei hathrawes ym myd llysiau, fel ymhob byd arall, byddai Dâm Siân wedi cymeradwyo ei dull o ffisigo pe gwyddai'r manylion. Ond y dyddiau yma teimlai Catrin fel creadur mewn cawell. Bu'n chwilio am bob esgus dan haul i gael ymweld â Berain ond yn ofer. Tybed a oedd Lowri wedi ei dendio yn iawn? Yn ôl Dâm Siân fe gâi Catrin fynd i Ferain wedi'r Ŵyl am ryw hyd.

O'r diwedd daeth y catecism yn y gegin i ben er mawr ollyngdod i Cadi ac i Catrin hefyd. Esgusododd ei hun gan ddweud fod arni eisiau gorffen pwytho'r las newydd o Frwsel i fyny yn ei hystafell.

'O'r gore, Kathryn, ond wir rwyt ti'n treulio llawer gormod o'th amser ar dy ben dy hun. Pam nad ewch chi eich dwy allan i'r gerddi; fe wnâi tro i lawr at lan yr afon les i chi'ch dwy.'

Llwyddodd Catrin i gael ei ffordd ar waethaf Dâm Siân. Nid oedd yn teimlo fel gwrando ar Elisabeth yn moli Owen Brereton ac yn cynllunio sut yr oedd am ymddwyn a siarad ag ef y tro nesaf y deuai i Leweni. Nid oedd yn natur Catrin i fod yn groes a digydymdeimlad ond ni allai ffugio teimladau chwaith. Yr oedd ganddi ddigon i feddwl amdano i benderfynu sut yr oedd hi ei hun yn mynd i ymddwyn ar y Llungwyn pan ddeuai ei thad a Huw Tudur i Leweni.

'Pe bawn i'n rhinweddol,' meddai wrthi ei hun, 'fyddwn i ddim mewn cyfyng-gyngor o gwbl. Mi allwn gyfarch Huw Tudur fel cydnabod a'i longyfarch ar ei wellhad heb deimlo dim chwithdod. Y nefoedd sy'n gwybod fy mod i'n cael mwy o gyfoeth a safle nag erioed o'r blaen a chywely ieuanc fel fy hunan, nid un o'r gwŷr musgrell fydd yn gyff gwawd fel yng nghywyddau'r beirdd. Rhaid iti ymysgwyd, Catrin Salesbury, gan mai dyna dy enw, ac anghofio Pont y Capel a Dôl Belydr fel digwyddiad ffôl penchwiban,' pregethai wrthi ei hun. Byddai'n rhaid iddi gyffesu'r cwbl y Sul hwn ond a fyddai'n wir edifar ganddi, tybed?

Aethai Catrin o'r neuadd ac i fyny'r grisiau llydan i'r oriel uwchben. Aeth yn syth i'w hystafell a chydio yn ei gwnïo cywrain gyda phenderfyniad. Ar ôl chwe phwyth darganfu gamgymeriad a dechreuodd ddatod y pwythi mân mân. Gollyngodd anadl hir. Ni allai ganolbwyntio o gwbl. Cododd ac aeth at y ffenestr a'i hagor ac edrych ar draws y dyffryn tuag at odre Hiraethog a chyfeiriad Berain.

Daeth cnoc isel ar y drws.

'Pwy sydd yna?' galwodd, heb droi o'r ffenestr.

Ni ddaeth ateb. Trodd ei phen i edrych a thynnodd anadl sydyn. Safai John Salesbury yn ei hystafell. Dryswyd Catrin yn lân a theimlai ryw ofn. Nid oedd John Salesbury wedi bod yn yr ystafell ers ni allai gofio pryd. Er pan oedd yn fachgen rywdro.

'Rwyt ti'n edrych yn euog,' meddai aer Llewen. 'Beth oeddet ti'n wneud, chwifio cadach ar un o'r gweision gardd i lawr ar y lawnt, ynte beth?' cellweiriodd.

Croesodd yr ystafell tuag ati a gwên ar ei wyneb.

'Thâl peth felly ddim; rhaid iti fod yn llawer mwy deheuig na hynyna os wyt am wneud cwcwallt ohonof,' chwarddodd. 'A wir i ti, fynna i ddim rhannu dy gorff bach del â neb. Na'r gwallt gole yma na'r wyneb glân yma.' Cyffyrddodd â'i boch â blaenau ei fysedd. 'Na'r gwddf gwyn hwn na'r fynwes noeth gymen yma.'

Fferrodd Catrin ar ei gyffyrddiad, a phan ymwthiodd ei law i mewn i'w bodis isel camodd yn ôl gyda mwy o ffieiddiad na dychryn.

'Paid,' meddai, 'da ti.'

'Beth sydd arnat ti, Catrin? Mae gen i hawl arnat ti.'

'Nac oes. Dim eto, beth bynnag. Dydi fy nhad ddim wedi gorffen y taliadau ffwnding eto. Paid â gwneud hyn yna felly.'

Camodd ati a gafael yn ei dwy ysgwydd.

'Catrin Salesbury, mae gen i hawl arnat ti ers wyth mlynedd, taliadau ffwnding neu beidio, ac os wyt ti'n credu fy mod yn mynd i dy weld bob dydd am y deufis nesa yma a heb gael cyffwrdd ynot ti, meddylia eto.'

Yr oedd wyneb John Salesbury yn wyn fel y galchen a'i lygaid yn tanio yn ei ben. Y fath gywilydd fyddai gan Catrin i sgrechian neu ymladd. Syrthiodd ei hwyneb a chododd law i guddio'r dagrau poeth a fyrlymai o'i llygaid. Tynnodd ei gŵr ei llaw i ffwrdd yn chwim a chodi ei phen yn sydyn. Gwasgodd ei gwefusau â'i geg mewn cusan gwyllt. Daliodd hithau ei chorff fel pren am hydoedd nes iddo ei gollwng o'r diwedd.

'A phaid ti â bod mor gyndyn y tro nesa, Catrin,' gorchmynnodd yn ddig. 'Mae arna i eisie i fy nghyfeillion weld gwraig serchus dros yr Ŵyl yma, nid rhyw leian lugoer.'

Trodd ar ei sawdl ac aeth allan gan adael Catrin o Ferain ar ganol yr ystafell yn ymladd â'i dagrau.

Pennod VII

Eisteddai Cadi Maes Heulyn fel brenhines yng nghanol ei chegin yn Lleweni a'i hwyneb mor goch â'r tan ar ôl iddi slafio uwchben y crochanau a'r padelli er y bore. Yr oedd yn hwyr iawn y prynhawn erbyn hyn a'r gwledda yn y neuadd fawr ar ei anterth, a'r gegin hefyd yn orlawn o weision a morynion a thyddynwyr y fro a nifer o feirdd y glêr na chaent fynedfa i'r neuadd at y boneddigion am fod eu canu yn rhy werinol. Teimlai Cadi ryw ail fywyd ac egni ar ôl cael tamaid i fwyta a photiaid o fedd i'w yfed.

'Ma' Cadi am roi cân inni nesa!' gwaeddodd Robin Clidro uwch y chwerthin a'r gyfeddach. 'Beth am daro "Calanmai", 'rhen Gadi?'

'"C'lanmai", ddwedaist ti? Rwyt ti wedi'i dal hi'n deg, Robin Clidro. Ma' C'lanmai wedi bod am eleni. Ble fuest ti'r hurtyn? Mae hi'n rhy gynnar ar y dydd, p'run bynnag, iti gael Cadi Maes Heulyn i ganu i ti. Aros nes bydda i 'di ca'l potied neu ddau eto o'r medd yma erbyn heno ac mi gana i iti tan G'langaea. Ond rheitiach i *ti* ganu'r gwalch; mi fyddi di'n ca'l casgliad cyn mynd oddi yma, felly pam ddylwn i ganu yn rhad ac am ddim iti?'

Yr oedd Robin Clidro a Rhisiart Huws y Carolwr wedi llafarganu rhai o'u penillion yn barod ac yn gyndyn i ddihysbyddu eu penillion diweddaraf i gyd, a hithau ond canol pnawn a'r gyfeddach yn debyg o ddal ymlaen tan oriau mân y bore.

'Tro'r cerddorion ydi hi rŵan,' cyhoeddodd Rhisiart Huws. 'Dai Nantglyn, rho'r forwyn 'na i lawr a bysedda dy delyn yn lle ei chlunia hi, wyt ti'n clywed? Dwyt ti ddim wedi taro tant ers awr, y cena diog iti.'

'Aros imi orffen y potied 'ma, fachgen. Mae gen i

alawon newydd o Mwythig dwi am i ti glywed. "Hart's Delight" a "Goldilocks".'

'Gowldilocs! Pa iaith ydi honna? Chwaraea rywbeth call inni. Y "Gwenith Gwyn" neu rywbeth felly yn lle'r pethe diarth 'ma,' ffraeodd Rhisiart Huws. 'Mi fydde dy dad gywilydd ohonot ti.'

'Dyna ti eto, Rhisiart Huws, ddim am newid dim ar bethe,' atebodd Dai. 'Naw wfft i raddio mewn eisteddfod i siwtio Wiliam Cynwal a'i debyg. Crafwr tin oedd 'nhad druan.'

'Beth ddwedaist ti, Dai?' gofynnodd Rhisiart Huws yn dal ei law at ei glust yng nghanol yr holl sŵn o'i gwmpas.

'Deud nad wyt ti ddim am newid pethe wnes i, aros yn dy unfan yn rhygnu'r un hen benillion a . . . a . . .'

'Weli di, Dai Nantglyn, chaiff dy siort di a mi newid dim ar arferion yr hen fyd yma. Y *nhw*, yr uchelwyr yma, yn boeth y bônt, sy'n cael newid pob rhyw ddim pan mae'n eu siwtio *nhw*. P'run bynnag, does arnyn nhw ddim eisio fy math i ar eu cyfyl. Mae gen *ti* well siawns efo dy delyn, petaet yn ymarfer mwy arni, i wella dy grefft a gadael y merched 'ma'n llonydd.'

'Beth sy arnat ti, Dic, gwenwynllyd wyt ti, 'ta be?' meddai Dai a rhoi pinsiad eger i ffolen y forwyn fach agosaf ato.

'Aw! Dai Nantglyn, cadw dy ddwylo i ti dy hun, y trychfil powld,' sgrechiodd y lodes, 'neu fe fydda i wedi colli'r ddiod 'ma i'r boneddigion.'

'Ie, cer di â fo iddyn nhw, 'merch i, a phaid ag addo dim mwy i'r un ohonyn nhw na fyddet ti'n fodlon ei addo i mi,' pryfociodd Dai.

'Ers pryd mae arna i unrhyw beth i ti, sgwn i?'

'Ers y Nadolig. Os wyt ti'n cofio. Na, roeddet ti wedi ca'l gormod o fedd erbyn hanner nos i gofio dim.'

'Cer o ma'r un powld. Cariad Hywel Grugor ydw i. Wn i ddim efo pwy fuest ti'n siarad y Nadolig.'

'Hywel Grugor ac ambell un arall, mi wranta. Ers pa bryd wyt ti'n tiwnio'i grwth *o* tybed?'

Poerodd y ferch i'w wyneb a sleifiodd fel wenci gan weu drwy'r gegin lawn am y drws a arweiniai i'r neuadd lle'r oedd disgwyl am yr ystên a gariai.

'Chware efo sgythen ac mi gei dy faeddu, Dai,' meddai Rhisiart Huws. 'Hwde, sych dy wyneb efo'r cadach 'ma.'

'Mi gaiff honna dalu'n ôl cyn y bore, yr hoeden,' bygythiodd Dai.

Aeth y forwyn i'r neuadd lle'r oedd bron cymaint o sŵn ag yn y gegin, ond ei bod yn haws o lawer ymlwybro. Ciliodd y cledwch gwyliadwrus oedd ar ei hwyneb yn y gegin a phan ymlaciodd ac edrych yn glên ar y boneddigion yn y neuadd ymddangosai yn ddiniwed a digon annwyl. Cynigiodd lenwi potiau yfed amryw o'r gwŷr wrth fynd heibio. Eisteddai llawer o'r gwesteion, yn arbennig y merched, ar y meinciau hir duon a oedd wrth y byrddau trymlwythog a drefnwyd yn rhes i lawr canol y neuadd hir, ond yr oedd llawn cymaint o'r gwahoddedigion yn sefyll mewn tyrrau hwnt ac yma o gwmpas y neuadd yn siarad ac yn yfed. Yn ei hymyl, a'u cefnau at y tapestri newydd a oedd yn gymaint o destun sgwrs yn y gegin am ei fod yn dangos lluniau rhyw dduwiau a duwiesau noethlymun mewn gardd ffrwythlon, safai Dâm Siân yn ymgomio â'r esgob. Clywodd ei meistres yn dweud yn felfedaidd wrth yr Esgob Goldwell o Lanelwy, 'Dydyn nhw ddim yn talu chwarter digon i ti, a thithe mewn swydd mor gyfrifol ac urddasol, f'arglwydd Esgob. Beth ydyw prin ddeucant y flwyddyn y dyddie hyn a phrisiau popeth fel ag y maen nhw? Ac mae eisiau cymaint o arian parod wedi mynd, rhagor na byddai hi. Rhaid inni ofalu dy fod yn cael

Tyddewi y tro nesa. Er cofia di, f'arglwydd, dydyn ni ddim eisiau dy golli o Ddyffryn Clwyd.'

'Rwyt yn garedig iawn, fy merch, yn ceisio fy llesâd ond wir does dim awydd arna i i dynnu gwaith newydd yn fy mhen, ac mae esgobaeth Tyddewi mor enfawr i ddyn yn fy oed i. Wyddost ti, Dâm Siân, rwyf wedi gweld fy hanner cant.'

'Dydw i ddim yn dy gredu, f'arglwydd, dwyt ti ddim yn edrych yn ddeugain,' meddai Dâm Siân a hithau'n gwybod ei oed i'r flwyddyn, fel y gwyddai bopeth am bawb.

Yr oedd clywed esgob yn sôn am bethau cartrefol fel oedran ac iechyd yn rhyfedd iawn i glustiau'r forwyn fach a cheisiodd loetran yn ymyl i gael clywed mwy, ond gofalai gadw y tu ôl i Dâm Siân rhag i'w meistres ei gweld.

'Na, wir,' meddai'r esgob, 'rwy'n credu mai gorffen fy nyddiau yn Llanelwy fydd fy hanes, os caf lonydd yno hefyd. Pe bai rhywbeth yn digwydd i'r Frenhines Mari, yna Duw ei hun a ŵyr beth fydd ein hanes. Mae ei hiechyd mor fregus. Bendith arni hi, mae hi'n poeni cymaint am eneidiau ei phobl, mae o wedi dweud yn enbyd arni.'

'Felly y clywais inne,' porthodd meistres Lleweni gan obeithio cael clywed mwy. Yr oedd yn hanfodol bwysig iddi fedru deall meddyliau aelod o Dŷ'r Arglwyddi. Gallai dyfodol y teulu Salsbri ddibynnu ar gymaint o bethau, a nifer ohonynt yn ddibynnol ar amodau ac amgylchiadau crefyddol. Bu'r byd crefyddol yn hollol gyfnewidiol ers cenhedlaeth. Harri'r wythfed i ddechrau yn torri oddi wrth Rufain er mwyn sicrhau ei ysgariad oddi wrth ei frenhines gyntaf, Kathryn o Aragon. Yn ffodus nid rhyw Brotestaniaeth eithafol a olygodd y newidiadau ond derbyn Harri yn ben yr Eglwys yn lle'r Pab yn Rhufain. Gwahanol iawn oedd hi pan ddyrchafwyd Edward, mab Harri, i'r orsedd. Bu Edward a'i gynghorwyr yn erlid ac yn cosbi Pabyddion cyn iddo farw, ar ôl dim ond chwe blynedd fel brenin. Rhyddhad o'r mwyaf i bobl fel Goldwell a theulu Catholig fel y Salsbriaid oedd coroni Mari, merch Kathryn o Aragon, yn frenhines a chydnabod y Pab unwaith eto yn ben yr Eglwys.

'Pryd welaist ti'r Frenhines ddiwethaf, f'arglwydd esgob?' holodd Dâm Siân.

'Mae'n debyg mai'r haf diwetha oedd hi, ie, yn Nhŷ'r Arglwyddi, ac roedd wedi gwaelu yn arw. Wel, mae i minnau fy ngwendidau, y gwin ardderchog yma yn un peth, Dâm Siân, ond fynna i ddim plygu i'r diwygiad Protestannaidd anghyfrifol ac annuwiol yma os dychwel o gwbl. A dyna'r perygl os dyrchefir merch y butain Ann Boleyn yna i'r orsedd. Mi af mor bell â'r cyfandir os bydd raid imi, ond dderbynia i neb yn ben ar yr Eglwys ond y Pab ei hun. Ie, mi gymera i ddropyn gennyt ti, fy ngeneth,' meddai Goldwell gan droi at y forwyn fach oedd yn ymdroi yn ei ymyl. 'O! mi welaf, cwrw sydd gennyt ti a minnau'n meddwl mai gwin oedd o. Gwell imi aros efo'r gwin; mae'n dygymod â mi gymaint gwell, diolch i ti. Bendith arnat ti.'

Plygodd y forwyn bach iddo ac aeth i ffwrdd. Nid oedd esgob erioed wedi siarad â hi o'r blaen. Dew! roedd o'n eitha dynol ac roedd hi'n ei ddeall yn siarad hefyd. Dim o'r Lladin yna a glywodd ym mhriodas ei chwaer, a dim ond ficer Botffari oedd hwnnw. Dyna dda na ofynnodd yr esgob iddi pryd y bu'n cyffesu ddiwethaf achos byddai'n bechod anfaddeuol i ddweud celwydd wrth esgob. Fydda hi ddim rhy ddrwg mynd i'r gyffesgell ato fo, roedd o'n eitha clên. Doedd hynny ddim yn iawn, rywsut, meddyliai. Dylai esgob godi ofn ar rywun fel brenin neu angel. Aeth y ferch yn ei blaen i gynnig ei chwrw i hwn a'r llall.

Daeth at ymyl John Salesbury a Catrin o Ferain yn siarad â rhyw foneddiges a'i gŵr yn Saesneg. Ow! dyna dlws oedd Catrin Salesbury. Yn union fel rhai o'r darluniau mawr yn yr oriel a'i chroen yn sgleinio o lân. Byddai'n braf cael bod yn forwyn ystafell iddi, a chael gafael yn y gown damasg coch ac arian yna. Mae'n siŵr o fod yn drwm. Yr oedd y fath drwch i'r patrwm. Roedd Cadi'n dweud bod un o'r gwisgoedd yna yn gallu costio trigain punt! Edmygai'r lodes yr agoriad i lawr rhan flaen y gown a ddangosai sidan du y bais laes oddi tanodd. Atebid y du yn nhroadau'r picadils ar y penysgwydd. Disgleiriai perlau o gwmpas ei gwddf. Gwnâi y gwrthdrawiad syml, rhwng pryd golau Catrin a'r coch cryf a'r du, iddi dywynnu fel rhyw seraff daearol.

Ni chafodd y forwyn fach unrhyw ateb gan John Salesbury pan gynigiodd ei diod. Dim ond ysgwyd ei law yn ddiamynedd.

'Dim diolch, Betrys,' meddai Catrin gyda gwên.

'Does that mean thank you, Kathryn?' gofynnodd y foneddiges.

'No, on the contrary it means No thank you, Mistress Thelwall,' eglurodd Catrin. 'Diolch by itself means Thank you. So I said DIM diolch.'

'Oh! I cannot make head or tail of this language of yours. So many words have different forms. I do not doubt, it is best left to the peasants. They do seem to find it sufficient to their ends. The vocabulary, it must be so inadequate in this day and age,' meddai Jane Thelwall.

'It has been the vehicle of our ancient culture since time immemorial,' eglurodd Catrin â mymryn o wrid. 'Cherished by our poets and patronised by the likes of us. It is a simple matter of the gentry continuing its usage and I do not see why we should not uphold our practice.'

'But in the courts, sweet Kathryn, it is impossible to use. Everything of import is conveyed in the mother tongue of this realm,' mynnodd Meistres Thelwall.

'Ah! I would take you to task on two points. Most of our justices are forced to speak Welsh if they are to remain fluent and coherent, although everybody pretends that they do not, and the clerks translate for all they are worth into English. And the other point, the mother tongue of this realm, as you call it, is doubtless the Cymric tongue of this Isle of Britain.'

'Oh! come now, Catrin,' ymunodd John Salesbury a'i dafod ychydig yn dew. 'Welsh is quite fine for poetising and romance but in law and government and commerce it has but little future. And as for scholarship, it has no place at all.'

'I cannot agree, John. A nation will make a language do its own will. The people are the mind of language. Your father and Master Thelwall could afford to open a fine school in Denbigh or Rhuthun.'

Ni ddeallai Betrys ddim ar y Saesneg yma, ond gwelai fod Catrin Salesbury yn dadlau am rywbeth achos roedd ei phen tlws yn gweithio'n galed.

Daeth Betrys at ŵr ieuanc ar ei ben ei hun a oedd yn edrych yn welw iawn a chlais glas ar ei arlais. Yr oedd yn syllu yn llonydd i gyfeiriad John Salesbury a Catrin o Ferain.

'Cwrw, syr?' gofynnodd y forwyn.

'A! diolch iti, 'merch i. Fe gymera i lwnc. Rwyt ti'n gweithio'n galed heddiw, mi welaf.'

'Dim mwy nag arfer, meistr, ac mae hyn yn llawer brafiach na gwaith bob dydd.'

'Does gen ti fawr o gwrw ar ôl. Na hidia, does arna i ddim eisie llawer. Fe welais well brag ugeiniau o weithie, p'run bynnag. Oes gen ti ddim gwell?'

'Mi af ar f'union, syr, i holi. Paid â mynd o 'ma; mi ddof 'nôl heb oedi.'

Diflannodd y ferch fel y gwynt. Trodd Huw i edrych eto i gyfeiriad John a Catrin. Pwy oedd hefo nhw yrŵan, tybed? Syr Siôn Salsbri, yn ôl lled ei gefn. Pe câi ond gair â Catrin, meddyliodd Huw Tudur, am eiliad. Ni allai dynnu ei lygaid oddi arni. Sut y gallai fod mor galed? Ni allai lai na gwybod ei fod yn sefyll yn y fan yma ac eto nid edrychodd unwaith i'w gyfeiriad. A oedd arni hi gymaint â hynny o ofn John Salesbury? Clywsai Huw ei fod yn ddrwg ei hwyl ym Merain ar ôl deall bod Catrin wedi bod yn gweini arno fo am ddiwrnodiau yn lle dychwelyd i Leweni, ac nid oedd Marged Wen wedi bod o ddim help, yn ôl adroddiad Lowri'r forwyn o'r Wicwer. Deallodd Huw hefyd, oddi wrth ddull Lowri o ddweud pethau, ei bod wedi synhwyro pa deimladau a fu rhwng Catrin ac yntau. Ie, a *fu* rhyngddynt. O! Brenin Mawr, ni allai feddwl am roddi Catrin heibio. Ac wedyn pwy oedd o i sôn am roi heibio. Eiddo arall oedd hi, ac yn ôl ei hymddygiad ar hyn o bryd yr oedd yn edrych yn ddigon hapus i aros felly.

Bodlonodd Huw Tudur am ychydig ar edrych o'i gwmpas yn fwy craffus ar yr ystafell eang yr oedd ef a'r ugeiniau lawer eraill yn gwledda ynddi. Safai Huw ym mhen pellaf y neuadd a gallai weld i lawr ei hyd tua'r drws yn y pen arall. Gwelai odrau'r grisiau mawr drwy'r drws agored. Panelwyd y neuadd â derw golau i fyny at y ffris. Un, dwy, tair . . . yr oedd yna chwe phanel at i fyny o'r llawr fflagiau sgwâr at y ffris addurnedig. Bob cam o amgylch y ffris ailadroddid pais arfau Syr Siôn Salsbri bob yn ail â philer clasurol mewn plastr. Edrychai llewod arian y Salsbriaid yn llachar ar eu tarianau cochion ysblennydd. Gogoniant y neuadd yn ddiau oedd ei tho plastr a'r mân ddail a ffrwythau a blodau yn harddu'r patrwm o gylchau ar lun petalau mawrion. Bu Syr Siôn o'i go bod rhaid tynnu'r hen do pren uchel a'i *hammer-beams* praff. 'Ddeil o byth,' dywedodd am y nenfwd newydd. 'Mi fydd yr oriel hir yna a'r ystafelloedd cysgu newydd i gyd am ein pennau ni ryw ddydd.' Ond dyma oedd y dull diweddaraf o adeiladu a bu raid iddo fodloni. Yr oedd golwg yr ystafell gyfan mor gymesur a rhesymol. Yr oedd hyd yn oed prif fframiau'r ffenestri gwydr a phlwm yn cyfateb i baneli coed y waliau. Syml iawn oedd y lle tân uchel a hirsgwar ac yn cyd-fynd â phrif linellau'r neuadd i gyd. Yno, yng nghyffiniau'r lle tân, yr eisteddai'r cerddorion ar eu stoliau bach er mwyn eu bod tua'r un pellter oddi wrth bawb yn y neuadd. Hwnt ac yma ar hyd ochrau'r ystafell safai cadeiriau wensgot cerfiedig a dau neu dri chwpwrdd clos.

Daeth gŵr ieuanc heibio i Huw. Bachgen eiddil ond golygus ac wedi ei wisgo'n lliwgar dros ben.

'Dim cwrw gennyt, gyfaill?' gofynnodd i Huw.

'Diolch i ti, fe ddaw'r forwyn yn ei hôl efo peth,' atebodd.

'Wyt ti wedi blasu'r cyffylog yma?' holodd wedyn.

'Naddo. Dim llawer o archwaeth, yn wir. Paid â chymryd dim sylw ohona i. Bwyta di,' meddai Huw gan geisio gwneud sgwrs. 'Huw Tudur ap Hywel ap Dafydd, Wicwer, ydw i.'

'Thomas Chaloner ydw inne, o Gaer.'

'Ond Cymro, serch hynny?'

'O ie, mae hanner y ddinas yn Gymry. Rwyt yn ddieithr yma fel finne yn ôl dy olwg.'

'Ydw. Ychydig rwy'n adnabod, heblaw Tudur ap Robert a John Salesbury a Catrin, y ... y Meistres Catrin Salesbury yn hytrach. O ie, a Gruffudd Hiraethog fan draw. Mae o'n gymeriad ar ei ben ei hun.'

'Ydi, smala, smala iawn a chaniatáu ei oed. Weli di'r gŵr a'r wraig dal acw ar y chwith? Hwd *gable* ar ei phen hi. Wel, eu merch sydd efo nhw. Honna efo wyneb fel ceffyl.'

'Fel ceffyl, rwyt ti'n iawn, dyfaliad da,' a chwarddodd Huw Tudur am y tro cyntaf drwy'r dydd.

'Wyddost ti, roeddwn yn ymgomio â hwy ychydig yn ôl am y neuadd yma. Robert Wyn Dolben, Segrwyd a'i wraig ydyn nhw, ac Agnes ydi'r ferch, allwn i feddwl. Roedden nhw cystal â'i gwthio arna i yn wraig. Fe ddechreuon nhw ei chanmol, fel porthmon yn dangos creadur byw mewn ffair, a finne ond wedi sôn pwy oedd fy nhad. Synnwn i ddim nad oedd gan Dâm Siân ryw fys yn y brwes yn rhywle. Mi ddihengais gynta y gallwn i.'

'Dy gwrw, syr,' meddai llais bach wrth benelin Huw.

'Diolch i ti. Beth ydi dy enw hefyd?'

Edrychodd y ferch yn dipyn mwy swil na phan oedd yn cyfnewid geiriau yn y gegin efo Dai Nantglyn gynnau.

'Betrys, syr,' meddai, fel pe na thoddai menyn yn ei cheg.

'Gefaist ti well cwrw y tro yma imi?'

'Do, syr, mae'n lanach ac yn fwy byw. Gad imi roi peth yn dy dancard. A beth amdanat tithe, syr?' gofynnodd i Thomas Chaloner.

'Fe gymera i rywbeth ga i gen ti,' atebodd, a throdd at Huw gan ychwanegu, 'Byddai'r lodes yma yn edrych llawn gwell na'r rhelyw o'r boneddigesau hyn, Huw Tudur, petai ond yn cael eu gwisgoedd a'u tlysau.'

'O! syr, paid â chellwair,' cochodd y ferch ac aeth i ffwrdd wedi ei phlesio.

'Mae'n eitha gwir. Ond gwylia, mae Dâm Siân yn dod heibio. Gobeithio na fydd arni eisie sgwrs hir,' meddai Chaloner.

Moesymgrymodd y ddau i feistres Lleweni.

'Foneddigion, croeso i'r wledd. Thomas Chaloner, rwy'n falch dy fod wedi medru aros. Llawer o ddiolch i ti am dy gymwynas parod yn paentio'r arfau yma. A Meistr Huw Tudur, croeso i tithe,' gwenodd Dâm Siân.

Moesymgrymodd Huw eto.

'Hyfrydwch yw cael bod yn Lleweni, Dâm Siân. Mae'r

neuadd yma a'r wledd yn glod i'r teulu ac yn deilwng o enw'r Salsbriaid.'

'Diolch i ti, Huw Tudur. Rhaid iti ddod atom eto wedi'r Ŵyl yma. Mi hoffwn unrhyw hanesion o Lundain gennyt ti. Gobeithio y derbynni wahoddiad yn fuan.'

'Yn llawen, Dâm Siân, a chan diolch.' Moesymgrymodd Huw am y trydydd tro.

'Rwy'n falch o'ch gweld, foneddigion. Mwynhewch eich gore,' meddai, a throdd ymaith yn amlwg wedi cael pleser yn eu cyfarch, neu felly yr edrychai iddynt hwy.

'Rwyt yn dipyn o lwynog, Huw Tudur, mi welaf, ond cytunaf mai'r peth doethaf ydi plesio'r wraig yna neu does wybod beth a ddilynai pe cymerai yn ei phen i bery aflwydd i ddyn. Tyrd, beth am y cig yma, a gwin y tro hwn?'

'Ie, pam lai?' meddai Huw. 'Does dim lle i wyneb hir mewn gwledd. Fe fwytawn ac fe yfwn o'i hochr hi.'

Am y tro cyntaf ers iddo fod yn y neuadd, trodd Huw Tudur ei gefn ar Catrin o Ferain.

Ni fu Catrin yn hir iawn cyn sylweddoli ei bod yn clywed llais Huw Tudur am y tro cyntaf yn y wledd. Yr oedd yn chwerthin ac yn taro cefn Thomas Chaloner yn harti iawn. Ni allai fentro croesi atynt gyda'i gŵr rhag rhoddi cyfle i John Salesbury ei ddifrïo, ac yr oedd yn anodd iddi fynd ar ei phen ei hun. Gwyddai ei bod yn giaidd wrth beidio â holi sut yr oedd ar ôl y fath glwyfau a ddioddefodd. Golwg digon llwyd oedd arno hefyd ond roedd yn falch o weld ei fod yn bwyta rhywbeth o'r diwedd.

Dangosai John Salesbury arwyddion ei fod braidd yn feddw erbyn hyn. Yr oedd yn siarad yn chwareus ag Angharad Myddelton, Gwaunynog, ers amser.

'Meistres Catrin Salesbury. Rwyt ti'n edrych yn harddach nag erioed. Mae'n eli i lygaid dyn i'th weld, os caiff hen ŵr fel fi ddweud hynny,' cyfarchodd Gruffudd Hiraethog.

'Diolch i ti, Gruffudd. Fe fydda i'n disgwyl clywed hynny ar gywydd gennyt ti.'

'A! mae gofyn i ryw Gutun Owain neu Dafydd Nanmor wneud cyfiawnder â thi. Cyffredin ydi fy awen i. Dyna ffortunus yw Meistr John Salesbury i gael . . . O, mae o wedi mynd, ond dyna ni, fe ŵyr cystal â neb ei fod yn cael seren Cymru yn wraig iddo.'

'Rwyt yn orgaredig Gruffudd. Pryd wyt ti'n datgan dy gywydd mawl i'r wledd heno? Does wiw i mi golli cael ei glywed,' gwenieithodd Catrin i'r hen fachgen.

'Yn hwyrach, O! yn hwyrach, Meistres Catrin. Raff ap Robert a minnau yn olaf, os bydd yr hen Raff yn dal yn ddigon sobr. Rhoddi cyfle i'r llanciau ieuanc yma gyntaf —Simwnt Fychan a Wiliam Cynwal, hynny ydi unwaith eto, os bydd Cynwal heb ddigio, achos dydi Simwnt ddim wedi peidio â'i blagio drwy'r dydd ynghylch rhywbeth neu'i gilydd. Glywaist ti Wiliam Llŷn gynnau fach, meistres? Mae'r llanc yna yn gwella bob dydd. O! llanc da, llanc da iawn a hirben hefyd. Mi hoffais ei ddihareb, "Nid Byd, Byd Heb Wybodaeth". Fe wnaet yn llawer gwaeth na'i gymryd yn fardd i Ferain, Meistres Catrin, os caf argymell.'

'Fe siarada i amdano efo fy ngŵr, Gruffudd. Diolch iti eto.'

Cafodd wared o'r hen ŵr yn ddigon caredig ac edrychodd o'i chwmpas. Nid oedd sôn am John Salesbury yn unman. Gwelai Huw Tudur a Thomas Chaloner wedi ymuno â'i thad a Marged Wen. Beth a gâi Marged Wen i gwyno amdano mewn gwledd mor ysblennydd, tybed? Yn sicr ni fyddai popeth wrth ei bodd.

Trawyd tannau dwy delyn yn gryf wrth ymyl Catrin a gwelai fod dau delynor ieuanc, dieithr iddi hi, wedi dechrau cydganu gyda'i gilydd. Distawodd yr alaw 'Morfa Rhuddlan' ychydig ar leisiau'r gwleddwyr yn y neuadd.

'Mae John wedi mynd i ddangos yr oriel i Angharad

Myddelton, Catrin,' meddai Dâm Siân. 'Gwell iti ddweud wrtho am beidio â bod yn hir. Mae'r Esgob Goldwell wedi sôn yr hoffai sgwrs ag ef ynglŷn ag ymaelodi yn un o Ysbytai'r Gyfraith yn Llundain efalle. O'r gore?'

'Purion, Dâm Siân. Fe af yrŵan,' atebodd Catrin ac yr oedd yn falch o gael dianc am ychydig o sŵn yr holl leisiau yn y neuadd lawn. Aeth i ben y neuadd a dringodd y grisiau mawr am yr oriel hir. Eisteddai amryw o'r gwesteion ar y grisiau'n siarad a daliwyd hi am amser gan Elisabeth Salesbury a theulu Mostyn. Holodd yn garedig am iechyd Tomos Mostyn cyn mynd yn ei blaen.

Yr oedd yr oriel yn wag. Tybed a oedd John yn sefyll mewn alcof ffenestr yn rhywle? Yna gwelodd Catrin nad oedd y tapestri a grogai ar draws drws ystafell John Salesbury ar gau, fel ar y gweddill o'r drysau, ac wedi iddi agosáu gwelai fod y drws hefyd ar agor. Ar ganol yr ystafell cofleidiai John Salesbury ac Angharad Myddelton.

Daeth cryndod dicter dros Catrin. Ni allai symud am foment, yna camodd ymlaen. Rhaid eu bod wedi clywed siffrwd ei dillad achos troesant eu hwynebau tuag ati. Cyn iddi allu dweud gair torrodd ei gŵr yn rhydd a symudodd at y drws.

'Dos i gysuro milwyr y Gard,' meddai, a rhoi clep ar y drws yn ei hwyneb.

Syfrdanwyd Catrin a llygadrythodd ar y drws caeedig, yna tynhaodd ei gwefusau a throdd yn gyflym tua'i hystafell. Caeodd y drws arni ei hun a cherdded yn wyllt yn ôl a blaen heb wybod beth i'w wneud.

Cysuro milwyr y Gard! Dyna a feddyliai ohoni, aeres Berain. Yr oedd yn ferw o hunangyfiawnder. Byddai'n edifar ganddo am hyn. Taflu merch Gwaunynog i'w hwyneb fel pe byddai ond morwyn cegin, a hithau'n orwyres y Brenin Harri. Yr oedd Catrin yn brae i'r balchder y bu'n llawdrwm arno wrth wely Huw Tudur.

Trodd at ei bwrdd sgrifennu a chymerodd gwilsen ac ysgrifennodd,

'Byddaf ym Merain cyn nemawr ddyddiau.

Gwelaf di wrth Bont y Capel wedi hanner dydd.'

Arwyddodd â K. Sgentiodd lwch tywod ar ei hysgrifen frysiog a phlygodd y papur a'i roddi yn ei maneg. Edrychodd yn y drych a gwelai fod y lliw yn uchel ar ei bochau. Nid oedd waeth am hynny ac aeth allan o'r ystafell a heibio i ddrws ei gŵr heb droi ei phen, ac i lawr y grisiau.

Yr oedd y telynorion wedi rhoi lle i'r crythorion erbyn hyn ond ni cheisiodd wrando dim arnynt ond chwilio am forwyn. Gwelai Betrys yn dynesu efo ystên wag ac yn anelu am y gegin i'w llenwi, mae'n amlwg.

'Betrys,' galwodd.

'Ie, Meistres Catrin.'

'Dos â'r neges hon i'r gŵr ieuanc sy'n ymgomio â Thomas Chaloner, yr un pryd tywyll efo'r clais ar ei arlais.'

'O'r gore, meistres.'

Teimlai Catrin yn fwy sefydlog erbyn hyn ac ar ryw ystyr yn sicrach ohoni'i hun. Yr oedd y penderfyniad a wnaeth wedi symleiddio bywyd iddi ar hyn o bryd. Amser yn unig a brofai ai doeth ai annoeth a fu, ac ar y foment yr oedd Catrin o Ferain yn berffaith fodlon gadael i amser benderfynu yn ei lle.

* * *

Yr oedd wedi hanner nos a'r rhan fwyaf o weision a morynion Lleweni yn cael eu rhyddhau o'u dyletswyddau yn y wledd a Betrys y forwyn bach yn eu plith. Ni theimlai'n flinedig o gwbl gan mai gwaith ysgafn a gafodd gan Cadi drwy'r dydd. Ni fu raid iddi gario dim dŵr heddiw. Dyna oedd un o'i chas bethau. Yr oedd yr hen fwcedi pren yna'n ddigon o lwyth ynddynt eu hunain.

Cerddai Betrys ar draws parc Lleweni i gyfeiriad ei

chartref. Yr oedd yn noson serog braf. Byddai'n well ganddi, serch hynny, pe bai Heulyn wedi cael ei ryddhau yr un pryd â hi. Efallai y gwnâi briodi Heulyn ryw dro. Nid oedd yn siŵr eto. Yr oedd llawer i'w ddweud dros briodi un o weision y Salsbriaid ac yr oedd Heulyn yn hen hogyn digon ffeind. Ffeindiach na Hywel Grugor. Yr oedd yna fwy o hwyl efo *fo* ond yr oedd gan Hywel lawer o gariadon.

Cyrhaeddodd goed nant Lleweni heb fod ymhell o'r ffordd.

'Cariad pwy wyt ti heno?' gofynnodd llais yn sydyn o'r llwyni ar gwr y coed.

Fferrodd ei gwaed a chipiwyd ei gwynt, gymaint oedd ei dychryn. Ni allai symud.

'Pwy . . . pwy sy 'na?' meddai'n floesg.

'Ffrind sy wedi dŵad i gasglu dyledion.'

Camodd dyn allan o'i blaen. Yr oedd yn rhy dywyll i'w weld yn iawn ond adnabu Betrys y llais.

'Paid â bod yn wirion,' meddai wrtho. Teimlai ryw fymryn yn well o wybod pwy oedd yno. 'Mae'n hwyr a finne eisie codi'n gynnar eto.'

'O! mi wnawn ein gwely yma'n ddigon del, 'run fach.'

'Gad imi fynd yrŵan. Dwi o ddifri. P'run bynnag, mae 'na eraill yn dŵad tu ôl 'na.'

'Paid â chyboli, lodes. Mi wna i damed o les iti. Yrŵan 'te.'

Camodd ati. Trodd Betrys i ffwrdd ond daliodd ei ddwylo cryf ei hysgwyddau a throdd hi i'w wynebu.

Ymladdodd Betrys â'i dyrnau bach a'i hewinedd â'i holl egni. Nid oedd neb o fewn milltir i glywed ei sgrechfeydd brawychus. Yr oedd o'n ddireswm o gryf a rhwygodd bob cerpyn oddi amdani cyn ei bwrw i'r llawr mor rhwydd â dol gadach. Pe gadawsai Betrys druan lonydd iddo gael ei ffordd yn ddirwystr efallai na fyddai wedi ei thagu fel y gwnaeth.

Wedi'r anfadwaith diflannodd Dai Nantglyn i'r nos.

Pennod VIII

Cysgodd Catrin yn anesmwyth iawn noson y Llungwyn. Bob tro y meddyliai am beth a ddigwyddodd rhwng John Salesbury ac Angharad Myddelton ni allai reoli'r cryndod a redai drwy ei haelodau. Yr oedd yr ysbeidiau'n hollol ddireol. Bu ar ei thraed hyd wedi hanner nos fel yr oedd hi, a dyna oedd hanes llawer o'r gwesteion, ac yn sicr dyna oedd hanes y gweision a'r morynion. Dechreusai'r teuluoedd a drigai agosaf at Leweni, yng nghyffiniau tref Dinbych, fynd adref o tua naw ymlaen a rhoddwyd gwely i eraill fel teulu Mostyn Talacre a Wynniaid Gwydir. Parhasai'r canu a'r yfed hyd oriau mân y bore a bu Syr Siôn yn arddangos ei nerth aruthrol yn plygu haearn ac yn codi dau o ddynion ar yr un pryd. Ar ôl i Dâm Siân fynd i'w hystafell wely y byddai'n gwneud y fath fabolgampau.

Costiodd yn ddrud i Catrin gadw cwmni John Salesbury am weddill y noson. Yr oedd o wedi ailymddangos yn y neuadd gydag Angharad Myddelton, ryw hanner awr ar ôl i Catrin ddod i lawr gyda'i neges ddirgel, ac fe gafodd sgwrs hir â'i fam a'r esgob am hydoedd. Ceisiodd Maurice Wynn gellwair caru gyda Catrin cyn i Dâm Siân arwyddo yr hoffai iddi ymuno â hi a'i mab a'r esgob.

'Sôn am yr Inner Temple yr oedd f'arglwydd esgob, Kathryn. Nid oes dim brys yn y byd ond bu Syr Siôn a finne yn meddwl mai mynd yn aelod yno, ymhen amser, fydd y peth gore i John. Wyt ti ddim yn meddwl? Roedd yr Esgob Goldwell yn garedig iawn yn egluro nad oes raid i'r aelodau sefyll profion oni ddymunen nhw ymarfer y gyfraith yn broffesiynol. Mae llawer o wŷr mwyaf y deyrnas yn aelodau. Mae Simon Thelwall yn aelod o'r Inner Temple ar hyn o bryd, wrth gwrs. Rhaid i ti gael gair efo Simon heno, John, ac mae Pyrs Owen, Garth-y-Medd yno, on'd ydi? Does dim tymhorau hir iawn yn yr Ysbytai Cyfraith, yn nacoes? Byddet yn gallu bod gartref ym Merain efo Catrin ran helaeth o'r flwyddyn.'

Gwenodd Dâm Siân yn serchus ar Catrin ac meddai wrth Goldwell, 'On'd ydyw hi'n hardd, f'arglwydd?'

'Mae'n ddigon i droi pen unrhyw ddyn, 'merch i, gan gynnwys esgob. Bydd yn rhaid imi gyffesu fy edmygedd ohoni yn fy ngweddïau cyn cysgu heno fel llawer o wyrda eraill sydd wedi ei gweld yn y wledd ragorol yma, Dâm Siân.'

'Rwyt yn garedig dros ben, f'arglwydd,' meddai meistres y wledd. 'Ond roeddet yn dweud bod y llys brenhinol yn aml iawn yn mynd i Ysbytai'r Gyfraith i aros a chymdeithasu ar adeg gwylie arbennig. Byddai'n fanteisiol iawn i ti, John, am ryw flwyddyn neu ddwy. Does wybod pa gyfeillion da a wnait yno. Wyt ti ddim yn cytuno, Kathryn?'

'Ydw, ar bob cyfrif, Dâm Siân,' atebodd Catrin o Ferain.

Cafodd Catrin gip ar Huw Tudur bob hyn a hyn yn ystod gweddill y noson ond ni wnaeth unrhyw arwydd arni. A oedd hi wedi ymddwyn yn fyrbwyll? Efallai bod Huw Tudur wedi dangos y neges i Wiliam Llŷn a Thomas Chaloner ac eraill o'r dynion ieuanc llawen a'u bod yn siarad yn fras amdani. Ni allai merch gael y gorau ar ddynion yn y byd hwn. Yr oeddent y tu cletaf i'r clawdd bob gafael. Sut y canai'r bardd gwerin hefyd? 'Nid eiddo merch mo'i chalon.' Yr oedd yn berffaith wir ac yr oedd Catrin yn filain wrthi ei hun am ei *fod* yn wir a hithau nid yn unig yn teimlo ond yn gwybod ei bod hi mor braff ei meddwl â'r rhan fwyaf o ddynion. Cyfyngid ar ferched o bob cyfeiriad. Yr oedd rhaid iddynt fod yn fwy geirwir, yn llai mentrus, yn fwy cariadus, yn llai haerllug ac yn y blaen ac yn y blaen. Yr oedd hyd yn oed y syniadau am ddilladau merched yn dilyn ffasiynau'r dynion. Felly pam na chaent fynd i'r ysgolion newydd a dewis eu gwŷr a thrafeilio pryd y mynnent? Dim ond am fod gewynnau eu cyrff ychydig yn wannach a bod ganddynt groth. Dyna oedd trefn y Goruchaf, meddyliai Catrin yn gableddus. Pam roddodd Duw ymennydd o gwbl i ferched, ynte, oni chaent ei ddefnyddio? F'arglwyddes Esgobes Catrin o Ferain. Na. F'arglwyddes Esgob! Pa un oedd yn iawn? Pe bawn i'n frenhines ni fyddwn yn priodi o gwbl, meddyliodd Catrin, neu fe fyddwn yn ail i fy ngŵr yn syth bin ac ni chawn lywodraethu yn ôl fy iawn.

Trodd a throsodd Catrin yn annifyr yn y gwely yn addunedu iddi ei hun un munud y byddai'n fwy annibynnol ar y Salsbriaid o hyn ymlaen, a'r munud nesaf yn llawn amheuon. A fyddai Huw Tudur yn debyg o ddod at Bont y Capel o gwbl ac yntau wedi cael ei anwybyddu ganddi yn y wledd? Yna cofiodd ei eiriau: 'Wna i ddim rhoi'r gorau iddi. Rwy'n dy garu, Catrin.' Ai geiriau dyn sâl yn llawn hunandosturi ac wedi ei ddal gan garedigrwydd gweinyddes oeddynt?

Bu'n hir cyn i Catrin syrthio i gysgu'n llonydd ond pan ddaeth cwsg yr oedd yn drwm. Nid oedd ond fel pe byddai newydd gau ei llygaid cyn y clywodd sŵn. Beth oedd yn bod? Rhai o'r gwesteion yn dal i gadw twrw yn eu meddwdod efallai? Trodd drosodd ond clywai leisiau uchel unwaith yn rhagor yn yr oriel y tu allan i'w drws, a llais Syr Siôn Salsbri yn eu mysg.

'O'r gore, o'r gore, rwy'n dod, rhowch gyfle imi. Bendith Tad! on'd ydi fy mhen fel bwced? Mwrdwr, ddywedsoch chi?'

Agorodd Catrin ei llygaid led y pen. Yr oedd wedi dyddio a'r golau llwyd yn dechrau llenwi'r ystafell wely. Nage, nid breuddwydio yr oedd, clywai sŵn traed yn rhuthro o gwmpas. Cododd o'i gwely yn hollol effro yrŵan a gwisgodd ŵn llaes a orweddai ar y gist yn erbyn y wal ac aeth allan i'r oriel. Yr oedd Robert ac Elisabeth yno yn barod a gwelai John yn disgyn y grisiau yn y pen draw.

'Beth sy'n bod, Elisabeth?' gofynnodd.

'Wn i ddim, ond mae Robert yn dweud bod yna lofruddiaeth wedi digwydd yn rhywle.'

'Yn rhywle? Nacoes,' meddai Catrin. 'Fyddai'r dynion ddim yn rhuthro o gwmpas yn codi Syr Siôn yr adeg yma o'r dydd oni bai fod rhywbeth wedi digwydd yn Llweni ei hun.'

Rhedodd i ben y grisiau ac edrych i lawr. Yr oedd twr o ddynion yn y neuadd fach ar waelod y grisiau.

'Pwy gafodd hyd i'r corff?' gofynnai Syr Siôn gan ddal i dynnu gŵn yn afrosgo dros ei grys nos.

'Heulyn Goch, syr,' atebai'r hwsmon, 'ar lan nant Llweni wrth groesi'r bore 'ma.'

'Ble mae o yrŵan?' holodd ei feistr.

'Yn swp sâl yn y gegin a'i fam yn bytheirio ac yn sgrechian crio bob yn ail.'

'Tyrd efo mi i'r neuadd, John, a dos dithau i nôl Heulyn Goch aton ni, ddyn,' gorchmynnodd Syr Siôn wrth yr hwsmon, 'a chadw Cadi allan o'r ffordd,' ychwanegodd.

Aeth Catrin i lawr y grisiau ar frys a dilynodd y dynion i'r neuadd wag.

'Syr Siôn, beth sydd wedi digwydd?' galwodd yn y drws.

'Catrin, Catrin, cer yn ôl i'th ystafell. Ddylet ti ddim bod i lawr yma,' ceryddodd ei thad yng nghyfraith.

'Ond beth sy'n bod, syr?'

'O! rhyw ddamwain yn y parc yma yn rhywle. Paid ti â phoeni dy ben. Cer yrŵan, fel rwy'n dweud wrthyt ti. Dydi o ddim busnes i ferch; mae'n o hyll, fel rwy'n deall. Mae'n well inni dawelu'r merched o Dalacre a Phlas Gwydir hefyd.'

Cyn i Catrin allu ufuddhau na phrotestio, llusgwyd Heulyn Goch i mewn i fynedfa'r neuadd gan yr hwsmon ac un arall o'r gweision. Edrychai'r llanc fel pe gallai lewygu unrhyw funud.

'Heulyn Goch,' galwodd Syr Siôn ac agosáu tuag ato. 'Cymer dy amser a dwed wrthyf yn dawel beth wyt ti wedi ei weld. Eistedd ar y fainc yna.'

Rhoddodd yr hwsmon ef i eistedd ond ni ddywedodd y llanc air o'i ben, dim ond anadlu'n drwm fel tuchanau hir.

'Yrŵan, roeddet ti'n croesi nant Lleweni yn ôl dy arfer y bore yma. Oeddet ti ar dy ben dy hun?' holodd Syr Siôn.

Nodiodd Heulyn ei ben tra edrychai tua'r llawr.

'Cerdded oeddet ti?'

Rhagor o nodio pen.

'Yrŵan, lanc, beth welaist ti?'

Dim gair eto, dim ond tuchan ac ocheneidio. Aeth Catrin ato a phenliniodd wrth y fainc wrth ei ochr.

'Heulyn? Oedd yna rywun wedi brifo?' gofynnodd.

'O'r Arglwydd Mawr! Meistres Catrin!' Trodd ei wyneb oddi wrthi.

'Pwy, Heulyn? Pwy oedd yno?'

Yr oedd ei ddau lygad ar gau yn dynn ac ysgydwodd ei ben o ochr i ochr.

'O! Betrys, Meistres Catrin. Betrys Bach oedd hi. 'I hanner hi yn y dŵr a'i . . . a'i phen hi'n gam i gyd ac roedd hi'n edrych arna i. 'I llygaid ar agor yn edrych arna i ac roedd 'i dillad, roedd 'i dillad . . .' Neidiodd i fyny. 'Mi ladda i'r diawl drwg nath hyn! Mi ladda i o os ydi o'r peth ola wna i! Ble mae o? Dowch i chwilio am y cnaf budr. Dowch i'w falu o'n racs . . .' bytheiriodd yn wyllt a chamu am y drws. Neidiodd yr hwsmon ato a'i ddal yn gryf ac edrych i gyfeiriad Syr Siôn Salsbri. Nodiodd y meistr ei ben i arwyddo y câi Heulyn druan lonydd. Aethpwyd ag ef allan gan y ddau was gan nadu. Ni symudodd Syr Siôn na

John am foment. Pwysai Catrin ar y fainc o hyd a'i phen ar ei breichiau gan furmur, 'O na na, na na.'

'John, dos â hi i fyny at Elisabeth a dwed wrth y ddwy am aros hefo'i gilydd. Tyrd i lawr ata i wedyn, fe fyddaf wedi galw'r dynion i gyd i ni gael trefnu rhywbeth. Rhaid inni holi merched y gegin yn fanwl hefyd. Beth oedd y sgwrsio drwy'r dydd ddoe a phwy a welodd Betrys ddiwethaf? Bydd rhaid inni gael gwŷr meirch hefyd i fynd i hysbysu'r crwner yn Ninbych a Thomas Byrchenshaw'r prif gwnstabl ac yn y blaen. Brys yrŵan.'

Ni sylwodd Catrin fawr ar y ffaith mai John Salesbury a'i cododd ac a'i harweiniodd allan ac i fyny'r grisiau at ei chwaer, Elisabeth. Bu cymaint o gomosiwn erbyn hyn, yr oedd pawb yn dechrau codi, gan gynnwys Dâm Siân a'r ymwelwyr, ac aeth John Salesbury at ei fam i'w darbwyllo. Yn y cyfamser, ymunodd Maurice Wynn o Wydir a Wiliam Mostyn ac eraill o'r gwŷr â Syr Siôn yng ngwaelod y grisiau.

'Dewch i'r Neuadd Fawr i gyd i mi gael egluro,' meddai.

Yr oedd Syr Siôn, unwaith yr oedd wedi dechrau rhoddi cyfarwyddiadau i bobl, yn dechrau cael rheolaeth arno'i hun ac ar yr amgylchiadau. Dangosodd ei fedr amlwg fel arweinydd bro. Yr oedd ei deulu wedi ymwneud â thywysu pobl yn Nyffryn Clwyd ers dros ddau can mlynedd. Buasai Robert Owen y saer wedi disgrifio'r sefyllfa drwy ddweud bod 'Cyw o frid yn well na phrentis'.

'Mae llofruddiaeth ysgeler wedi digwydd, ddynion,' eglurodd Syr Siôn Salsbri. 'Betrys—un o'r morynion ieuanc yn y plas yma, wedi ei darganfod ar lan y nant ryw hanner milltir o'r tŷ yma, tuag at Pont Ruffudd. Yrŵan, Maurice Wynn, rwyf am ofyn i ti arwain pedwar o'r dynion i'r fan. Ewch â chleddyfau a chwiliwch o'ch cwmpas yn y cyffiniau a gorchuddiwch y ferch nes daw'r crwner. Wiliam Mostyn, rwyt ti'n adnabod y stad yma bron cystal â mi fy hun, dos dithau, os wnei di, a threfna bawb arall sydd ar gael i chwilio'r adeiladau i gyd ac wedyn i wasgaru dros yr ystad ac i fyny am y Green. Chwiliwch am unrhyw ddieithryn sydd o gwmpas yr amser yma o'r dydd a daliwch unrhyw ddyn lleol sydd ryw gymaint allan o'i gynefin. Cyn i chi fynd i gyd, oes gan rywun ohonoch chi rywbeth i'w ddweud am y ferch druan yma fydd o help inni wybod am bwy rydym yn chwilio?' gofynnodd Siôn Salsbri.

Dim ond ysgwyd pennau a wnâi pawb.

'O'r gore, i ffwrdd â chi, heblaw Huw Tyddynreithin. Aros di ar ôl.'

Dechreuodd pawb siarad drwy'i gilydd wrth wasgu drwy ddrws y neuadd am allan. Trodd Syr Siôn at ei was.

'Huw, cymer ferlen a dos i Ddimbech i dŷ Thomas Byrchenshaw wrth y castell. Dwed wrtho y cwbl wyddost ti a dywed wrtho am gasglu dirprwyon ato mor fuan ag sydd modd a'm cyfarfod yn yr Alafowlia ganol y bore. Efalle y bydda i ar drywydd y cythrel yma erbyn hynny. Wedyn dos at Robert Holland y Crwner a gofyn iddo ddod i Leweni yn rhesymol o fuan.'

'O'r gore, Syr Siôn.'

'Wedyn, fe fydd gennyt ti siwrne hir. Gelli gymryd dy wynt at honno ond cyn nos mae'n well i ti gyrraedd Plas Bodidris, Llandegla, i ddweud wrth John Lloyd, y Siryf, beth yw'r helynt a bod pethe dan reolaeth gennyf. Cofia bwysleisio hynny.'

Heglodd Huw Tyddynreithin am ei ferlen cyn gynted ag y gallai.

Er cymaint a gwynid am ddulliau haerllug teulu Lleweni, ble'r oedd ennill swydd neu dir neu unrhyw eiddo arall yn y fantol, ni ellid dweud nad oedd Syr Siôn yn ustus pur gydwybodol, ac yn hollol naturiol, dan yr amgylchiadau, yr oedd yn ddwbl ddiwyd y bore trist hwn, gan ei fod am iawn i un a fu dan gysgod nawdd ei blas. Gwelai Syr Siôn lawer iawn mwy o bwrpas mewn bod yn ustus heddwch nag mewn treulio wythnosau costus fel aelod seneddol yn Llundain. Yr oedd wedi cyflawni'r swydd honno hefyd yn ei dro ac fe wnâi eto. Ond dim ond rhyw ddwy ddeddf perthnasol i Gymru, yn uniongyrchol, a basiwyd yn ystod teyrnasiad Edward VI, a rhyw ddwy arall hyd yn hyn, gan y Frenhines Mari. Wrth gwrs, o'i chyflawni'n iawn, yr oedd llawer o werth i swydd yr uchel siryf ond yr oedd llawer gormod o waith a chyfrifoldeb wrth y swydd, ac ystyried mai dim ond pumpunt y flwyddyn oedd y gydnabyddiaeth. Yr oedd y fath statws i'r siryf fel roedd pawb a allai fforddio yn ei cheisio, yn lle bod dyn medrus yn cael dal y swydd am gyfnod o fwy na blwyddyn ac yn cael tâl tebyg i esgob o leiaf, am ei chyflawni. Y duedd oedd dibynnu ar ddirprwyo'r gwaith yn ormodol ac yr oedd hynny'n aml yn arwain i esgeulustod. Nid oedd y cydweithrediad rhwng y siroedd a'i gilydd ar adegau yn ddigon da, er gwaethaf ymdrech Cyngor Cymru a'r Gororau yn Llwydlo i hybu hynny yn ôl amodau'r ddeddf, a hyd nes y ceid gwared â Iarll Penfro fel Llywydd y Cyngor pwysig hwnnw, nid oedd arweiniad na digon o bwysau o'r fan honno.

Gobeithiai Syr Siôn y byddai'r trychineb presennol yn aros yn gyfyngedig i'r fro ac i gantref Is Aled os yn bosibl. Wedyn fe wnâi writ lleol y tro ar gyfer y dihiryn ac fe geid dedfryd yn y Sesiwn Fawr nesaf yn Ninbych. Gobeithio hefyd na wnâi John Lloyd, Bodidris, ddim trafferthu i ddod i lawr o Landegla i'r Dyffryn i drio arglwyddiaethu arno. Yr oedd yn gas gan Syr Siôn ei gysgod. Efo a'i fab hanner anwar. Yr oedd byw yn yr uchelfannau yn ymyl y corsydd yna yn siŵr o fod yn garwhau dyn, gorff a meddwl. Credai Syr Siôn y byddai'n barod i'w enw fynd ymlaen i Lwydlo eto fel uchel siryf ar gyfer y flwyddyn nesaf oni bai fod Richard Thelwall, Plas-y-ward, awydd twrn. Unrhyw beth i gadw'r Lloyd yna allan am ychydig. Fe ellid goddef triciau'r Doctor Coch o Blas Iolyn yn well na Lloyd.

Beth a glywodd neithiwr am fab Lloyd? O! ie, bod rhywun wedi ei faeddu'n arw tua Dinbych mewn ysgarmes tafarn. Lle ofnadwy am sgarmes oedd Dinbych wedi mynd. Yr oedd y boblogaeth wedi cynyddu cymaint, a'r dref yn prysur gerdded i lawr am yr Abbey a'r Graig hyd yn oed. Ie, gorau oll os oedd Ifan Lloyd wedi cwrdd â'i well. Fe fyddai'n sicr o gael ei ddifa gan rywun cyn hir, ac nid doeth fyddai prysuro i droi'r cwnstabliaid allan chwaith pe digwyddai.

Tybed a oedd Catrin yn well erbyn hyn? Fe âi i edrych, achos pe byddai wedi dod ati'i hun dipyn, efallai y byddai'n fodlon holi merched y gegin a'r morynion ac fe gâi yntau afael ar ryw drywydd mwy pendant. Yr oedd Catrin gymaint gwell nag ef dan amodau felly, mwy o berswâd ganddi a mwy o amynedd. Yr oedd yn boblogaidd efo'r gweision i gyd.

Cyfarfu Syr Siôn â John ar y grisiau.

'Oes yna unrhyw newyddion?' gofynnodd ei fab.

'Paid â bod yn wirion, dim ond newydd anfon y dynion allan ydw i. Na, maddau i mi. Wedi cynhyrfu ydw i. Y truan bach! Mae'n rhaid ei bod hi wedi cael ei threisio a hynny ar ddiwedd gwledd hefyd. Mae'r dathliade yma yn mynd yn rhy fawr. Gormod o ddieithriaid a gormod o yfed. Fyddai pethe fel hyn ddim yn digwydd ers talwm. Noson Lawen mewn plasty bychan a phawb yn adnabod ei gilydd, dyna oedd y drefn. Ond mae'n rhaid cael popeth ar ryw raddfa fawr y dyddie hyn. Pawb yn torri gyddfau'i gilydd am y gore. Wyt ti ddim wedi sylwi, John, nad yw pethe mawr ddim yn bethe hwylus nac yn hardd fel rheol? Pethe bychain sydd yn dlws ac yn lân.'

'Naddo, Nhad, fedra i ddim dweud fy mod i, ac wn i ddim ydi o'n wir ai peidio. Rydych chi wedi gwneud gosodiad sy'n fater o farn, Nhad. Ddim wedi ei brofi o gwbl.'

'Taw, yrŵan, a'th ddysg ysgol, a phaid â'm galw yn *chi* eto. Wnest ti erioed wneud o'r blaen felly paid â dechre. Mae'n fursennaidd, fachgen. Tyrd at y merched i weld a gawn ni eu help nhw. Fedra i ddim wynebu yr holl wylofain yn y gegin ond mae'n rhaid i rywun holi'r morynion rhag ofn y darganfyddwn rywbeth.'

Pan aeth Syr Siôn at ei wraig yr oedd hi'n foddfa o ddagrau a'r cwbl a gâi ganddi oedd, 'O! 'r Betrys Bach yna. A finne wedi bod yn ddigon siarp efo hi bore ddoe. Druan ohoni ond roedd hi'n mynnu bod tua'r stable byth a hefyd yn troi o gwmpas y dynion. Mi ddywedais i lawer gwaith . . .'

Ciliodd ei gŵr gynted ag y gallai a chwiliodd am Elisabeth a Catrin. Cafodd hyd iddynt yn ystafell Elisabeth a gofynnodd ganiatâd i ddod i mewn. Yr oedd y ddwy yn bur syfrdan ond yr oedd modd siarad yn rhesymol â hwy. Cytunodd y ddwy ferch y byddent yn barod i wneud unrhyw ymholiadau yn y gegin a fyddai'n gymorth ac aeth Syr Siôn i'r neuadd yn y cyfamser i gael diferyn o win coch, er mor gynnar yn y dydd yr oedd.

Ni fu cymaint o helynt hyll yn Llweni ers i Gabriel Mathew ei grogi ei hun yn y llofft stabal ers talwm. Pryd oedd hynny, yrŵan? meddyliodd Syr Siôn. Yr oedd deng mlynedd o leiaf. A! y flwyddyn '47 oedd hi, un ar ddeg o flynyddoedd felly, y flwyddyn y cafodd ef ei urddo'n farchog gan Edward VI. Dim ond llwgwr wobr, fe wyddai Syr Siôn, oedd yr anrhydedd i geisio sicrhau ei deyrngarwch i Brotestaniaeth fwy eithafol y brenin ieuanc. Dyna ddihirod hirben oedd wrth benelin y goron bob amser. Caech wared ag un giwed ar farwolaeth teyrn a'ch cael eich hun gydag un arall yn ei lle. Ni fyddai Syr Siôn ddim wedi mynd ar y siwrnai hir i Lundain oni bai am Dâm Siân. Ni fyddai bywyd yn werth ei fyw pe gwrthodasai. Yr oedd y dogmâu crefyddol gwahanol yma yn ddigon i fwydro pen dyn. Pawb wedi mynd i feddwl y gallent ddeall y Beibl drosto'i hun. Bobol bach, pe bai o i'w gael mewn Cymraeg i ddechrau fe fyddai siawns i'w ddeall, ond dyna beth rhyfedd fyddai'r Beibl mewn Cymraeg. Sut fyddai o'n swnio, tybed? Clywodd Syr Siôn unwaith fod yr hen Gruffudd ab Ieuan ab Llywarch o Leweni Bach wedi bod wrthi'n cyfieithu darnau helaeth ohono. Ond methai Siôn Salsbri â deall sut y gallai fod yn Air Duw wedyn os oedd o wedi cael ei gyfieithu. Cabledd oedd Beibl Saesneg Miles Coverdale. Rhoddodd Syr Siôn ochenaid hir. Yr oedd bywyd yn mynd yn gymhleth.

'Fy nhad?' galwodd llais o'r drws. Elisabeth a Catrin oedd yno.

'Ie, 'merch i, pa newydd?'

Catrin a atebodd ac meddai hi, 'Pan gawson ni rywbeth tebyg i dawelwch a sylw yn y gegin fe lefodd Mari, Mari Pen y Palmant, "Ydi Syr Siôn wedi restio'r Dai Nantglyn ysgeler 'na byth?" Dyna a ddywedodd a dyna a ategwyd gan bawb arall. Dweud ei fod o wedi bod yn ei phlagio drwy'r dydd ddoe. Roedd rhywbeth rhwng y ddau, mae'n rhaid.'

'Ddywedodd rhywun eu bod wedi eu gweld efo'i gilydd tua diwedd y wledd?'

'Fe ofynnais i hynny, Syr Siôn, ond does gan neb o'r merched gof o weld Dai Nantglyn ar ôl deg i un ar ddeg. Mae'n anodd dweud yn hollol. Rhaid ei fod o'n disgwyl tu allan amdani, medden nhw, ond fe welais yn syth mai dychmygion oedd hynny i gyd. Wydden nhw ddim i sicrwydd.'

'Diolch i chi'ch dwy. Mae Heulyn Goch yn arfer

croesi'r nant dros Bont Ffridd Mawr, on'd ydi? Felly yr oedd y ferch druan yn y nant rywle yn ymyl y bont yng nghoed nant Lleweni. Fyddai hynny ar ei llwybr hi adref neu'n agos i'w llwybr? Ble oedd ei chartref hi hefyd?'

'Oedd,' meddai Elisabeth. 'Mae ei mam a'i thad yn byw yn ymyl Maes Heulyn. Dyna pam y mae Heulyn Goch yn y cyflwr y mae ynddo. Y ddau wedi eu magu efo'i gilydd, bron fel brawd a chwaer.'

'Oes rhywun wedi mynd atyn nhw? Ei rhieni, rwy'n olygu.'

'Oes. Fe gadwodd Cadi ei phen yn ddigonol i drefnu hynny,' eglurodd Elisabeth.

'O'r gore, os yw'r Dai Nantglyn yma ar goll yna mae'n ymddangos mai ef yw'r cnaf. Yrŵan, i ble fyddai o'n debyg o ddianc, os yw wedi dianc o gwbl? Go brin y deuai'n ôl i gyfeiriad Lleweni. Mae o wedi mynd, felly, naill ai am Fotffari neu ar draws y Green i fyny am Henllan,' ymresymodd Syr Siôn. 'Ie, ac mae o'n debycach o fod yn gyfarwydd ag Is Aled, a chaniatáu nad oes yna neb yn fodlon ei guddio yn y tŷ.'

'Ogofâu Cefn Meiriadog, Syr Siôn,' cynigiodd Catrin.

'Digon posibl. Tybed a ŵyr o amdanyn nhw? Ie, mae'n well eu harchwilio heddiw rhag ofn iddo symud ohonyn nhw yn y nos heno a diflannu am rostir Hiraethog. Yrŵan, Catrin, rwyt cystal â dyn ar gefn y gaseg fach las yna; mae arna i eisie i ti fynd at dy dad, i Ferain, a'i rybuddio. Mae'n well i ap Robert gymryd ei weision i gael golwg ar yr ogofâu yng Nghefn Meiriadog. Fe drefna i i gael neges i Lansannan, yn Uwch Aled, at Piers Wyn, Plas y Cornel. Yfo ydi'r prif gwnstabl yn Uwch Aled. Pe bai o a'i wŷr yn gwylio'r pontydd dros Elwy ac Aled yn y manne ucha fe ofala inne am y manne croesi o Bont y Gwyddel at i lawr. Wyt ti'n teimlo fel marchogaeth i Ferain, Catrin?'

'Mi af yn syth wedi tamaid o fwyd, Syr Siôn.'

'Da, 'merch i,' canmolodd Siôn Salesbury.

'Mi ddof hefo ti, Catrin,' meddai John.

'Na, mae arna i dy eisie di yma i fod yn gyfrifol drosof fi yn fy absenoldeb. Fe af i baratoi am fynd i'r Alafowlia i gyfarfod â Byrchenshaw a'i gwnstabliaid ac i yrru'r neges i Lansannan,' meddai Siôn Salesbury.

'Sut fyddwn ni'n cysylltu â'n gilydd, Nhad?' holodd John.

'Aros di. Rwy'n credu y gnawn ni dŷ Rhisiart Clwch Hen yn y Green yn fan cysylltu. Pawb i anfon ei newyddion i dŷ Rhisiart Clwch; bydd yn hwylus yno rhwng llawr y dyffryn a godre Hiraethog. Os ydi'r dihiryn wedi ei gwadnu hi am fryniau Clwyd fe fydd John Lloyd, Bodidris, yn cael sbort am fy mhen. Cyfrifoldeb Siôn Conwy, Botryddan fydd o wedyn os aeth o i Sir y Fflint. Fe gawn bob cydweithrediad ganddo fo fel Uchel Siryf. O'r gore, Catrin, cer i ddarparu am dy daith i Ferain a bydd yn ofalus. Os gweli Wiliam Mostyn a'i wŷr wrth groesi'r Green, dywed wrtho ein cynllun a gofyn iddo am ŵr i'th hebrwng at dy dad.'

'Fe wnaf, Syr Siôn,' atebodd Catrin, ond yr oedd hi wedi penderfynu'n barod mai dim ond rhoi ei neges a wnâi a pheidio â gofyn am unrhyw hebryngwr i Ferain.

Pennod IX

Eisteddai Huw Tudur yn ffenestr ddeheuol neuadd Wicwer yn cyfansoddi llythyr i'w frawd. Dylifai goleuni cryf yr haul ar y papur ysgrifennu o'i flaen. Pnawn drannoeth y wledd yn Lleweni oedd hi a Huw wedi codi'n hwyr ofnadwy gan ei bod rhwng dau a thri y bore arno yn cael hyd i'w wely. Ni fyddai byth wedi llwyddo i wneud hynny heb gymorth Dafydd Bach. Tywysodd Dafydd ef a'i gaseg bob cam o'r pedair milltir o Leweni i Wicwer. Dim ond nos o'i gwmpas a gofiai Huw a'r rhyddhad o gyrraedd y gwely pluf braf ar y diwedd. Dyna pam yr oedd wedi troi deg o'r gloch y bore arno'n deffro. Teimlai'n ddigon eiddil am weddill y bore ond erbyn hyn yr oedd bron wedi dod ato'i hun, ond anodd oedd canolbwyntio ar y llythyr.

Cododd ei ben eto i edrych drwy'r ffenestr dros fuarth cefn y plas i gyfeiriad Dyffryn Elwy obry, ond clustfeiniodd yn sydyn wrth glywed sŵn ceffylau'n carlamu tuag at flaen y tŷ. Trodd ei ben i wrando. Barnodd bod mintai sylweddol yn agosáu a chododd ar ei draed yn syth. Ble oedd Modlen a'r morynion eraill? Gwaeddodd yn uchel, 'Modlen, mae rhywbeth ar droed. Aros yn y tŷ i mi gael gweld. Ble mae Lowri?'

Daeth llais Modlen o gyfeiriad y gegin, 'Mae hi allan, Meistr Huw. Pam, neno'r Tad? Be sy'n bod?'

Nid arhosodd Huw i ateb; prysurodd o'r neuadd ac i ddrws agored y plas. Yr oedd criw cymysg o foneddigion a gweision arfog yn agosáu at y tŷ. Atgoffid ef gan holl glecian pedolau mintai o'i maint o sŵn y Gard yn troi allan o'r Tŵr Gwyn. Hyd y gwelai yr oedd pawb yn ddieithr i Huw. Gwell fyddai iddo ymorol am ei gleddyf. Yr oedd ar fin bloeddio am y gweision pan adnabu Tudur ap Robert yng nghanol y marchogion, ac onid merch oedd ar y gaseg las y tu ôl iddo? Ap Robert a Catrin!

'Huw Tudur!' galwodd ap Robert o bell. 'Na chynhyrfa!' Closiodd a safodd y meirch ar y buarth.

'Prynhawn da i ti, Huw Tudur,' meddai ap Robert gan gerdded ei geffyl i'r blaen, 'ond nad ydi hi mor dda â hynny chwaith neu fydden ni ddim yma. Meistr Gruffudd, Meistr Wiliam, dyma Huw Tudur,' cyflwynodd ap Robert ei gyfaill. 'Mae Gruffudd o'r Garn a Wiliam o Lys Meirchion.'

Cyfarchodd y boneddigion ei gilydd a moesymgrymodd Huw i Catrin hefyd gan deimlo cynnwrf ei phresenoldeb.

'Ar ba drywydd ydech chi?' holodd Huw.

'Ryden ni'n anelu at amgylchynu creigiau Cefn Meiriadog draw acw; mae yna lofrudd ar ffo o Leweni ac fe all fod yn yr ardal hon yn cuddio i aros nos. Mae gwŷr Plas Hetwn a Gallt Faenan wedi mynd am Bont y Ddôl i groesi yn y fan honno a dod i lawr i'n cyfarfod o'r cyfeiriad hwnnw,' eglurodd ap Robert.

Dywedodd mewn ychydig eiriau beth oedd amgylchiadau'r llofruddio a theimlodd Huw yn sâl pan ddeallodd mai morwyn fach y cwrw drwg oedd wedi cael ei lladd, a theimlai ei waed yn berwi. Ymgasglodd nifer o weision y plasty o gwmpas y fintai gan holi eu cyd-weithwyr drostynt eu hunain. Clywyd aml i lw a rheg yn codi o'u mysg.

'Beth gaf fi 'i wneud?' cynigiodd Huw i ap Robert.

'Gawn ni wneud y lle yma yn rhyw ganolfan am y pnawn tra byddwn yn cau am yr ogofâu?'

'Wrth gwrs. Fe af i nôl fy arfe ac fe fydda i hefo chi,' atebodd Huw.

'Wyt ti'n siŵr dy fod yn holliach erbyn hyn, ar ôl dy ysgarmes?' holodd ap Robert. 'Mae hi'n serth iawn o gwmpas yr ogofâu yna.'

'Fedri di ddim cadw gŵr o'r Gard allan o antur fel hon mor rhwydd â hynny, gyfaill. Fe fydda i hefo chi mewn amrantiad.'

Tra bu Huw yn y tŷ yn paratoi, trefnodd ap Robert i weision Wicwer gadw llygad ar y tŷ yn eu habsenoldeb ac i gadw'r morynion yn ei gyffiniau hefyd. Erbyn i Huw ddychwelyd yr oedd Catrin wedi disgyn oddi ar ei chaseg las ac yn ei gyfarfod ar y trothwy.

'Mae'r ferch ystyfnig hon sydd gennyf wedi mynnu dod cyn belled i ddymuno gwelliant llwyr iti ac i ymddiheuro am fod mor esgeulus ohonot yn y wledd ddoe,' eglurodd ap Robert.

'Rwy'n ddigon hen, Nhad, i ymddiheuro drosof fy hun,' meddai Catrin.

Trodd ei golygon at Huw ac meddai'n dawelach, 'Bydd yn ofalus, Huw Tudur. Allet ti byth fod wedi atgyfnerthu gymaint ag y tybi. Ddisgwyliais i ddim yr aet allan ar yr herw yma. Gobeithiais gael rhywfaint o dy gwmni.'

Daeth llais ei thad i dorri arnynt.

'Mae brys arnon ni. Aros di yma hyd nes y dychwelwn, Catrin. Tyrd, Huw.'

'Cymer ofal,' sibrydodd Catrin wrtho.

Wrth edrych yn ei llygaid golau tyner maddeuodd Huw bopeth iddi.

'Da bo ti, Catrin. Diolch iti am dy neges. Cawn gyfeillachu cyn diwedd dydd.'

Yr oedd y fintai swnllyd yn troi ac yn dechrau gadael y buarth. Brysiodd Huw i fowntio un o geffylau Berain a dilynodd y dynion i lawr y ffordd o'r plas. Carlamodd y meirch fel un corff ac yna gwahanu. Aeth un hanner i'r chwith ar hyd y ffordd uchaf er mwyn dod i lawr ar yr ogofâu o'r gogledd, ond dilynodd Huw Tudur y rhan a arweiniai ap Robert i gyfeiriad y felin ar lan Elwy gyda'r bwriad o gyrraedd yr ogofâu ar hyd y llwybr a gerddodd Huw y diwrnod cyntaf y bu'n crwydro ar lan yr afon.

Wedi disgyn i'r dyffryn a phasio gyferbyn â Chapel Mair, gorffennai'r ddôl ac nid oedd ond lle i ddau geffyl ochr yn ochr drwy'r coed a dyfai ar y glannau serth. Cadwodd pawb eu llygaid ar y coed ar orchymyn ap Robert. Ar ôl hanner milltir nid oedd lle ond i un marchog ar y tro a chulhaodd y cwm yn enbyd fel y gwelsai Huw ddyddiau'n ôl.

'Siôn ap Harri,' galwodd ap Robert ar un o'r gwŷr olaf yn y rheng. 'Aros di yma ble mae hi gulaf a chadw dy lygaid a'th glustiau ar agor. Pan glywi alwad fy nghorn fe fyddi'n gwybod ein bod ar ein traed ac yn dringo at yr ogofâu fesul un, mewn llinell o'r llwybr gwaelod at i fyny. Cadw di olwg ar y llwybr yma ac ar y ddôl gyferbyn ag aber afon Meirchion fan acw. Fe fydd Meistr Wiliam a dynion Llys Meirchion yn dod i lawr o'r copa ar yr alwad hefyd. Y gweddill ohonoch, dewch ymlaen.'

Symudodd y fintai ymhellach, a gyda llawer o anhawster cyraeddasant at ymyl yr ogof dwnnel a ddarganfu Huw drosto'i hun. Ar orchymyn ap Robert disgynnodd pawb oddi ar eu ceffylau a'u rhwymo wrth fonion y coed ieuanc ac wedyn wedi iddynt ymestyn yn un llinell hir, gan gadw tua phymtheg llath oddi wrth ei gilydd, symudodd y dynion i fyny'r llethr drwy'r coed. Yr oedd mor serth fel y bu raid iddynt symud ar eu pedwar y rhan fwyaf o'r amser a sylweddolai Huw yn ddigon da pe byddai neb yn cuddio ac yn aros ei gyfle uwch eu pennau y gallai ddewis ei foment a sgrialu rhyngddynt ar amrantiad. Daliasant ar i fyny ac yr oeddynt wedi colli eu gwynt yn lân pan gyrhaeddwyd y llwybr canol.

'Pawb i aros!' bloeddiodd ap Robert, 'ond pawb yn effro!'

Nid oedd sŵn i'w glywed o unman, dim ond yr adar yn trydar. Safai ap Robert a Huw o flaen ceg yr ogof a

Gruffudd y Garn draw ar eu llaw dde yn uwch i fyny'r llwybr.

'Gwell inni ofalu bod y gwas sydd ar y pen, yr ochr dde yma, yn sefyll gyferbyn ag ail geg yr ogof. Fe fyddwn wedi cau y ddwy fynedfa wedyn,' cynigiodd Gruffudd.

'Ar bob cyfrif, rho orchymyn felly ond heb fod rhy uchel,' cytunodd ap Robert.

Yr oedd yn demtasiwn i droi cefn ar y llethr ac edrych ar yr olygfa dros ben y dyffryn i fyny at gwm serth afon Meirchion yn dod i lawr gyferbyn o gyfeiriad Henllan, ond rhaid oedd gwylio o'u blaenau. Meddyliodd Huw ei fod yn clywed lleisiau'n uwch i fyny.

'Maen nhw'n dod i lawr, rwy'n credu,' meddai Gruffudd.

'Ydyn, roeddwn innau'n ame hefyd. Pawb i ofalu yrŵan,' galwodd ap Robert.

Daeth sŵn brigau'n torri o sawl cyfeiriad oddi fry a dyna lais yn dweud, 'Dyma nhw. Dim golwg o neb, Rhys Tyrchwr?'

'Nac oes, dim ogle,' meddai llais arall.

Daeth dynion Llys Meirchion o'r coed a'i meistr gyda nhw yn pwyso ar ysgwydd un ohonynt. Yr oedd yn gloff.

'Beth sydd arnat, ddyn?' holodd Gruffudd y Garn.

'Troi fy nhroed gebyst. Rho geffyl imi yn lle'r herwa ar droed yma, ddweda i,' atebodd. 'Diawl, fe fydda i'n glunllaes am ddyddie yrŵan.'

'Wel mae'r ymgyrch wedi methu hyd yn hyn,' meddai ap Robert. 'Fe awn ni drwy'r ogof yma rhag ofn. Fe fuoch drwy'r ogof uchaf, Wiliam?'

'Do, dyna ble trodd y ffêr yma. Sut drefnwn ni?'

'Fe af i i mewn i hon efo Huw Tudur a phedwar arall gan ei bod hi'n fforchogi yn y canol. Rho ddigon ar eu gwyliadwriaeth yma ac yn y geg uchaf, Gruffudd. Gwell i ti fynd ar hyd y llwybr yn ara deg, Wiliam, efo'r troed simsan yna. Paid â thrio'r llethr yma ragor.'

Galwodd Tudur ap Robert am ei gwmni a thaniwyd y ffaglau, bedair ohonynt. Cerddodd ap Robert i mewn, ffagl yn ei law chwith a dagr yn ei law dde, gan y byddai'n hwylusach na chleddyf yng nghyfyngder yr ogof. Dilynodd pawb arall ei esiampl.

'Mae yna fforch yn y siambr,' sibrydodd ap Robert wrth Huw, 'a'r ddau lwybr yn dod yn un yn nes ymlaen cyn dringo'n serth i fyny i'r fynedfa arall.'

Dangosai'r ffaglau lawr anwastad yr ogof. Yr oedd yn gymharol sych yr adeg hon o'r flwyddyn o gymharu ag yn y gaeaf. Symudai'r cysgodion annynol yn ôl a blaen ar y nenfwd ac ochrau'r graig fel ysbrydion dieflig. Rhaid oedd plygu yma yn weddol isel o dan y graig a pharatôdd ap Robert ei hun am ymosodiad wrth sythu yr ochr arall. Nid oedd ond distawrwydd. Symudwyd yn araf gan archwilio'r cilfachau ar bob tu. Daethant at y fforchiad mewn man llydan ac uchel.

'Yrŵan,' meddai ap Robert yn dawel, 'daliwch y ffagle'n uchel, ddynion, a pheidied neb â rhuthro. Os ydi o yma o gwbl bydd wedi gweld ein golau ac wedi ein clywed erbyn hyn. Rhys a Meurig a thithe, ewch i'r dde ac arhoswch ar y pen i ni'n tri,' gorchmynnodd.

Dilynodd Huw wrth benelin ei gyfaill, ac un gwas arall tu ôl iddo. Gwir a ddywedodd Siôn Tudur y cadwai ap Robert ei ben mewn argyfwng. Yr oedd y siambr chwith yn rhai llathenni o led ac yr oedd yn ofynnol gwylio'r cilfachau ar bob tu. Beth oedd ar lawr yn y fan yna? meddyliodd Huw. Hen sach neu beth? Myn uffern, na! Yr oedd yn fyw. Llamodd dyn mawr i fyny o'i gwrcwd yn orffwyll. Bytheiriodd fel tarw gwyllt. Rhuthrodd ar draws y gwas, y tu ôl i Huw, a'i fwrw ef a'i ffagl dân i'r llawr. Plygodd i geisio cipio'r ffagl. Rhoddodd Huw gic i'w benelin â'i holl nerth. Bloeddiodd mewn poen a gwnaeth ymgais arall i gyrraedd y ffagl.

'Mi fala i di'r mochyn ddiawl!' rhuodd.

Daliodd Huw ei ddagr allan yn syth o'i flaen, llafn at i fyny.

'Saf yn llonydd, yr hurtyn budr!' gwaeddodd ap Robert ar y cnaf.

Ond llamodd ymlaen gan anwybyddu dagr miniog Huw Tudur. Teimlodd Huw ei lafn yn suddo i'w benysgwydd, ac er hyfforddiant blynyddoedd gydag arfau, methodd â thynnu'r dagr i ail drywaniad oherwydd hwrdd anferthol y dyn yn ei erbyn. Yr oedd Huw Tudur yrŵan oddi tano a'i ruadrau lloerig yn fyddarol yn ei wyneb. Yna, gydag un griddfaniad, tawelodd a daeth ei bwysau mawr llipa ar ben Huw. Yr oedd ap Robert wedi ei daro fel bollt ar ei wegil.

Daeth sŵn rhagor o leisiau wrth i Huw ei dynnu ei hun yn rhydd oddi wrth y corpws diymadferth.

'Go dda, Meistr Tudur.'

'Ble mae'r cythrel?'

'Gad imi weld yr uffern.'

Gwaeddai pawb ar draws ei gilydd a'r ogof yn llawn goleuni ffaglau lawer erbyn hyn.

'Tro fo ar ei gefn, Meurig, i ni gael gweld ei wyneb,' galwodd ap Robert uwch y sŵn. 'Wyt ti'n iawn, Huw?'

'Taro fy mhen, dyna'r cwbl.'

'Pwy sy'n adnabod hwn? Sefwch yn ôl a daliwch y ffagle i fyny,' galwodd ap Robert eto.

'Ie, myn diawl, fo ydi o. Dai Nantglyn,' meddai rhywun.

'Ydi o'n fyw?' holodd Huw.

Gorweddai'r llofrudd ar wastad ei gefn a dagr Huw Tudur yn dal yn blanedig ym mhen ei ysgwydd. Plygodd un o'r gweision drosto.

'Ydi, mae'r cythrel yn anadlu,' meddai.

'Rown ni daw ar hynny, 'te,' meddai Rhys, gwas y Garn, ac mewn fflach yr oedd wedi neidio ymlaen a thrywanu Dai Nantglyn yn ei ystlys â chyllell cyn i neb allu ei rwystro. Ond ni fedrodd roi ail drywaniad achos trawodd ap Robert ef yn union fel y gwnaeth i'r llofrudd. Cwympodd yn swp i'r llawr.

Cyn hir tawelodd pethau ac fe gariwyd Dai Nantglyn a Rhys y Garn yn ddiymadferth allan i olau dydd. Gollyngwyd y cynta yn fwy diseremoni na sach o datw ar y llwybr wrth geg yr ogof, er ei fod yn gwaedu fel mochyn. Yr oedd y trefniadau angenrheidiol yn bwysicach nag unrhyw gymorth i'r clwyfedig.

Anfonodd ap Robert weision i wahanol gyfeiriadau i atal pob chwilio pellach, ac wedi cyffio Dai Nantglyn trefnwyd i Meistr Gruffudd y Garn fynd ag o i Gastell Dinbych at Byrchenshaw i'w gadw. Cyfrifoldeb yr Uchel Siryf wedyn fyddai dweud pa lys a wrandawai'r achos, cyn ei yrru i'r Sesiwn Fawr ym mis Medi i gael ei ddedfrydu. Nid oedd neb yn amau o gwbl nad oedd llofrudd Betrys, morwyn fach Lleweni, wedi ei ddal ac y byddai byw i fynd o flaen ei well.

Dychwelodd Huw Tudur a Tudur ap Robert i'r Wicwer yn fodlon iawn ar eu gwaith. Parodd eu newyddion fod y llofrudd ar ei ffordd i'r ddalfa fanllefau uchel ymysg y gweision a'r morynion. Bu'n rhaid adrodd holl fanylion yr antur yn y fan a'r lle ar y buarth i fodloni eu chwilfrydedd. Yr oedd Catrin hithau yr un mor awyddus i gael clywed beth a ddarfu.

Ymhen hir a hwyr cafodd yr uchelwyr lonydd i fynd i'r tŷ i gael bwyd, ac os oedd neuadd fach y plas braidd yn foel nid oedd yn ddigroeso. Defnyddiai Catrin a'i thad a Wiliam Llys Meirchion anafus, gadeiriau newydd Robert Owen yr Abbey ac eisteddai Huw ar stôl ddi-gefn. Nid oedd dim ar ôl mwyach o bryd anferth Modlen a Lowri'r forwyn.

'Gobeithio mai cael ei yrru i lys yr ustusiaid a gaiff Dai Nantglyn,' sylwodd ap Robert. 'Does dim dibynnu ar lys y Siryf.'

'Beth wyt ti'n ame, ap Robert?' holodd Wiliam.

'Wn i ddim. Creadur anwadal ydi John Lloyd erioed.'

'Rhyfedd i ti ddweud hyn yna, Nhad. Gwnaeth . . . Dafydd Bach ydi ei enw, ie? Fe wnaeth y bachgen sylw tebyg yn fy nghlyw i gynne. Un chwim ei feddwl ydi hwnna. Fe gefais sgwrs gall iawn hefo fo y pnawn yma yn ogystal. Mae o'n frawd i Lowri, on'd ydi?'

'Ydi. Mae hithau'n ferch ddeallus,' eglurodd Huw. 'Mae'n drueni, ap Robert, fod rhai o blant medrus y werin yn ddiddysg. Fydd rhai o'r tai bonedd yn noddi ychydig arnyn nhw o ran cael addysg, wyddost ti?'

'Mae'r Doctor Elis Prys, Plas Iolyn, yn cynnal bachgen disglair iawn yn Ysgol Llanelwy, meddai Jane Conwy,' atebodd Catrin. 'Edmwnd Prys wrth ei enw, os cofiaf yn gywir. Awgrymai Siôn Conwy ei bod yn *fwy* na digwyddiad fod y bachgen yr un enw â'r hen Ddoctor Goch!'

Chwarddodd pawb wrth gofio am wendid yr hen Elis Prys.

'Yr oedd Maurice Wynn o Wydir hefyd yn sôn yn Llewni am lanc 'sgolheigaidd o ardal Penmachno a haeddai nawdd. Mab un o'i denantiaid yn y brynie,' meddai ap Robert.

'Fe ddylai Elis Prys wybod amdano felly. Mae angen ysgol yn ardal Conwy neu'r Creuddyn ar gyfer Nant Conwy ac Uwch Dulas. Gallem wneud y tro yn burion ag ysgol arall yn y dyffryn hwn o ran hynny—yn Nimbech neu Ruthun. Gallai arian degwm gael ei droi at eu cynnal,' cynigiodd Catrin.

'Rwy'n cytuno, Meistres Catrin,' ategodd Huw. 'Os cyll y werin nawdd y plase fel maen nhw wedi colli peth nawdd oedd i'w gael yn y mynachdai gynt, er eu gwendidau, yna fe ddirywia yn werin amddifad anystyriol. Ni allwn adael iaith a llenyddiaeth y Brytaniaid yn nwylo'r glêr a'r carolwyr. Mae'n rhaid wrth ddysg ac mae dysg yn golygu nawdd o rywle.'

'Rwyt yn pregethu fel Gruffudd Hiraethog a'i feirdd yrŵan, Huw Tudur. Pregeth gawn ninne gan ein gwragedd oni ddychwelwn i'n cartrefi. Pob diolch i ti, Huw Tudur, am dy gymorth a'th groeso rhaid inni ymlwybro neu fe ddaw'n nos,' meddai ap Robert.

Cododd pawb ar ôl drachtio'r olaf o'u cwrw a galw am eu meirch. Wrth fynd drwy'r drws trodd Catrin at Huw.

'Fe'th welaf ar lan Elwy pnawn yfory,' sibrydodd.

Ni chafodd Huw gyfle ond i amneidio'n gadarnhaol arni, a chymaint o bobl o'u cwmpas. Rhyw olwg chwithig hiraethus oedd ar wynepryd Catrin wrth iddi edrych ar Huw cyn dilyn y gweddill i'r buarth. Dychwelodd Huw i'r tŷ, wedi ffarwelio â'r cwmni, yn hollol lawen a diolchodd i Modlen am roddi ei chroeso gorau a'i llafur drostynt.

'Be arall oedd i'w ddisgwyl a thithe heb wraig i gyflawni'r ddyletswydd,' meddai'r hen Fodlen.

'A diolch i Lowri hefyd,' meddai Huw gan droi at y forwyn fach ddel.

'Iawn, syr,' atebodd Lowri yn dawel gan droi'n chwim i fynd â'r potiau i'w golchi.

'Beth sydd yn bod ar Lowri, ynte?' gofynnodd Huw.

'Wn i ddim,' meddai Modlen. 'Os nad ydi hi mewn cariad efo rhywun.'

Ni sylwodd Huw Tudur fod yr hen Fodlen yn edrych arno *fo* pan ddywedodd hynny.

Pennod X

Yr oedd Huw Tudur newydd ddal ei frithyll cyntaf. Gwelai fod gan yr hen Robin Cymynwr bedwar neu bump ar y glaswellt wrth ei ochr. Mwynhau eu hunain ar dorlan afon Elwy yr oedd y ddau drannoeth yr herwa yn ogofâu Cefn Meiriadog.

'Yrŵan, 'te, Meistr Huw,' cyfarwyddodd Robin, 'dewis bry go dda a phwytha fo am y bach. Ara deg. Dyna ti, cadw'r bachyn o'r golwg ym mol y pry genwer bob cam. I'r dim. Fydde neb ddim callach o wybod nad wyt ti'n bysgotwr o fri, syr. Tria'r pwll yna tu isa i'r garreg fawr acw. Ma' 'na ddau neu dri yn swatio yn y fan yna yn bendifadde. Gad i'r lli fynd â'r pry i mewn i'r pwll. Yrŵan 'te, iawn. Paid â dangos gormod ohonot dy hun. Rho lein iddi gael mynd i lawr yn naturiol a phaid â chymryd dy dwyllo gan fân gerrig yn dal y pry 'nôl ychydig. Plwc ydi plwc ac mi fyddi di'n gwybod ei fod o yno achos mae o'n sydyn a phendant.'

Buont yno am awr arall ac yr oedd Huw wedi cael ei drydydd brithyll o dan gyfarwyddyd Robin pan ddechreuodd yr hen gymynwr coed adrodd hanes 'tholiad 1547. Siôn Salsbri y pryd hynny ar fin cael ei urddo'n farchog ac yn ceisio am aelodaeth seneddol y sir am y tro cyntaf. Yr oedd Robert Myddelton yn sicr o ddilyn ei frawd Richard fel cynrychiolydd bwrdeisdref Dinbych, ond yr oedd yna ymgyrch gref gan John Lloyd, Bodidris, yn erbyn Siôn Salsbri am sedd y sir.

'Mis Mai braf fel hwn oedd hi, Meistr Huw, a'r ddwy ochr wedi bod wrthi'n chware 'u tricie ymlaen llaw. Dwi'n cofio'n dda pwy oedd yn ochri efo pwy o'r teuluoedd mawr. Yr oedd Lloyd yn gryf tu hwnt tua Maelor a Dyffryn Llangollen a chyffiniau Corwen ac roedd cryn dipyn o dre Rhuthun ganddo. Gormod o lawer i siwtio Siôn Salsbri.'

'Ond beth am deulu Thelwall, Plas-y-ward, Robin? Maen nhw'n dew efo Lleweni, hyd y gwela i.'

'O! mi fuodd Plas-y-ward yn deyrngar iawn i Leweni. A dweud y gwir 'u pwyse nhw yn ardal Rhuthun a drodd y fantol dros Siôn Salsbri. Hynny a'r ffaith mai'r Doctor Coch o Blas Iolyn oedd y siryf ar y pryd. Yrŵan, roedd teulu Cinmel ac ardal Abergele, Hiraethog a thref Dimbech gan Siôn Salsbri yn bendant, felly roedd y cwbl yn mynd i droi ar drigolion ardal Rhuthun.'

'Ble oedd yr etholiad i fod, Robin?'

'O, yn Rhuthun oedd y cyfan i ddigwydd. Wel, mi fartsiodd y ddwy garfan ar y dre, dwi'n dweud wrthat ti, syr, fel 'taen nhw'n mynd am Faes Bosworth ers talwm. Gyda llaw, meistr, wyddost ti dyna pryd ges i 'ngeni? Blwyddyn Maes Bosworth. Mi laddwyd brawd fy nhad yno, do wir. Gwas yn Racar Las oedd o. Ie, dw inne dros fy neg a thrigain rŵan a dim llawer gen i i fynd, reit siŵr. Dew! dwi 'di gweld newid ar bethe yn yr hen ddyffryn 'ma. Doedd 'na ddim o'r crandrwydd sy y dyddie hyn yn rhai o'r plasau 'ma a doedd Dimbech fawr amgenach lle na Rhuddlan fyddwn i'n ddweud. Arian ydi popeth wedi mynd. Gwared y gwirion! Ma'n nhw'n sôn 'u bod nhw'n codi swllt am grys y ffair ddiwethaf! Phrynais i 'run crys ers blynyddoedd. Peidio'u golchi nhw rhy aml, Meistr Huw, neu maen nhw'n braenu. Ond sôn am y martsio am dre Rhuthun oeddwn i. Ie, dynion John Lloyd yn dod lawr Dyffryn Alun o Lanarmon a thrwy'r Bwlch i Lanbedr. Roedd 'na goed 'ramser honno o gwmpas Rhyd Dwrial, ar y ffordd i mewn i Ruthun o Lanbedr, ac roedd 'na rai o gefnogwyr Siôn Salsbri, o Fachymbyd a Phlas Llanychen wedi mynd draw o Rhewl heibio Plas-y-ward ac wedi dod i'r Rhyd heb ddangos 'u hunen yn nhref Rhuthun o gwbl.

Disgwyl y fintai i lawr o'r topie oedden nhw ac yn cuddio yn y coed boptu'r rhyd. Wel, pan ddaeth cefnogwyr Bodidris at y rhyd dyma gawod o gerrig i'w hwynebe nes oedd rhai ohonyn nhw ar 'u hyd ac yn waed diferol. On'd oedd bechgyn Rhewl wedi bod wrthi am dros awr yn casglu cerrig o'r afon yn domennydd twt yn y coed? Dew! dyma fi fachied arall. Aros imi gael hwn i mewn. Dyna iti un braf, syr.'

'Faint o'r gloch oedd hi arnyn nhw yn disgwyl wrth y rhyd?' gofynnodd Huw Tudur.

'O, roedden nhw'n cyrraedd yno yn fuan wedi i'r haul godi, meistr. Y syniad oedd, gan nad oedd pleidlais gan y bechgyn o'r dyffryn, y gallen nhw gadw'r lleill o'r dre rhag mynd i'r castell lle'r oedd y pleidleisio. Wel, wir i ti mi rwystrwyd carfan Lloyd rhag croesi'r afon am dros awr. Wyddost ti, Meistr Huw, mi fu raid iddyn nhw fynd bob cam drwy dir Plas Turbridge i gael i'r dre ar ffordd arall ac roedd bechgyn y dyffryn wedi 'i heglu hi yn 'u hole am y dre ac yn 'u disgwyl am yr ail dro ar y groeslon wrth y bont ucha. Roedd 'na le'r cythrel, Meistr Huw. Stondine yn chwilfriw a ffenestri yn deilchion mân fel 'tae Owain Glyndŵr ei hun wedi atgyfodi.'

'Lwyddodd dynion Bodidris i gael i'r castell yn y diwedd?'

'Wel do, tua'u hanner nhw, mae'n debyg, ond roedd 'na beth wmbreth wedi cael 'u clwyfo yn rhy ddrwg. At ei gilydd, roedd popeth yn deidi iawn yn y castell ei hun. Digonedd o ddirprwyon cwnstabliaid o gwmpas, a wnâi Elis Prys, Plas Iolyn, ddim dioddef unrhyw lol, mwy na'r hen farwniaid Norman hynny 'stalwm. O! oedd, roedd hi'n iawn tu mewn i'r castell. Digon o weiddi ac ambell fonclust sydyn pan nad oedd 'run o'r cwnstabliaid yn gweld.'

'Ac fe enillodd Siôn Salsbri yr etholiad, meddet ti?'

'Do a naddo, fyddet ti'n ddweud, meistr. Do, mi gafodd Siôn Salsbri'r dyfarniad gan y Doctor Coch, ond wyt ti'n gweld, roedd Salsbri wedi troi rhyw ugain o'i denantiaid yn rhydd-ddeiliaid ers wythnos er mwyn iddyn nhw gael pleidleisio ac wedi rhoi sofren yr un iddyn nhw. Roedd y rheini wedi mynd i feddwi yn Llanfwrog a ddaeth eu hanner nhw ddim i'r castell mewn pryd. Syr Siôn yn mynnu dal yr etholiad yn ôl tan oedd hi bron yn hanner dydd, ond ddaethon nhw byth hyd heddiw. Roedden nhw i gyd yn colli eu rhydd-ddaliad yn syth ar ôl i bopeth fod drosodd. Dyna oedd y cytundeb, ond diawl, roedd y cnafon i fod *yn* y castell, on'd oedden, ar ôl cael 'u talu?'

Chwarddodd Huw am ben dull taer Robin Cymynwr o fynegi ei safbwynt. Er yr holl dwyllo ar ran Siôn Salsbri, eto yr oedd yr hen werinwr am i'r cyffredin fod yn driw iddo. Aeth yn ei flaen, 'Wel, roedd yn ben set erbyn hyn a bu raid i'r Doctor Coch godi ar ei draed, yn gwisgo'i regalia i gyd, a galw mewn rhyw Saesneg mawr pwy oedd yn pleidleisio i Syr Siôn. Dew! doedd bechgyn Hiraethog ddim yn dallt gair. Be wydden nhw mai 'ffrihowldars' oedden nhw? Rhydd-ddeiliaid oedd yr hogie, siŵr.

'"Ai col pon yew now tw spic az won fois," medde'r Doctor, a dyma'r rhai o lawr y dyffryn yma, oedd yn dallt y Saesneg, yn rhoi'r floedd, gorau y gallen nhw, dros Siôn Salsbri. Ond doedd bechgyn Hiraethog ddim hefo nhw ar yr un gwynt. A rhai heb floeddio eto! Bu raid i'r Doctor, fel siryf, alw am y waedd dros John Lloyd, ac er nad oedd ganddo gymaint o ddynion o ryw ychydig, roedd 'u sŵn nhw ddwywaith cyn uched.'

'Ac fe farnodd Elis Prys dros Salsbri er gwendid y floedd drosto?' holodd Huw.

'Do, ond doedd o ddim diolch i'r hogie o gwbl, yn nac oedd? Dew! dyna mi fachiad arall. Ma'n nhw'n dechre byta, Meistr Huw.'

'Ac mae hi'n ddrwg rhwng Bodidris a Lleweni byth er hynny, Robin?'

'Ydi, ac mae yna lawer i beth arall wedi bod, ond does dim dwywaith nad etholiad '47 ddechreuodd pethe. Dew! mae 'na rywun yn dŵad i lawr y ddôl yna, 'rochor draw i'r afon, ddwedwn i.'

Yr oedd gan Huw Tudur amcan go dda pwy a allai fod yn nesu.

'Merch ydi hi, dwed, meistr? Dydi fy ngolwg i ddim beth oedd o.'

'Ie, merch ap Robert os nad ydw i'n camsynied.'

Daeth Catrin dros y bont ac arafu wrth i Huw a'r hen goediwr godi ar eu traed a'u dangos eu hunain.

'Dydd da, Huw Tudur. Wyt ti'n gallu dal pysgod cystal ag rwyt ti'n dal llofruddion?' gofynnodd.

'Mae dynion yn haws i'w dal na physgod a merched, Meistres Catrin. Beth ddywedi di, Robin?'

'Ie, go dda yrŵan, meistr. Rhaid imi gofio honna.'

'Eto, hyd y gwela i, byddai siawns am bryd bach blasus o frithyll gan Modlen pe bawn yn dod i'r Wicwer,' heriodd Catrin.

'Byddai wir, drwy ddeheurwydd llaw Robin yma.'

'Robin, brawd Huw Tyddynreithin wyt ti, os cofiaf yn iawn.'

'Ie, meistres.'

'Rwy'n falch o'th weld yn iach, Robin. Wyt ti'n fodlon imi gael mwynhau sgâr o'th helfa?'

'Bodlon? Ar bob cyfrif, meistres. Mi af i gasglu'r genweirie rŵan ac mi a' i â'r pysgod at Modlen.'

'Wel, cymer y gaseg hon i'th ganlyn. Marchoga hi oddi amgylch y ffordd, i'r Wicwer. Byddi yno o'n blaene. Os ydi Meistr Huw Tudur yn fodlon, fe gerddaf y ddôl at y capel ac i fyny'r llwybr troed.'

Camodd Huw ymlaen er mwyn iddi sleifio i lawr yn hwylus.

'Dew! dwi'n rhy hen a musgrell i fowntio caseg, meistres, ond mi cerdda i hi i fyny'r ffordd iti. Wn i ddim sut i eistedd cyfrwy merch, p'run bynnag,' meddai'r hen lanc.

Tynnodd Huw Catrin i lawr oddi ar y gaseg yn gyffro i gyd a heb wybod beth i'w ddweud wrthi am foment. Daeth Robin o lan yr afon a'r ddwy enwair yn ei law a'r pysgod mewn cwdyn, a chymerodd y gaseg las i'w thywysu.

Trodd Huw a Catrin oddi wrtho i gerdded y ddôl.

'Gad i mi ofyn sut yr wyt, Huw Tudur, erbyn hyn?' holodd Catrin tra oeddent yn dal yng nghlyw'r hen was.

'Rwy'n wych, diolch i ti am ofyn. Fe gefais dendans mor dda ym Merain fel nad oedd dim arall i'w ddisgwyl.'

'A sut mae Lowri'r weinyddes arall a fu'n dy dendio?'

'Mae Lowri'n iawn. Fe'i gwelaist ddoe. Pam wyt ti'n holi?'

'Rwyt yn hoff ohoni, rwy'n ofni.'

'Mae Lowri'n gall fel sarff ac yn annwyl yr un pryd. Mae hi'n gynnes ei gwên ac yn gwybod ei lle.'

'A pha le yw hwnnw?' holodd Catrin. 'Gobeithio nad yn dy wely.'

'Rwyt yn cellwair efo mi, Catrin.'

'Nac ydw, cellwair efo mi fy hun ydw i. Fel y dywedaist ti unwaith wrthyf finne, rwy'n poenydio fy hunan.'

'Fe hoffwn i gredu hynny. Catrin, fe hoffwn gredu hynny'n fwy na dim.'

Llonyddodd Catrin am foment ac yna meddai'n sydyn, 'Tyrd at y capel. Mae blynyddoedd ers imi fod ynddo. Ydi o dan glo o hyd?'

'Nac ydi. Ddeuddydd yn ôl fe fynnais gael yr agoriad gan Modlen. Roedd yn rhwd i gyd, a'r clo hefyd, ond gweithiodd Dafydd Bach a minne arno efo help olew a saim, ac fe'i cawsom i agor. Capel Pabyddol ydyw. Mae trefn ofnadwy y tu mewn ond mae yna ganwyllbrenne o hyd ar yr allor a delw o Fair ar y mur.'

'Mae hi yno o hyd? Pam na lanheui di'r lle allan a chael offeren yma weithie? Gallet dalu i offeiriad ddod yma. I ba eglwys fuost ti dros y Sulgwyn? Llanelwy?'

'Fues i ddim yn agos i eglwys. Ac nid af chwaith nes cawn adfer y Ffydd Newydd yn ôl.'

Rhoddodd Catrin ochenaid drom ac edrychodd yn drist.

'Does dim angen offeiriad yn gyfrwng arna i,' meddai Huw. 'Mae Duw wedi rhoddi meddwl imi i ddarllen y Beibl drosof fy hun a gallaf weddïo arno pryd y mynnaf.'

'Beth wyt ti, Huw Tudur, un o'r Lollards? A beth am y werin anllythrennog yn y cyfamser? A beth am ferched na allen nhw ddarllen Lladin dy ysgol ramadeg na fawr Saesneg chwaith? Oes dim angen cyfryngwr arnyn nhw? Neu wyt ti am eu gadael i fynd i golledigeth?'

'Dim o gwbl; fe gawn y Beibl mewn Cymraeg ar eu cyfer. Fe ddywed fy mrawd, Siôn Tudur, fod William Salesbury wedi cyfieithu'r Pedair Efengyl yn barod. Rwy'n sicr y gallem gael y Beibl cyfan pe bai'r esgobion yn effro i'r angen. Ond ar hyn o bryd, naill ai maen nhw'n cadw'r bobl mewn tywyllwch, fel cadw "Cyfrinach y Beirdd", neu maen nhw'n Saeson uniaith unllygeidiog.'

'Rwyt am wneud crefydd yn grefydd brenin daearol ac yn grefydd oer ddi-liw. Gelli ymresymu llawer am y ddaear a'i phethe ond elli di ddim ymresymu lle mae Duw yn bod. Dydi dy reswm yn ddim. Mae'r ateb yn y sacramentau.'

'Catrin, mae'n gas gen i ddadle â thi; fe fydd yn ddiddiwedd ac yn ein rhwygo oddi wrth ein gilydd. Fe allwn ni gytuno fod Duw yn ein caru ni.'

'Mae Duw yn cosbi hefyd ac mae arnaf fi ofn, Huw

Tudur. Tyrd, agor y drws imi gael gweld y capel unwaith eto.'

Cymerodd Huw y ddolen yn ei ddwy law ac agorodd ddrws Capel Mair â gwich ddychrynllyd o ddaearol.

'Mae'r lle'n llwch i gyd. Paid â baeddu dy wisg. Dyma fo iti.'

Safodd Huw o'r naill du i Catrin gael mynedfa. Aeth i mewn ac ymgroesodd er nad oedd crog ar yr allor.

'Dyna lle'r eisteddwn pan oeddwn i tuag wyth oed. Nid yn aml y deuem i lawr o Ferain i offeren ddirgel yma ond yr oedd yn antur o'r mwyaf. Wyddai'r Esgob Robert Wharton ddim am y gwasanaethe o gwbl ac anaml iawn y byddai yn Llanelwy, ond fe glywais fod y Deon yn gefnogwr brwd i drefniade newydd yr Archesgob Cranmer, ac yn ddyn i'w wylio. Dyna ble'r eisteddwn, pan oeddwn yn hogen fach, ar yr ochr dde acw. O! mae'r capel yn edrych mor fychan yrŵan chadel fel rwy'n ei gofio. Fe fyddai modd ei adfer mewn ychydig ddyddie gyda chymorth gwas a morwyn. Fe hoffwn gael trefnu hynny. Efallai y medra i dy berswadio yn nes ymlaen i ganiatáu imi wneud.'

Aeth at y ddelw o'r Forwyn Fendigaid a phenlinio yn y llwch am funud o'i blaen. Edrychodd Huw arni o'i chefn mewn distawrwydd a phenbleth. Beth oedd y gyfrinach? Yr oedd crefydd yn rhywbeth tawel naturiol i Catrin, heb fod yn achos cynnen a chreulondeb. Gwelodd hi'n codi ac yn brwsio'i gŵn â'i llaw.

'Anghofia i byth y cyffro a barai dŵad i'r capel yma yn y gwyll weithie. Teuluoedd y Garn a Gallt Faenan ac eraill efo ni, ond mae arna i ofn fod fy nhad hefyd o'r un daliade â thithe erbyn hyn. Oedd, roedd dŵad yma yn beth cyffrous iawn i ferch fach. Ffagle gan y dynion pan fyddai yn dywyll a chysgodion mawr yn cael eu taflu ar y murie hyn. Fe fydden nhw'n trefnu gwyliwr neu ddau ar y ffordd i Lanelwy rhag ofn. Wedyn, neb yn codi eu lleisie ryw lawer i adrodd nac i ganu yn y siant. Os bydd pethe fel y dywedi di y byddan nhw, a'r Hen Ffydd yn cael ei gwrthod eto, bydd angen am yr hen gapel yn nes ymlaen.'

'Mae o ar dir Wicwer,' cuhuddodd Huw yn garedig.

'Ydi, ond fyddai cymdogion da ddim yn bradychu ei gilydd, fydden nhw? Ddim fel yr hen Frytaniaid gynt. Ydi'r ffynnon yma o hyd? Ydi wir, dyma hi. Mae hon yn iacháu clefyde, Huw. Edrych glân ydi hi yng nghanol yr esgeulustod o'i chwmpas.'

Gwenodd Huw Tudur, ac meddai, 'Os byddi di, Catrin o Ferain, yn cael dy ffordd fe fydd gen i bererinion wrth y cannoedd yn dŵad yma, os na wylia i fy hun. Efalle y medrwn ni ddarganfod crair neu ddau iddyn nhw. Penglog Asaph ei hun, efalle? O! fe gawn ni ail Dreffynnon yma.'

'Paid â chablu, Huw, a dyma ni ar fin dadle eto,' meddai Catrin, a cherddodd am y drws. Trodd yn ôl yn y porth i edrych o'i chwmpas unwaith yn rhagor.

'Fues i ddim ar gyfyl y lle yma ers mynd i Leweni i fyw.'

'Ar ôl dy briodas wyt ti'n feddwl, Catrin?'

'Ie.'

'Catrin?'

'Ie?'

'Edrych arna i. Edrych arna i, Catrin.'

Trodd ei golygon yn araf tuag ato. Safodd o'i flaen yn betrus iawn.

'Fe roddodd fy nghalon lam pan welais i ti ar draws y ddôl gynne, Catrin. Rwyt ti fel bwyd a diod ac awyr iach imi. Does arna i eisie dim ond ti.'

Gostyngodd hithau ei llygaid ac meddai, 'Fe wn inne, yn siŵr erbyn hyn, fod dy eisie dithe arna i ac alla i ddim gwrthsefyll y dynged honno y soniaist amdani ym Merain.'

Cymerodd Huw ei ddwylo a'u gwasgu at ei foch a'i lygaid ynghau, ac yna roedd yn ei freichiau. Yr oedd ei chynhesrwydd byw yn ei freichiau. Ni allai gredu'r peth, dim ond ei dal a'i dal a'i dal am byth. Yr oedd yn feddw gan ei phersawr a'i bodolaeth. Pwysai ei phen yn erbyn cern ei wyneb a'i gwallt yn goglais ei foch. Yn araf llaciodd ei afael a chymryd ei gên i'w ddwylo, ac yn ofalus, cusanodd hi yn ysgafn ar ei thalcen ac wedyn ar ei boch. Edrychai ei llygaid golau arno yn hiraethus ymchwilgar. Tynnodd Huw anadl hir, ysgydwodd ei ben fel pe bai am ddod o berlewyg a sibrydodd, 'Mae'n rhaid inni fynd i fyny at y tŷ.'

'Oes,' meddai Catrin, 'a diolch iti. Un peth, Huw, cyn inni ymadael. Pan yrr Dâm Siân atat, yn ôl ei bwriad, wahoddiad i Leweni, paid â gwrthod. Wn i ddim beth a wnawn pe byddet yn gwrthod.'

Edrychodd Catrin arno yn daer.

'Wnei di ddim fy siomi?' gofynnodd iddo.

'Wna i byth dy siomi, ferch,' atebodd yn dawel. Ac yna meddai yn uwch ac yn fwy hwyliog, 'Tyrd, Arglwyddes, ac fe gei bryd o bysgod a ddaliwyd gan dy farchog yn nyfroedd croyw Elwy. Catrin, mae bywyd yn fendigedig.'

Aethant drwy'r drws i'r awyr agored.

'A phwy ddywedodd fy mod yn fwyd ac yn ddiod iddo ac sy'n holi yrŵan am blesere'r bwrdd bwyd?'

'Myfi, Arglwyddes, maddau imi. Rwyt hefyd yn codi archwaeth ar ddyn.'

Cymerodd ei llaw a'i harwain at waelod y llwybr serth igam ogam i'r Wicwer, uwch eu pennau.

'Rhaid iti fadde trefn y tŷ yn ogystal. Mae'n lân ond yn noeth iawn. Byddaf wedi ei ddodrefnu'n fwy chwaethus cyn i Siôn Tudur ddychwelyd o Lundain y gwanwyn nesaf.'

Dringodd y ddau law yn llaw i ben y llwybr ac aros i edmygu'r ddôl oddi tanynt rhwng y mangoed.

'Pont y Capel. Fe gofiaf am Bont y Capel tra fyddaf byw, pa le bynnag y trafeiliaf,' meddai Catrin.

'Wyt ti am fy ngadael yn barod? Rwyt ti'n un ysgafala.'

'Na, Huw. Cred fi, rwyt wedi fy sobri mewn modd na wyddwn i ddim y byddai'n bosibl, ac rwy'n dewis hynny. Tyrd, fel dwedaist ti, fe allwn ni fwynhau brithyll bychan.'

Pennod XI

Pan farchogodd Huw Tudur i lawr i Blas Lleweni ymhen yr wythnos, ar wahoddiad Syr Siôn a Dâm Salsbri, fe wyddai nad am ddinas Llundain, fel y cyfryw, yr holid ef. Ychydig iawn a fyddai Dâm Siân yn ei wybod am Lundain mewn gwirionedd ac ni fyddai ganddi lawer o ddiddordeb o ganlyniad. Yr oedd yn wir bod cannoedd o Gymry anturus ymysg y boblogaeth enfawr a drigai mewn budreddi rhwng Ludgate yn y gorllewin ac Aldgate, filltir dda i ffwrdd yn y dwyrain. Yno, rhwng muriau hen y ddinas, ceisiai tua thrigain mil o bobl o bob math eu bywoliaeth, ac yn eu mysg nifer o Gymry cymharol lewyrchus oherwydd eu siopau yn Siepseid a'r Cornhill, ond perthnasau mân uchelwyr oeddynt a fodlonai i gyd-fyw â miloedd brodorion y ddinas yn eu tai simsan o goed a bentyrrwyd ar ben ei gilydd rhwng Moorgate a'r afon yn y de. Yn ei strydoedd culion tywyll a'i thafarndai amheus y llechai'r pla a'r lladron fel ei gilydd. Ychydig iawn a elwai'r bobl oddi ar y proffid anhygoel oedd i'w gael o'r gwlân a nyddent i'w meistri cefnog yn adfeilion rhai o'r hen abatai, neu'r crwyn drewllyd a drinient i'w droi'n lledr hardd i farchnadoedd Ewrop. Ni wyddai Dâm Siân fawr ddim am fywyd y ddinas ac ni fyddai am wybod gormod ychwaith. Pe byddai rhyw Gymro wrthi'n llwyddo'n anarferol yn ariandai Stryd Lombard, fel y gwnaeth Rhisiart Clwch Ieuanc, byddai'n wahanol efallai.

Cafodd y Cymry ffafrau o bob math ers tri chwarter canrif gan y teulu brenhinol ond ychydig iawn ohonynt a lwyddodd i ymddyrchafu yn y Cwmnïau Gild pwysicaf. Cadwodd y Saeson cenfigennus ddrysau'r Tai Gild yn bur dynn yn erbyn y 'Welsh Shentlemen'. Dyna paham mai yn ninas San Steffan, y tu allan i furiau Llundain fel y cyfryw, yr ymddiddorai Dâm Siân. I'r gorllewin o Lundain oddi allan i Newgate a Ludgate, lle na chyrhaeddai peryglon a budreddi'r ddinas, y safai Ysbytai'r Gyfraith yng nghanol y coedlannau a'r caeau iach. Yr oedd y pedair ysbyty yn adeiladau hardd, ac oddi mewn i'w muriau Gothig y preswyliai'r myfyrwyr cyfraith a'u hathrawon ac yma yr hyfforddid hwy. I'r gogledd yn Holbwrn safai Gray's Inn yn ymyl hen Stryd Watlin y Rhufeiniaid, ar y llwybr i Ogledd Cymru o'r Tŵr Gwyn. Ychydig i'r de wedyn yr oedd Lincoln's Inn, ac yn llawer nes at afon Tafwys fe safai'r Inner Temple a'r Middle Temple gyda'u neuaddau gwych panelog a'u ffenestri tal eglwysig. Yr oedd glannau afon fach Fleet, a redai drwy erddi'r ysbytai hyn, yn fan cyfarfod hyfryd i'r Cymry ieuanc a breswyliai yn yr ysgolion cyfraith yma. Nid oedd yr un o'r pedair ysbyty heb ei chyfran sylweddol o feibion De a Gogledd Cymru, yn enwedig yr Inner a'r Middle Temple.

Ar hyd glannau afon Tafwys, a rhwng yr ysbytai a Neuadd San Steffan, ceid plastai enfawr rhai o deuluoedd mwyaf pwerus y deyrnas, fel Essex, Somerset, Savoy a Russell. Ymestynnai eu gerddi gofalus i lawr o'r Strand at lan yr afon fawr a'i chychod aflonydd. Fe âi llawer o Gymry ieuanc i'r ysbytai i weithio'n galed er mwyn dringo'n uchel yn eu proffesiwn ond fe âi bron cymaint ohonynt yno er mwyn pluo eu nythod, heb gymryd yr hyfforddiant o ddifrif o gwbl. Llawer pwysicach oedd cael gwahoddiad i un o dai'r mawrion ar y Strand, ac os oedd mab i iarll neu ddug hefyd yn digwydd bod yn aelod o'r un ysbyty cyfraith gorau oll.

Wedyn, yr oedd trydydd cyfle gan feibion yr uchelwyr Cymreig am ddyrchafiad, ymhellach i fyny'r afon yn San Steffan ei hun. Yno, rhwng afon Tafwys a'r Eglwys Gadeiriol ysblennydd a'i chapeli, fe safai Neuadd San

Steffan ac adeiladau eraill yn ymwneud â llywodraeth. Ar wahân i Eglwys Sant Pawl nid oedd dim, draw yn Llundain, i'w gymharu â gwychder pensaernïaeth gwahanol adeiladau dinas San Steffan. Bu Huw Tudur ar ddyletswydd gwarchod laweroedd o weithiau yn yr adeiladau hyn fel aelod o'r Gard. Safasai am oriau droeon yn Neuadd San Steffan lle y cynhelid tri o lysoedd pwysicaf y goron. Y cyntaf ohonynt oedd Llys Achosion Cyfreithiol Gwladol gyda'i dri barnwr sur yn eistedd ochr yn ochr y tu ôl i'w clercod diwyd. Yn uwch i fyny'r neuadd ceid yr ail lys, Llys Mainc y Brenin. Yno y bu Huw amlaf gyda throseddwyr blaenllaw o'r Tŵr. Y trydydd llys, ar ochr chwith y neuadd, oedd Llys yr Arglwydd Ganghellor. Ar adegau, nid oedd yn hawdd deall gair pan fyddai'r tri llys ar waith ar yr un pryd a'r cyfreithwyr wrthi'n dadlau eu hachosion ar uchaf eu lleisiau o flaen y barnwyr.

Heb fod nepell yr oedd adeiladau pwysig y Trysorlys ac ystafell Llys Siambr y Seren. Yr oedd enw'r llys hwnnw yn ddigon i ddychryn llawer ustus heddwch pwdwr i bledio'n euog o gamddefnyddio'i freintiau lleol.

Yr olaf o adeiladau pwysig San Steffan oedd Capel San Steffan ei hun, lle cyfarfyddai'r Senedd pan deimlai'r brenin neu'r frenhines fod angen ymgynghori â deiliaid etholedig a breintiedig y deyrnas. Yr oedd y cynllunio a'r perswadio a'r llwgwrwobrwyo a oedd yn angenrheidiol i gael cyflwyno mesur ar yr achlysuron prin yma, pan elwid y Senedd, yn anhygoel. Nid oedd dim siawns i newid iot ar gyfraith y wlad heb gael clust esgob neu iarll dylanwadol.

Un o fwriadau Dâm Siân wrth gael Huw Tudur i Leweni oedd, nid yn unig cael straeon am hap a llwyddiant gwahanol Gymry a adwaenai yn San Steffan, a pha ddatblygiadau a fu mewn gwisg ac arferion yn y llysoedd brenhinol, ond yn bwysicach na dim, pwy oedd mewn ffafr gan gynghorwyr y Frenhines a phwy nad oedd, er mwyn i'w mab John gael closio at y naill ac osgoi'r lleill. Ofnai Huw mai ffynhonnell siomedig a fyddai ef iddi. Am beth arall y gallai ef siarad â hi? Go brin y byddai Dâm Siân yn ei holi am yr argraffwasg. Nid oedd yno yr un cyffro ag a fu yn ystod teyrnasiad y Brenin Edward ieuanc, pan argraffwyd Testamentau Saesneg Coverdale a Tyndale, dro ar ôl tro, a Llyfr Gweddi yr Archesgob Cranmer. Cofiai Huw, chwech neu saith mlynedd yn ôl, fel yr oedd holl sgwrs ei frawd Siôn Tudur a William Salesbury yr ysgolhaig, yn troi o gwmpas posibiliadau argraffu'r Ysgrythurau mewn Cymraeg. Bu Huw yn ystod cyfnodau rhydd o'i ddyletswyddau yn tywys William Salesbury o dŷ Iarll Penfro yn y Strand, lle'r arhosai, i mewn i Lundain i chwilota llyfrau Lladin a Groeg ar y stondinau yn Siepseid ac o gwmpas Mynwent Sant Pawl. Na, nid oedd yn debygol y byddai crefydd yn destun sgwrs gan Dâm Siân onid oedd yn pryderu am iechyd y Frenhines a'r olyniaeth Brotestannaidd. Pethau mwy materol na chrefydd a fyddai'n siŵr o ddwyn ei bryd.

Yr oedd yna ddigon o argraffu rhamantau a chwedlau yn Llundain a San Steffan wrth gwrs. Tybed a hoffai Dâm Siân glywed am y dramâu diweddaraf? Ie, dyna bosibilrwydd sgwrs iddo. Efallai ei bod hi wedi bod mewn drama neu fasg yn Ysgol Westminster neu yn un o dai'r uchelwyr, pan ymwelodd â'r llys brenhinol adeg urddo Syr Siôn Salsbri yn farchog. Yr oedd yn amheus a fyddai Dâm Siân wedi mentro i wylio dramâu yn y tafarnau yn ninas Llundain ond yr oedd yn siŵr o fod wedi gweld gorymdeithiau a masgiau lliwgar, fel oedd mor gyffredin yn Ysbytai'r Gyfraith a'r plasau adeg gwyliau. Bu Huw mewn cymaint o'r dramâu a'r masgiau gyda chwmpani o'r Gard, fel gwarchodlu'r Frenhines Mari. Gwell fyddai iddo beidio â thramgwyddo Dâm Siân drwy ddisgrifio'r trythyllwch y bu'n dyst iddo mewn llawer o'r dathliadau hyn pan gâi'r cwmni llawen gefn y Frenhines Mari. Dywedai llawer o bobl fod ei chwaer, Elizabeth, yn llawer mwy chwannog i hwyl am ei bod yn tynnu ar ôl ei mam, Ann Boleyn, ond anaml iawn y câi Elizabeth adael Hatfield o gwbl gan ei hanner chwaer Gatholig bybyr. Gwnaeth cofio am y Dywysoges Elizabeth ieuanc i Huw feddwl am Catrin o Ferain. Sbardunodd ei gaseg ar draws Pont Ffridd Mawr i gyfeiriad Lleweni. Yr oedd arno eisiau gweld Catrin.

'Rhywle i lawr acw y cafwyd hyd i Betrys ach Wmffre, syr,' meddai Dafydd Bach.

'Ie, debyg gen i,' atebodd Huw.

'Wrth bod y Gyfraith Newydd yn mynd i gosbi Dai Nantglyn, fydd 'na ddim taliad galanas i deulu Betrys rŵan. Roedd hynny'n well, syr, yn doedd? Mae dyn yn cael 'i iawn efo galanas. Y brenin sy'n cael iawn fel arall, neu swyddogion y brenin. Maen nhw'n deud fod y swyddogion yn pocedu'r rhan fwyaf o'r dirwyon,' meddai Dafydd.

Gwelai Huw reswm y sefyllfa a ddisgrifiai Dafydd Bach. Yr oedd pwyslais yr hen arferion Cymreig ar wneud iawn â'r colledwr llawn cymaint â chosbi'r troseddwr. Nid gadael yr un a gafodd gam ar ei golled, fel y gwnâi cyfraith brenin Lloegr. Hefyd, yr oedd teulu'r troseddwr, hyd y seithfed ach, yn gorfod talu galanas gydag ef, fel ei fod yn ymwybodol iawn ei fod yn tynnu ei holl hil i mewn i'r helbul gydag ef wrth droseddu.

'Nid yw pob newid yn newid er gwell, 'machgen i. Yrŵan, marchoga'n gefnsyth fel sgweiar. Ryden ni yn ymyl y plas.'

Cyfarfod â Syr Siôn Salsbri a'i fab, John, a wnaeth Huw Tudur gyntaf, ar ôl cael mynediad i Leweni. Rhoddodd Syr Siôn groeso cynnes iddo ar ôl ei longyfarch ar ei ran yn restio'r llofrudd.

'Balch o gael sgwrs â thi, Huw Tudur,' meddai. 'Chefais

i fawr o gyfle ar ap Robert eto, er ei fod gartre ym Merain ers wythnos erbyn hyn. Dywed i mi, ydi hi'n dal i dalu'n dda fel aelod o'r Gard Brenhinol?'

'Dim cymaint ag a dalai'r Brenin Harri, Syr Siôn, ond mae'r tâl yn wyth ceiniog y dydd ar hyn o bryd, a'u cadw.'

'Roedd fy nhaid, Tomos Salsbri, yn un o'r hanner cant cyntaf yn Gard Harri Richmwnd ar ôl Maes Bosworth. Ie, ond roedd y Gard yn ymladd yn y dyddie hynny. Roedd Tomos Salsbri ym Mrwydr Blackheath, ac fe gafodd ei wneud yn gapten, wrth gwrs.'

'Roeddwn inne yn yr ymgyrch i ddarostwng Wyatt, bedair blynedd yn ôl, Syr Siôn. Rwyt yn anghofio, ond fe gollwyd dros gant ohonom yr amser hynny.'

'Do, do, chwarae teg, roedd y Gard yn ei chanol hi hyd nes i'r gwŷr meirch eu cefnogi, fe glywais. Fe fu fy nhad ac Edmond Brereton mewn sgarmes gas yn Iwerddon tua 1520. Ond roedd Harri VIII yn cadw Gard gwerth chweil yr adeg honno. Pum cant o leiaf a phob un dros ei ddwy lath,' broliai Siôn Salsbri.

'Rhy gybyddlyd oedd Richmwnd, ei dad, i wario ar warchodlu sylweddol, Syr Siôn,' eglurodd Huw. 'Mae'r Frenhines Mari yn ddigon tebyg i'w thaid yn hynny o beth. Prin ddeucant ydi'r Yeomen y dyddie hyn. Er mae'n rhaid dweud, mae hi wedi addurno llawer ar y liferi seremonïol.'

'Dyna yfed fyddai yn y Tŵr ar Ŵyl Ddewi, yn ôl fy nhad,' broliai Syr Siôn eto. 'Ond rwyt ti wedi gadael yn ieuanc, Huw Tudur, ac am droi'n amaethwr cyn ennill dy goron. Pa mor agos ydi dy frawd, Siôn Tudur, at gael ei goron o?'

'O, fe'i cafodd hi llynedd, a dyna pam y mae'n dewis gadael cyn hir. Fe gaiff bensiwn o chwe cheiniog y dydd wedyn, weddill ei oes,' meddai Huw.

'A! mwy o waith i drysorlys Dimbech. Wn i ddim pryd

fydd diwedd ar ofalon y siryf fel swyddog, wir,' cwynai Siôn Salsbri.

'Roedd ap Robert yn gobeithio nad dwyn Dai Nantglyn o'i flaen, yn ei lys ei hun, a wnaiff John Lloyd, Bodidris, ond ei yrru o flaen yr ustusiaid,' eglurodd Huw.

'Ie'n hollol. Fe gawn weld. Os na chawn gyfiawnder fe sgrifennaf at John Throckmorton, Ustus Caer. Fe af cyn belled â Llys Siambr y Seren i gael writ, os bydd rhaid imi.'

'Fe ddifethai hynny John Lloyd, Syr Siôn,' meddai Huw.

'Dim colled i neb. Mae'n drueni fod Iarll Penfro allan o ffafr, neu byddwn yn anfon ato fel Llywydd Cyngor Cymru a'r Gorore. Ond mae yna siawns nid bychan y daw Throckmorton yn Llywydd yn ei le, neu'n Is-lywydd fan lleiaf. Fe roddais groeso da iddo yn Llewni ac anrheg o stalwyn du y gwanwyn diwethaf yma pan oedd yn cynnal y Sesiwn Fawr yn Ninbech, felly y mae arno fo rywbeth imi.'

'Crafwr ydi'r Throckmorton yma, Nhad?' holodd John.

'Na, wnaeth o ddim ei gwneud hi'n amlwg ei fod yn disgwyl dim, fel rhai o'r ustusiaid a welais o'i flaen. Rwy'n credu ei fod yn cymryd ei swydd o ddifrif. Fe wnaeth ddyfarniade call iawn yn Ninbech y tro diwethaf a mynd drwy'r holl achosion i gyd heb ohirio dim. Fe glywais fod rhestr hyd dy fraich wedi cael ei gohirio yng Nghaernarfon gan Ustus y Gogledd, y tro diwethaf.'

'Mae'r cyfreithia di-ben-draw yma ar Gylchdeithie Cymru yn dipyn o destun sbort yn San Steffan, Syr Siôn. Roedd rhywun yn cellwair bod Pedr Sant yn colli pob dadl ym Mhorth y Nefoedd pan fydd unrhyw Gymro yn curo yno,' meddai Huw.

'Ie. Da iawn, da iawn wir,' chwarddodd Siôn Salsbri. 'Glywaist ti honna, John?'

'Do, Nhad, mae hi'n ddi-chwaeth,' atebodd John Salesbury, yn sur ei dafod.

'Di-chwaeth! Paid â siarad fel merch, fachgen, Byddai'n well pe bawn i wedi dy anfon i'r Gard yn lle'r Winchester yna. Mae yna ormod o grefydd yn yr ysgolion a'r prifysgolion wedi mynd. Mae'r Brotestaniaeth newydd bondigrybwyll yna yn dew yn Rhydychen,' grwgnachodd Syr Siôn. 'Ie, ble oeddwn i hefyd? O! ie, y cyfreithia yn fwrn, ydyw mae o, ond mae cymaint o ddryswch, weli di, Huw Tudur, yn dal o hyd, ers i writ y brenin ddod yn gyffredin ymhobman. Does neb yn ddigon siŵr o'i hawlie na'i eiddo o dan yr amodau newydd. Fe gymer gymaint o amser hefyd i achosion godi. A! dyma'r merched, foneddigion.'

Cododd Syr Siôn a chadw ei wydr gwin pan ymddangosodd Dâm Siân ac Elisabeth ei merch a Catrin o Ferain yn y neuadd.

'Roeddwn wedi meddwl y byddet yn dod â Meistr Huw Tudur i fyny i'r oriel atom ni yn y fan honno, Syr Siôn,' meddai Dâm Siân yn geryddgar wrth ei gŵr. 'Croeso i Leweni, Huw Tudur,' meddai hi'n fwy serchus gan droi at Huw.

Moesymgrymodd Huw yn isel i'r boneddigesau. Ni allai John Salesbury ddweud gair yn erbyn ei ystum gosgeiddig nac yn erbyn ei ddiwyg ychwaith, gan ei fod yn fwy lliwgar os rhywbeth na John Salesbury, yn ei ddwbled werdd a'r hosanau gweu sidan o'r un lliw. Edrychai Catrin yn hynod o ddisglair mewn gŵn glaslwyd golau i gyferbynnu â'r bais las dywyll oedd wedi ei brodio ag arian.

'A sut y gadawsoch chi Lundain, Huw Tudur?' holodd Dâm Siân. 'Mor gyffrous ag arfer, rwy'n siŵr.' Eisteddodd yn ddeheuig a threfnu ei sgert *farthingale* yn gymen. Cymerodd y ddwy ferch gadeiriau a safodd y dynion yn ôl eu harfer pan fyddai merched yn eu cwmni. Ni ddeallodd Huw erioed, pa un ai er mwyn dangos eu goruchafiaeth, ynteu eu moes, y gwnaent hynny oherwydd nid oedd byth brinder lleoedd eistedd mewn plastai erbyn hyn.

'Yn ddigon prysur, Dâm Siân, ac yn tyfu bob mis,' atebodd Huw. 'Mae rhai miloedd yn byw dros Bont Llundain yn Southwark erbyn hyn ac allan tu hwnt i Aldgate yn y dwyrain. Fe fydd y ddinas wedi dyblu yn ei maint mewn cenhedlaeth arall, medden nhw. Mae cymaint o dyrru i'r trefi ymhob man. Synnais at faint tref Dinbych, er enghraifft. Mae yn agos i ddwy fil o bobl yn byw yno, ddywedwn i.'

'Oes, mae'n siŵr o fod y dref fwyaf yng Ngogledd Cymru, ond mae Wrecsam yn ei dal yn gyflym,' meddai Syr Siôn.

'Rwy'n gobeithio nad yw dinasyddion Llundain yn cael adeiladu yn ardal Ysbytai'r Gyfraith, Huw Tudur. Mae hi mor hardd yno, mor wâr, a thai y Strand mor fendigedig.'

'Na, ddim hyd yma, Dâm Siân. Mae plwyf San Giles wedi cynyddu rhyw gymaint ac yn bygwth cau am Southampton House. Heblaw hynny, mae'r cynnydd yn cael ei gadw i'r dwyrain a thros y bont i'r de.'

'Da yw hynny,' sylwodd Siân Salsbri. 'A wyddost ti rywbeth o hanes Rhisiart ap Rhisiart o Blas Penmynydd, Môn? Mae o'n astudio yn Gray's Inn, Huw Tudur. Bachgen disglair, rwy'n deall.'

'O! gwn, madam, fe gyfrifir Rhisiart ap Rhisiart yn un o'r disgleiriaf yn yr holl ysbytai ar hyn o bryd. Mae Iarlles Amwythig wedi cymryd ato; Bess o Hardwick, fel y'i gelwir. Mae o'n siŵr o gyrraedd swyddi gore ei broffesiwn, rhwng ei allu a'i nawdd. Ac wrth gwrs, mae'r Frenhines yn ei gyfrif o'r un gwaed â hi ei hun.'

Edrychodd Dâm Siân yn ddwys unwaith y clywodd enw iarlles ieuanc Amwythig. Yna gofynnodd, 'Mae o'n hollol o ddifrif ynglŷn â'i broffesiwn, felly, Huw Tudur? Hynny ydi, does yna ddim tebygrwydd iddo adael yr ysbyty a cheisio swydd mwy gwleidyddol yng Nghymru, efalle?'

Ni allodd Siân Salsbri beidio ag edrych yn bryderus i gyfeiriad ei mab.

'Hyd y gwn i, madam, mi ddywedwn i ei fod mor fedrus a huawdl mai ffôl iawn fydde fo i gefnu ar y gyfraith fel ei lwybr.'

'Efalle mai gwneud ffŵl ohoni ei hun a wnaiff Bess o Hardwick efo'r gŵr ieuanc o Fôn, Huw Tudur?' cynigiodd Siân Salsbri.

'Efalle wir, Dâm Siân,' atebodd Huw.

'Mae gobaith yr aiff y Rhisiart yma i'w gwely unwaith yn rhy aml, Mam,' cysurodd John Salesbury.

'Pwy sy'n ddi-chwaeth yrŵan?' gofynnodd Syr Siôn o'r ffenestr. 'Ond mae'n wir bod llawer teyrnas wedi ei hennill a'i cholli o ran hynny rhwng cynfase gwely.'

'Mae'r sgwrs yn mynd i gyfeiriad na hoffaf mohono. Maddeuwch i'm gŵr a'm mab anystyriol, Huw Tudur,' gwenodd meistres Lleweni arno. Bu wrthi'n ddyfal, am yn agos i awr, yn holi Huw am hwn a'r llall. Ymddiddorai fwyaf yn hynt ei chydnabod ond yr oedd yn amlwg wrth ei bodd wrth glywed hanes adloniant y ddinas hefyd.

'Rhaid iti ddod eto i'n gweld,' meddai wrth Huw. 'Yrŵan, os wnewch chi i gyd fy esgusodi, rwy'n flinedig. Efalle y gwelaf di yfory, Meistr Huw. Gobeithio yr arhosi am rai dyddie. Elisabeth, Kathryn a John, ewch i ddangos y gŵr ieuanc o gwmpas y plas a'r gerddi. Fydda i ddim i lawr i fwyta heno.'

Moesymgrymodd y boneddigion wrth i Dâm Siân ymadael fel llong hwyliau i lawr y neuadd.

Pennod XII

Synnodd Huw at daclusrwydd gofalus y gerddi yn Lleweni a sylweddolodd nad yn ofer yr ymwelodd Dâm Siân â San Steffan. Pe byddai afon Clwyd bymtheg o weithiau yn lletach gallech gymharu cynllun yr ardd i erddi teuluoedd fel Iarll Bedford ar lannau afon Tafwys. Yng nghwmni Catrin o Ferain, ychydig iawn o sylw a dalai Huw Tudur i'r gwelyau blodau destlus a'r llwyni bach twt mewn sgwarau cymesur ym mhobman.

'Ac rwyt wedi gweld nifer mawr o ddramâu a masgiau, Huw Tudur?' holai Elisabeth. 'Fe welais ddrama *Damon and Pythias* unwaith yn Ysgol Westminster. Wyt ti'n cofio, Catrin?'

'Ydw yn iawn. Roedd Côr Bechgyn y Capel Brenhinol wedi cael gwahoddiad i'r ysgol er mwyn i'r Frenhines gael gweld dwy ddrama yn ystod ei harhosiad,' meddai Catrin.

'Byd bychan ydi hwn,' sylwodd Huw. 'Ar fy llw, roeddwn inne yno yn y perfformiade hynny; roeddwn yng ngosgordd y Frenhines. Fe gofiaf yn dda achos dyna'r tro cynta i mi fod yn gyfrifol am yr osgordd fel dirprwy sarsiant. Roeddwn yn llond fy lifrai gan gymaint oedd y cyfrifoldeb. O! mae dwy flynedd ers hynny. Foneddigese, rhaid i chi fadde i mi am na sylwais arnoch chi ar y pryd. Cymerwch fy ngofal dros yr osgordd fel fy esgus am beidio â dotio at eich prydferthwch.'

'Geirie teg, Huw Tudur. O'r gore, fe faddeuwn iti, am y tro, os cymeri dithe'n esgus gennym ni fod yr holl gyffro wedi ein dallu ninne i ogoniant Swyddog yr Osgordd y diwrnod hwnnw,' meddai Catrin.

'Mae'n debyg fy mod i'n ymarfer â fy nghleddyf yn Winchester, os oedd hi'n ddiwrnod gŵyl,' meddai John

Salesbury. Nid oedd wedi siarad hyd yrŵan. 'Byddai Brereton a minne yn chware bob cyfle a gaem. Ni'n dau oedd pencampwyr yr ysgol. Hoffet ti ychydig o ymarfer yfory, Huw Tudur? Mae'n debyg dy fod yn bur rhydlyd dy arddwrn os nad ymleddaist ers Gwrthryfel Wyatt.'

'O! does gan Meistr Huw ddim diddordeb mewn chware, John, dwi'n siŵr,' meddai Catrin yn frysiog, ond gan geisio swnio'n ddidaro.

'Fe hoffwn eich gweld chi wrthi,' meddai Elisabeth yn eiddgar. 'Mae'r chware mor osgeiddig. Ydi Owen Brereton yn gelfydd efo'r cleddyf, John?' gofynnodd i'w brawd yn swil.

'Un o'r goreuon,' atebodd John Salesbury. 'Beth am bnawn yfory, Huw Tudur? Mi hoffwn weld sut arddull sy'n y Gard.'

Edrychodd Huw arno am foment cyn ateb.

'Wel,' meddai o'r diwedd, 'mae arddull gymeradwy iawn ganddyn nhw, er mai'r cleddyf daufiniog a'r darian fach yw eu prif ymarfer ar gyfer brwydro. Rydyn ni wedi cymryd at y cleddyf main hir, y *rapier,* ers tair blynedd bellach, yn ein horiau hamdden.'

Gallasai Huw fod wedi ychwanegu fod dau o hyfforddwyr gorau Philip o Sbaen wedi eu dysgu yn y gelfyddyd gyflym o drywanu â blaen y *rapier* yn lle taro â min y cleddyf. Yr oedd yr hwrdd sydyn, â'r cleddyf main, yn annisgwyl a phendant, a gallai fynd drwy benysgwydd dyn mewn un moment. A wyddai John Salesbury am y symudiadau diweddaraf, neu'n unig am yr hen chwarae, a ganiatái ymaflyd yn y gwrthwynebydd? Yn y dull modern gyda chleddyf mor hir nid oedd modd dod yn agos at y gwrthwynebydd.

'Purion. Purion, Huw Tudur. Rwy'n siŵr y bydd fy nhad yn fodlon bod yn rheolwr. Fe'th adawaf di yng ngofal y merched, felly. Mae gen i fusnes yn Nimbech am ddwyawr neu dair. Da bo chi'ch tri.'

Moesymgrymodd John Salesbury a cherdded i gyfeiriad y stablau am ei geffyl, ar gyfer marchogaeth, nid i Ddinbych fel y dywedodd ond drwy Ddinbych i Blas Gwaunynog, i gartref Angharad Myddelton.

Trodd sgwrs Elisabeth yn ôl at ddramâu Llundain a San Steffan. Pwy oedd y cwmnïau gorau y dyddiau hyn? Beth oedd storïau y dramâu newydd? A oedd hi'n wir fod boneddigesau'r llysoedd wedi dechrau noethi eu bronnau i fynd i'r masgiau, yn union fel cortesan, ac yn paentio eu hwynebau a'u mynwesau yn wyn a choch?

Eglurodd Huw mai boracs a sylffur a phlwm gwyn a ddefnyddid i wynnu'r wyneb a'r gwddf a'r bronnau, ac ocher coch a fermiliwn at y bochau a'r gwefusau.

'Ond dydi'r boneddigese i gyd erioed yn gwneud hyn, Huw Tudur?' meddai Elisabeth.

'Na, ddim i gyd, a dim ond ar achlysur fel masg, ac felly mae'n anodd iawn dweud pwy ydyn nhw oherwydd effaith y coluro a'r mwgwd dros eu llygaid.'

'Ydyn nhw'n hardd wedyn, Huw Tudur?' gofynnodd Elisabeth yn ddiniwed.

'Hardd?' chwarddodd Huw. 'Wel, beth ddyweda i? Dim ond y rhai ieuanc sy'n meiddio gwneud hyn ar y cyfan, a hynny am eu bod yn gwybod eu bod yn ddigon hardd i ddechre. Maen nhw mewn digon o gwmni mewn masg, fel na ddeuen nhw i unrhyw niwed. Na, dydyn nhw ddim yn hardd yn gymaint â chyffrous, Elisabeth.'

'Cyffrous i ddynion?' meddai hi.

Teimlai Huw yn annifyr; yn gyndyn atebodd, 'Wel, ie, ond y . . . rhialtwch a chystadleuaeth ymysg eu hunain hefyd. Mae llawer aeres yn ddigon diolwg ac mae'n rhaid i'w chwaer ddi-ystad ddenu gŵr yn ei ffordd ei hun.'

Sylwodd Huw fod Catrin wedi tawelu.

'Dwi'n siŵr, Catrin,' meddai Elisabeth, 'fod Huw Tudur yn cuddio hanner y gwir oddi wrthyn ni, on'd ydwyt?' pryfociodd. Ac yna yn fwy difrifol, meddai hi, 'Dyna ddrwg chwi'r dynion. Rydech chi'n rhy ddwfn o'r hanner. Ni'r merched sy'n gorfod noethi ein cyrff a'n meddylie i chi. Fe fydda i'n dymuno bod yn ddyn weithie.'

'Meistres Elisabeth, paid â dweud y fath beth, neu fe fyddet yn gwadu'r pleser dwi'n gael o gerdded yr ardd hon efo ti a Meistres Catrin,' gwenieithodd Huw.

'O'r gore, Huw Tudur. Ymosod yn gyffredinol yr oeddwn i. Fe wisgwn fel cortesan i ti heno pe bai masg yn Lleweni. O! beth ddywedai Mam petai yn clywed ein sgwrs, Catrin?'

'Dy yrru o flaen dy well i Sesiwn Fawr Dimbech, Elisabeth.'

'Wel, petai John Throckmorton yn Ustus yno, fe'i hudwn yn llwyr,' cellweiriodd Elisabeth. 'Tyrd, paid â bod yn flin wrthyf, Catrin. Fyddi di byth yn flin fel arfer.'

Gwenodd Catrin arni.

'Na, rwyt yn iawn. Roeddet yn ddoniol iawn ac mae'n ddrwg gen i beidio â mwynhau dy hwyl. Dewch, eich dau, yn ôl tua'r tŷ. Efallai y gwnaiff Huw Tudur adrodd chwedl wrthyn ni yn y neuadd.'

'Campus. A wnei di, Huw Tudur? Rhyw ramant o wlad Groeg. Rwy'n siŵr fod gennyt ti un na chlywson ni eto,' apeliodd Elisabeth.

Aethant i'r plas, ac i eistedd, a Huw y tro hwn yn cael eistedd hefyd. Ni allai wrthod cais y merched am chwedl, ac felly adroddodd chwedl y darllenodd ei frawd iddo, ac a fwriadai ei throi yn gywydd rywbryd, sef hanes dau gefnder yn syrthio mewn cariad â'r un ferch. Hanes Palamon ac Arsit, ac fel yr enillwyd Emily deg yn y diwedd gan Palamon, ar ôl llawer o genfigen a chreulondeb hir.

Parhaodd y stori am bron i awr gyfan a'r merched yn ddiwyd yn brodio bob hyn a hyn, ond dalwyd hwy y rhan fwyaf o'r amser gan deimladau'r stori a dawn Huw i ddyfalu a chyffroi. Sychodd Elisabeth ddeigryn yn frysiog â'i hances a'i hesgusodi ei hun yn gyflym gan ddweud wrth ymadael, 'Chwedl dlos, Huw Tudur, chwedl dlos iawn. Byddaf yn ôl heb ymdroi,' a diflannu drwy'r drws.

Gadawyd Huw a Catrin ar eu pennau eu hunain.

'Mae Elisabeth yn deimladol dros ben,' meddai Huw.

'Arnat ti mae'r bai am fod cystal chwedleuwr. Rwyt yn gallu chware ar deimlade. Nid milwr y dylet ti fod ond chwaraewr drama.'

'O! na, dim i mi. Mae'n well gen i fod fel rydwyf na ffugio araith ac ystum.'

'Na, mae dy fedr i'w hadrodd mewn Cymraeg yn effeithiol ac yn hollol gredadwy. Rhaid iti drosi chwedle Groeg i Gymraeg a'u hargraffu.'

'Mae eisie argraffu chwedle'r Brytaniaid hefyd. Ond does dim digon o'n hysgolheigion yn deall iaith yr hen Gymry.'

'Tyrd,' meddai Catrin, 'fe ddangosa i yr oriel iti, a ble fydd dy ystafell. Fe fydd dy was wedi cludo dy sgrepen yno.'

Cododd y ddau a cherdded at y grisiau mawr o dderw cerfiedig. Ar ben y grisiau yr oedd darlun o Catrin. Y darlun a baentiwyd yn San Steffan ac a achosodd i Marged Wen edliw ei bris.

'Mae'r paentiad yn grefftus iawn ond yn annheilwng ohonot ti, Catrin,' sibrydodd Huw.

'Dâm Siân sy'n mynnu ei grogi yna,' eglurodd. 'Dyna'r peth mwyaf blinedig ac annifyr a wneuthum erioed oedd eistedd am orie ar gyfer hwnyna. Ac o'r herwydd mae'n gas gen i ei weld. Dyma'r oriel; on'd ydi hi'n hardd?'

Yr oedd y galeri o leiaf yn ddeuddeg troedfedd o led ac

yn olau a braf, wrth fod cymaint o ffenestri i lawr ei hochr. Rhwng pob ffenestr dal crogai darlun. Gwelodd lun Syr Siôn, a'i dad Syr Rhosier Salsbri, y ddau yr un ffunud â'i gilydd. Yr oedd llun Dâm Siân Salsbri yno ar ei heistedd mewn gwisg felen. Lluniau John ac Elisabeth hefyd. Ar yr ochr arall i'r oriel gorchuddid y wal â chyfres o dapestrïau llaes a guddiai'r drysau i'r ystafelloedd cysgu.

'Dyma ystafell Syr Siôn a Dâm Siân,' dangosodd Catrin gan gyfeirio at yr hollt yn y tapestri, gyferbyn â drws y llofft. 'Ystafell John, ac wedyn Robert a Thomas yn rhannu hon. Dacw ystafell Elisabeth ac mae fy un i ar y pen—yr olaf.'

Agorodd drws Elisabeth a daeth hithau allan.

'A! dyma chi eich dau. Chlywais i ddim siw na miw ohonoch chi. Wyt ti'n hoffi'r oriel, Huw Tudur? Paid ag edrych ar fy narlun, wir.'

'Ar bob cyfrif, pam lai? Mae'n hardd iawn,' meddai Huw, heb ddweud gair o gelwydd o gwbl gan fod pryd tywyll Elisabeth a'i hwyneb crwn cymesur yn rhoi iddi olwg brydweddol iawn.

'Ar ben y grisie mae dy ystafell di,' eglurodd Elisabeth wrtho. 'Mae ystafell fy mrodyr lleiaf yn arwain ohoni. Does dim oriel arall, wrth gwrs. Cei gyfarfod â'r bechgyn amser bwyd. Maen nhw wrth eu dysg y prynhawn yma. Dyna paham y mae hi mor dawel.'

Wedi dangos ei ystafell i Huw Tudur dychwelasant ill tri i'r neuadd ond nid heb i Catrin gyffwrdd yn ei law wrth ddisgyn y grisiau, a sisial, 'Ar y pen, yr un olaf un.'

Rhedai gwaed Huw Tudur yn wyllt am amser ac ni allai ganolbwyntio o gwbl ar y sgwrs gyda Syr Siôn a'i feibion bach a'r merched yn ystod y pryd bwyd. Ni ddychwelodd John Salesbury hyd yn gynnar yn yr hwyr, ond pan ddaeth yr oedd mewn hwyliau da ac atgoffodd Huw am eu chwarae cleddyf drannoeth. Anghofiasai Huw y cwbl am ei gytundeb i chwarae. Dangosodd Syr Siôn Salsbri ddiddordeb anghyffredin yn y gystadleuaeth. Cawsant win wedi i'r merched ymddeol i'w hystafelloedd ond oherwydd iddynt yfed amser bwyd ni chymerodd Huw ond un gwydriad ychwanegol. Llyncai John lawer gormod er lles ei ben a'i dafod a bu raid i'w dad a Huw Tudur wrando ar ddisgrifiadau manwl o branciau disgyblion Ysgol Winchester ac ar bortreadau o'r meistri yn yr ysgol. Ni olygai y dynion hynny ddim i'r ddau arall ac felly pan ddechreuodd hwyrhau cynigiodd Syr Siôn eu bod yn cilio i'w hystafelloedd. Cydsyniodd Huw yn syth.

Ymddangosodd tri gwas yn y neuadd gyda chanwyllbrennau, fel pe byddent yn gwybod yn wyrthiol yn union beth oedd eu bwriad, a hebryngwyd y boneddigion i fyny'r grisiau mawr. Gwrthododd Huw unrhyw gymorth pellach yn ei ystafell a chaeodd y drws.

Ym mhen arall y plas, gorweddai Catrin yn y gwely canopi a fu'n gysur iddi ers wyth mlynedd. O fewn rhyw ddeufis yrŵan, fe fyddai yn ei adael ac yn dychwelyd i Ferain ble ganwyd hi ddeunaw mlynedd yn ôl. Hoffai gael mynd â'r gwely hwn gyda hi yno ac ni fyddai eisiau ond hanner gair wrth Dâm Siân ac fe'i câi, ond byddai hynny yn rhy debyg i ymdrech i impio diniweidrwydd ei phlentyndod yn Llewenni wrth y bywyd priodasol anodd a oedd o'i blaen. Brathodd Catrin y dillad yn dynn wrth feddwl am yr ymdrech y byddai'n ofynnol iddi ei wneud, i ddangos cariad tuag at John Salesbury.

Paham na allai priodas fod yn benderfyniad gan ddau unigolyn yn lle gan ddau dylwyth? Nid oedd yn deg clymu cynifer o bobl wrth ei gilydd yn annatod er lles rhyw fwyafrif. A fyddai ganddi'r nerth i chwarae ei rhan yn y gêm wleidyddol, neu a fyddai'n drysu'n lân? Paham y bu'n rhaid iddi gyfarfod â Huw ar Bont y Capel o gwbl? Un digwyddiad mewn lle arbennig ac ar amser arbennig yn profi'n dyngedfennol. A fynnai hi fod heb y profiad a gafodd? Yr ateb oedd, na fynnai, ac nid oedd eto wedi gorffen drachtio'r profiad ychwaith. Yr oedd yn rhaid iddi gyflawni anterth y profiad hwnnw cyn y byddai'n rhy hwyr. Hebddo, anghyflawn ac anorffenedig a fyddai ac yn siŵr o gasáu ei chroth tra byddai byw oni châi hi Huw. Efallai y byddai'n bosibl iddi ddychmygu Huw fel ei charwr ar ôl mynd yn gywely i John Salesbury. Ie, dyna a fyddai orau iddi. Meddwl am Huw Tudur drwy'r amser. Pam nad oedd modd iddi gael Huw bob amser? Dianc i Iwerddon wyllt neu rywle. Yr oedd yn rhaid i Huw ddod heno, neu cyn hir byddai yn ei gasáu ef a phob dyn arall fel ei gilydd am byth.

Daeth sŵn o gyfeiriad y drws. Cododd Catrin ei phen a gwelai ef yn agor yn araf.

'Catrin? Catrin, wyt ti yna?'

Rhyddhaodd ei gafael dynn ar y dillad gwely a chyda rhyddhad yr atebodd, 'Ydw. Ydw, Huw.'

Gwelai Huw yng ngolau'r gannwyll sengl a gadwodd ynghynn ar y gist uchel wrth ochr ei gwely.

'Rwyt ar effro felly?' meddai'n isel.

'Wrth gwrs fy mod i, a minne wedi gofyn iti ddod. Diolch iti am ddiwrnod heb ei ail heddiw.'

'Rwyf wedi bod yn rhy hapus i'w fwynhau, os yw hynny'n gwneud synnwyr, Catrin.'

Wedi cloi'r drws daeth Huw yn ddigon agos at y gwely i'w gweld yn iawn. Gorweddai ar y gobennydd dwfn a'i gwallt aur yn rhydd mewn ffordd nas gwelsai o'r blaen.

'Am beth oeddet ti'n meddwl?' gofynnodd.

'Amdanat ti. Beth arall?'

'Rydym yn unfryd felly. Yma oedd fy meddylie inne ers orie. Mae dy wallt yn edrych yn ogoneddus. Ga i ei anwesu?'

Amneidiodd â'i phen ac eisteddodd Huw ar erchwyn y gwely gan gymryd y tresi sidan rhwng ei fysedd.

'Fe roddai merched llysoedd San Steffan eu ffortiwn am dy wallt di, Catrin.'

Gwenodd arno.

'Fe feddyliais fod ganddyn nhw ddigon o nodweddion eraill wrth gefn i ddenu, yn ôl dy ddisgrifiad i Elisabeth heddiw brynhawn.'

'Rhaid iti ganiatáu rhywbeth iddyn nhw. Fedran nhw ddim perchnogi popeth, fel sy gennyt ti.'

'Rwyt yn swnio'n gryn arbenigwr ar ferched, Huw Tudur. Wn i ddim yn iawn ydw i yn dy hoffi ar ôl y pnawn yma. Ac mae yna aeresau diolwg i'w cael, oes yna?'

'Oes. Ond yrŵan, fe ddywedais i o'r blaen wrthot ti nad ydw i am ddadle â thi, ac fe ddywedais dro arall dy fod ti'n dlws. Wel dyma fi'n dyblu'r gân ac yn dweud dy fod yn dlws ryfeddol.'

Rhedodd ei fysedd dros ei thalcen ac i lawr ei boch at ei gwefusau. Gwnaeth eu llun yn araf ofalus â blaen ei fys cyn plygu a'i chusanu'n ysgafn. Aroglai'n bêr a glân.

'Huw?'

'Ie.'

'Rwyf eisie i ti fy ngharu . . .'

'Fe wna i, f'anwylyd.'

'. . . fy ngharu'n dyner, ore a wyddost, ac fe fydda i yn dy ddyled fwy nag a feddyliet byth.'

'Paid sôn am ddyled. Rwyt yn rhy fendigedig i sôn am unrhyw ddyled.'

'Tyrd ata i felly, ac wedyn fe fedra i fyw i'r dyfodol.'

Yng ngolau'r gannwyll, trodd addfwynder ei serch yn wefr olau o ollyngdod.

Pennod XIII

Ni chafodd Huw weld Dâm Siân o gwbl drannoeth. Penderfynodd Meistres Lleweni ei bod yn ymddeol am ei mis olaf o fagu mân esgyrn ac fe anfonwyd am Elin Fawr, y golwynwraig o Drefnant, i ddod i'r plas i aros dyfodiad y nawfed plentyn. Treuliodd Huw ran gyntaf y bore yn chwarae gyda meibion ieuengaf Lleweni yn y neuadd. Bwrdd drafft oedd gan Hugh ac Edward, a Rhosier chwech oed yn eu gwylio'n amyneddgar. Bu'n rhaid i un o'r morynion gludo'r brawd bach lleiaf, Siors, chwedl Syr Siôn, i ffwrdd oherwydd ei fod yn tarfu ar y chwarae. Mynnai Siors ei bod yn hen bryd iddo ef gael twrn yn y gêm.

'Dos i ffwrdd, dwyt ti ddim yn deall sut ma' chware, George,' oedd y gorchymyn yn barhaus oddi wrth y brodyr hŷn.

Ar ôl y chwarae drafft dangosodd Huw i'r tri arall sut i chwarae Siof-Grôt, drwy osod darn arian i grogi ychydig dros ymyl y bwrdd a'i daro'n ysgafn â'r llaw, wahanol bellteroedd ar hyd y bwrdd. Eglurodd iddynt fod angen bwrdd bach, mewn gwirionedd, a llinellau arno er mwyn gyrru'r darn i aros rhwng bob pâr o linellau yn eu tro. Daeth Syr Siôn Salsbri atynt.

'Dysgu chwaraeon tafarn i'r bechgyn yma yn gynnar iawn, Huw Tudur?' meddai. 'Hoffet ti ddod i weld fy heboge? Mae gen i un newydd sbon, yr hebog glas mwya a welaist ti erioed. Fe'i cefais gan Siôn Conwy yn anrheg. Mae o'n bencampwr ei hun. Digon o adar i lawr ar y Foryd yna yn ei ymyl ym Motryddan.'

Er mawr siomedigaeth i'r bechgyn ducpwyd Huw Tudur oddi arnynt.

'Ydi hi ddim yn rhy goediog mewn llawer man yn y dyffryn hwn, Syr Siôn, i hebog glas weithio'n effeithiol?'

'Wir, efalle dy fod yn iawn. Ar lethre Moel Arthur y bûm i yn ei weithio. Mae'n ddigon agored yno. Mae'r hebog pengoch yn llai ac yn lladd yn iawn yn y parcie, ar lawr y dyffryn.'

'Digon tebyg. Mae'r ddau ohonyn nhw gymaint mwy urddasol na'r cudyll,' cytunodd Huw.

'Yrŵan,' meddai Siôn Salsbri, 'i mewn yn y fan yma.'

Arweiniodd Huw Tudur i loc bychan ble clwydai saith neu wyth o adar hela, bob un ar glwyd ar wahân ac wedi ei sicrhau â llathen o rwymyn.

'Dacw hi i ti. Beth feddyli di o honna?'

'Iâr ydy hi?'

'Ie, y fwya welais i erioed, ac fe welais niferoedd erbyn hyn. Mae hi'n agos i ugain modfedd o'i phig i'w chynffon.'

'Mae hi'n anferth, Syr Siôn,' cytunodd Huw gan edmygu'r aderyn llwydlas penddu. 'Ydyn nhw wedi cael eu bwydo?'

'Ydyn, hanner cyw iâr i bob un; maen nhw'n swrth yrŵan neu fe fyddwn yn mynd allan i'w dangos hi i ti. Ond teimla ei phwyse. Mae hi'n disgyn fel taran pan wêl hi brae.'

Tynnodd Syr Siôn faneg am ei law chwith ac aeth at yr hebog i ddatod y rhwymyn. Rhoddodd hithau hwb yn syth a sefyll ar ei ysgwydd chwith, o hir arfer.

'Hebog gwyllt y mae Siôn Conwy wedi'i hyfforddi ydi hi. *Haggard*, chwedl y Sais. Mae amynedd Job gan y dyn yna. Rhywbeth rwy'n fyr ohono fy hun. Fel y gwyddost ti, pan lwyddir i dorri ysbryd y rhai gwyllt yma y maen nhw'n ddewrach a ffyrnicach na dim wedi ei fagu gartre. Gwisg hon a dal hi.'

Cymerodd Huw y faneg. Nid oedd erioed o'r blaen

wedi cario aderyn mwy na'r hebog pengoch a'r ddau gudyll. Daliodd ei arddwrn iddi, ac ar ôl edrych arno â'i llygaid gloywon byw unwaith neu ddwy, daeth ato. Glaniodd yn rhyfeddol o ofalus ac ystyried ei maint, ond teimlai Huw nerth dur ei chrafangau yn gafael a buan y teimlodd ei phwysau yn dechrau dweud arno.

'Nid aderyn i fachgen neu ferch mohoni, Syr Siôn.'

'Nage, myn Mair, nac i ddyn am lawer o hyd. Mae Siôn Conwy wedi dysgu hon i ddilyn wrth farchogaeth. Wedyn, pan gwyd y cŵn brae iddi, mae hi'n disgyn fel bollt o'r entrychion. Chei di ddim llawer all wneud hynyna ag unrhyw drefn. Dim ond tynnu ei mwgwd pan wyt yn barod i wneud cyrch ac mae hi'n codi uwch dy ben di a'th farch ac yn aros yno neu'n dy ddilyn, yn ôl y gofyn. Tyrd â hi at y glwyd. Mae'n rhy drwm i'w dal yn hir.'

Gosodwyd yr aderyn urddasol yn ôl ar ei chlwyd ac ymestynnodd ei hadenydd wrth lonyddu ar y pren.

'Fe hoffwn dy weld yn gweithio'r aderyn yna rywbryd Syr Siôn.'

'Croeso, fe ddof i odre Hiraethog ryw ddydd ac fe gawn hyd i grëyr glas neu ddau i fyny'r afonydd yna. Ond, y . . . Huw Tudur . . . gair bach ynglŷn â'r pnawn yma. Am ryw reswm mae fy mab, John, yn oeraidd iawn tuag atat ti, mae hynny'n amlwg, ac fe ddeallwn yn iawn pe byddet ti'n cymryd mantais arno efo'r cleddyfe. Does ganddo ddim syniad pa mor dda ydi gwŷr y Gard Brenhinol. Rwyf am ofyn iti ystyried ei benboethder ieuanc, Huw Tudur. Byddaf yn dy ddyled.'

'Does dim angen iti ofyn, Syr Siôn. Ac os ydi John o ddifrif ynglŷn â'r chware mi ddangosa i gamp neu ddau iddo.'

'Campus, gyfaill. Tyrd i chwilio am ginio yrŵan. Mae'n ddrwg gen i dy fod am ddychwelyd yfory i'r Wicwer. Rhaid iti ddod eto cyn y gaeaf ymhell.'

Cafodd Huw fod yng nghwmni Catrin eto dros y pryd bwyd. Ni allai lai na chiledrych arni a theimlai ei galon yn cynhesu tuag ati. Cysurai ei hun y byddai carwriaeth ddirgel yn bosibl rhyngddynt a theimlai'n fodlon iawn ar ei fyd. Yr oedd Catrin, ar y llaw arall, yn dymestl o wrthdeimladau. Corddid hi gan gymysgedd o euogrwydd llechwraidd ac urddas coll ar un llaw, a balchder newydd a thynerwch tuag at Huw Tudur ar y llaw arall, nes bron â'i gwneud yn sâl. Ychydig iawn a fedrai fwyta ac yr oedd ei hatebion i Elisabeth a John a Syr Siôn wrth y bwrdd yn brennaidd a mecanyddol. Gwyddai na fyddai ymatal yn llwyr rhag Huw o hyn ymlaen, na chroesawu ei serch ymhellach ychwaith, yn dwyn heddwch iddi. O'r ddau ddrwg, yr hawsaf i'w ddewis o ddigon oedd caru Huw. Edrychodd arno eto ar draws y bwrdd ac yr oedd dal ei lygaid gleision am eiliad yn ei thynnu ato. Ymataliodd rhag edrych gormod arno ond yr oedd hynny'n anodd ac yntau wedi bod mor dyner wrthi. Breuddwydiai y gallai cael ei charu fod yn fynegiant o ryw ddiogelwch cynnes cyfrin, a neithiwr fe brofodd sicrwydd cysur y corff. Fe fu'n hunanol, gan gymryd y cyfan iddi hi ei hun, ond os câi'r ail gyfle, yna fe fyddai'n barod i roi. Gallai fforddio rhoi am ei bod wedi derbyn yn gyflawn.

Nid oedd ond un diflastod i'w wynebu heddiw a hwnnw oedd y chwarae cleddyfau rhwng Huw a John ar ôl bwyd. Fe fyddai balchder John yn sicr o arwain i anaf neu gywilydd neu'r ddeubeth, gellid mentro. Yr oedd yn amlwg i bawb mor anghwrtais yr oedd John tuag at Huw Tudur. A oedd yn synhwyro'r atyniad oedd rhwng Catrin a Huw? Nid oedd bosib ei fod yn gwybod dim pendant. Fe fodlonodd Catrin i gadw cwmni i Elisabeth am fod ei chwaer yng nghyfraith mor daer i gael gweld y gystadleuaeth. Aeth y si ar led, ymysg dynion yr ystad, am yr ornest a chasglodd pymtheg neu fwy ohonynt o gwmpas y lawnt. Byddai'n ddoethach pe na byddent yno ond ni yrrodd Syr Siôn neb at ei waith. Mwynheai ei swydd fel rheolwr y chwarae.

Arferai'r Gard Brenhinol wisgo ystyllen o bren cymharol denau o dan y ddwbled, wedi ei rwymo dros ochr chwith y corff. Yr oedd hyn ar gyfer ymladd â chleddyfau pigfain gan drywanu am y galon yn unig. Gwnâi hyn y chwarae yn weddol ddiogel i gleddyfwyr profiadol. Cleddyfau main a'u blaenau wedi eu torri'n fyrrach a'u rhwbio'n grwn a gludai Syr Siôn ar gyfer yr ornest.

Y chwarae arferol oedd am y gorau allan o saith pwynt, sef saith cyffyrddiad â blaen pŵl y cleddyf yn unig, nid torri fel gyda'r cledd llydan daufiniog. Cyfrifai unrhyw fan ond y gwddf a'r wyneb fel targed. Confensiwn cydnabyddedig arall oedd peidio ag ailymosod ar ôl un ymdrech ond newid i amddiffyn er mwyn i'r gwrthwynebydd gael tro ar ymosod. O ddewis yr eiliad i daro, y gamp oedd cyflawni cyffyrddiad yn bendant neu fe gollid y fantais i sgorio hyd y tro nesaf. Yn olaf, ni chaniateid defnyddio'r dagr yn y llaw chwith ond i atal cleddyf yn unig.

A'r gweision a'r merched yn gwylio, galwodd Syr Siôn ar y ddau chwaraewr i ganol y lawnt. Yr oedd ganddo dri chleddyf chwarae yn ei ddwylo.

'Fe gymera i hwn gan fy mod yn ei adnabod ore,' meddai John Salesbury.

Cymerodd Huw un o'r lleill a phrofodd ei gydbwysedd. Yr oedd y llafn yn rhy drwm o lawer i gyfateb i'r dwrn, a rhoddodd brawf ar y llall.

'Mae cydbwysedd hwn yn well,' meddai wrth Siôn Salsbri ond ni ddywedodd fod hwn eto yn gleddyf rhy drwm i fod yn ddigon cyflym wrth ei fodd.

'Os ydech chi'n barod. Y gore o saith, a thorrwch ar fy ngair i yn unig,' meddai Siôn Salsbri. 'Sefwch ar gard.'

Codasant eu cleddyfau i gyffwrdd. Safent gyferbyn â'i gilydd ac wyth troedfedd rhyngddynt. Sylwodd Huw fod John Salesbury yn sefyll yn bur sgwâr. Iddo ef, arwyddai hynny ei fod am ddefnyddio ei ddagr yn aml i amddiffyn. Gwell gan Huw oedd sefyll yn llai sgwâr a dibynnu mwy ar ei gleddyf a'i symudiadau corfforol i amddiffyn. Profodd lawer gwaith ei bod yn haws canolbwyntio ar un erfyn ar y tro, a hefyd yr oedd cydbwysedd y corff ar y traed gymaint gwell ar gyfer symud, ac yn enwedig ar gyfer ymosod yn syth ar ôl atal trywaniad gwrthwynebydd.

'Torrwch,' gorchmynnodd Syr Siôn.

Yn lle codi ei gleddyf i ffwrdd, trywanodd John Salesbury yn syth drwodd a sgorio ar benysgwydd Huw.

'*Touché*,' meddai â gwên fuddugoliaethus.

'Un . . . ie . . . un trawiad i John Salesbury,' meddai ei dad.

Ni phrofodd Huw Tudur y fath chwarae erioed. Nid oedd yn chwarae o gwbl. Crychodd ei aeliau am foment yn flin er bod y rheolwr wedi dyfarnu. Daeth y gorchymyn i sefyll ar gard.

Cyffyrddwyd cleddyfau yn ysgafn. Ni wnâi Salesbury byth geisio ailadrodd ei drywaniad o'r safle gychwyn gonfensiynol, doedd bosib? Os gwnâi, yr oedd Huw yn barod i'w ddiarfogi'n syth.

'Torrwch.'

Daeth Salesbury i mewn eto yn hollol yr un fath. Ataliodd Huw i'r chwith ac i lawr ac allan i'r dde ac i fyny'n gryf gan redeg ei lafn yn gwta at y gard ble oedd ei brif nerth. Yr oedd y cwbl yn un symudiad crwn a chryf. Gorfodwyd cleddyf Salesbury allan o'i fysedd ieuanc nes oedd yn hedfan ddecllath i ffwrdd.

'Gymera i bwynt,' meddai Huw cyn i neb ddweud gair. Mewn gwirionedd yr oedd diarfogi yn gorffen cystadleuaeth ar ei phen. Gwasgai John Salesbury ei wefusau yn gyffrous.

'Un bob un,' cyhoeddodd y rheolwr. 'Sefwch ar gard.'

Edrychai aer Lleweni ychydig yn fwy difrifol yrŵan. Dechreuasant eto a Huw yn ystyried y byddai'n ddoethach iddo amddiffyn a rhoi cyfle i Salesbury i ddod i mewn. Ar ôl tro neu ddau gwnaeth gais ar y chwith ac ataliodd Huw y trywaniad, ond dyma ail gais i mewn yn syth o dan ei gleddyf a'i frathu'n galed dan ei ystlys.

'Pwynt,' meddai John Salesbury.

'Dau bwynt yn erbyn un, i John Salesbury,' cyhoeddodd y tad.

Anadlodd Huw yn drwm. Yr oedd y trywaniad yn ail gynnig ar ôl methu unwaith ac yn llawer rhy drwm ar ben hynny. Murmurai'r gwylwyr eu syndod fod Salesbury yn ennill. Cymerwyd gard unwaith yn rhagor. Dechreuwyd am y trydydd tro a holl gyneddfau Huw yn effro erbyn hyn i unrhyw bosibilrwydd, hyd yn oed i'r dagr, rhag ofn. Chwaraewyd ymlaen, a chyn hir daeth cyfle, pan ymsododd Salesbury, i Huw ei drywanu'n syth ar ôl atal ei hwrdd. Dau dau. Aeth yn dri dau i Huw Tudur wedi i Salesbury wadu cyffyrddiad foment ynghynt a oedd cyn sicred ag unrhyw un o'r rhai a'i rhagflaenodd. Dechreuwyd y chweched pwynt a oedd yn debyg o orffen yr ornest gyda sgôr o bedwar yn erbyn dau i Huw Tudur. Bu'r holl chwarae mor fyr, gan nad oedd digon o fedr gan un ochr, fel y meddyliodd Huw y byddai'n well iddo ymestyn y gystadleuaeth drwy beidio ag ymosod mor effeithiol. Gwellodd y chwarae ac yr oedd modd cael rhywfaint o bleser ohono o'r diwedd. Dechreuodd Salesbury chwarae yn uchel iawn ac yn agos i'r wyneb. Amddiffynnodd Huw ei wyneb am ryw hyd. Anodd iawn oedd ymosod o safle mor uchel. Wedi gweld yn glir fod Salesbury yn parhau i chwarae'n uchel nid oedd dim amdani ond peidio ag atal â llafn o gwbl ond gwyro a thrywanu mewn hwrdd syth i ganol y targed. Daeth Salesbury i mewn eto yn uchel fel y troeon blaenorol. Gweithredodd Huw Tudur y *passata sotto* a sgorio ei bwynt terfynol.

Galwodd Syr Siôn y sgôr o 'Bedwar dau.'

'Damia ti, Yeoman,' rhegodd John Salesbury.

Daeth murmur sylwadau eto oddi wrth y gwylwyr o gwmpas y lawnt ac ambell chwerthiniad sbeitlyd. Dechreuodd y gweision chwalu i wahanol gyfeiriadau. Cerddodd John Salesbury i ffwrdd heb ychwanegu gair wrth neb. Safai Syr Siôn gan ysgwyd ei ben.

'Gwell inni fynd,' meddai Catrin wrth Elisabeth, a throdd y ddwy at y plas gyda wynebau siomedig a gwefusau tyn.

'Diflas. Piti, piti. Mae'n ddrwg gen i, Huw Tudur. Fe geisia i ei gael i ymddiheuro iti, ond rhag ofn na wnaiff, derbyn fy ymddiheuriad i. Piti. Gallai fod wedi dysgu rhywbeth. Wn i ddim beth sy'n bod ar yr ysgolion Seisnig yma. Maent yn difetha bechgyn da ac yn eu gwneud yn falch a hunanddigonol a phell oddi wrth eu teuluoedd a'u cynefin. Rwyf wedi colli adnabod arno fo, wir. Na, mae o wedi mynd yn ddieithr imi. Tyrd, gwydriad neu ddau o win yn y tŷ, inni geisio dechrau anghofio'r cwbl.'

Diwrnod annifyr fu gweddill y dydd. Pawb fel pe byddent am osgoi pawb arall, ac fel sy'n digwydd yn aml pan fydd oedolion yn methu cyfathrachu'n naturiol gyda'i gilydd, yr oedd y plant, yn anymwybodol o'r tyndra, yn gymorth dim ond drwy fod yn bresennol. Yr oedd modd i'r oedolion siarad wrthynt ac amdanynt. Daeth amser noswylio fel gollyngdod i bawb.

Byddai Huw Tudur wedi chwilio am esgus clyfar i ddychwelyd i'r Wicwer ers canol pnawn oni bai ei fod am weld Catrin cyn ymadael drannoeth. Ofnai y byddai ymddygiad plentynnaidd John Salesbury yn amharu ar ei ymweliad dirgel â hi wedi hanner nos ond nid felly y bu.

Pan aeth i'w hystafell nid oedd yn y gwely fel y noson cynt ond eisteddai ar ei erchwyn.

'Rwy'n falch iti ddod wedi'r cyfan. Does dim raid imi ddweud fy marn. Fe'i gwyddost, felly gad inni ei anghofio,' meddai hi wrth ei groesawu.

'Wedi dŵad atat ti rwy'n credu y galla i wneud hynny hefyd. Sut wyt ti, dywysoges?' gofynnodd.

'Yn well o'th weld di,' atebodd.

Aeth Huw yn syth at ei hochr a'i chusanu'n ddiymdroi. Ymatebodd iddo heb betruso, gyda chusan hir eiddgar. Yna, 'Croeso i'th deyrnas,' meddai hi.

'Geirie caredig.'

'Teyrnas sy'n eiddo iti drwy goncwest.'

'Wnest ti ddim amddiffyn dy gaer, dywysoges.'

Cododd Catrin ar ei thraed.

'Naddo. Yr oedd y gwarchae yn rhy bwerus. Ac yrŵan dy fod yn fy nghaer, waeth imi ddangos iti ei gogonianne, yn lle dy fod yn ei thynnu i'r llawr. Aros ble'r wyt ti,' gorchmynnodd.

Safai yn dal o'i flaen. Gwisgai ŵn llaes o daffeta rysed â choler lydan o ffwr. Edrychai ei llygaid golau yn syth i'w wyneb. Cododd ei gên yn uwch a thynnodd Huw Tudur ei anadl eto wrth ei gweld yn agor ei gŵn a'i gostwng hyd ei chanol. Chwaraeai golau'r gannwyll, o ben y gwely, ar ei chnawd perffaith. Dwysâi'r cysgodion tywyll, ar rannau o'i chorff, fryniau herfeiddiol ei bronnau.

Gan mai rhoi o'i hanfodd fyddai ei hanes wedi iddi fynd yn gywely Salesbury ym Merain, dymunai roddi o'i bodd i Huw Tudur. Codai a gostyngai ei dwyfron uchel, wrth i'w hanadl ddyfnhau. Yna, ymestynnodd i'w llawn daldra a gollyngodd ei gŵn i syrthio wrth ei thraed. Safodd Catrin o Ferain yn llawn hyder deunaw oed yn ei gogoniant noeth.

Bwriodd Huw ei hun o'i blaen a chladdu ei wyneb rhwng ei morddwydydd. Gwasgodd hithau ei ben ati â'i dwylo. Â llygaid caeedig paratôdd i'w rhoi ei hun iddo gyda thrachwant llwyr. Cododd Huw Tudur a throesant at y gwely. Chwiliai gwefusau'r naill am wefusau'r llall. Cymerodd Huw hi, nid fel neithiwr, gyda geiriau gofalus addas i forwyn, ond gan feddiannu iddo'i hun bob cwr ohoni o'i gwallt liw fflam i'w haelodau eiddgar. Dychlamodd calon Catrin wrth brofi'r rhyfeddod a achosodd ei harddwch, a thawelodd yr ystorm o fawl a diolch a fynegai Huw, gan ei fagu fel plentyn wrth ei mynwes fodlon.

Pennod XIV

Llusgodd pedwar mis heibio oddi ar i Catrin esgus mwynhau ei neithior a mynd yn wraig gyflawn i John Salesbury ym Mhlas Berain. Teimlai fel oesoedd ers dathliad y neithior yng Ngorffennaf. Erbyn hyn yr oedd yr holl ddarpariaethau ar gyfer y gaeaf ar ei gwarthaf. Buasai Catrin wedi croesawu'r prysurdeb ynghynt, i'w helpu i'w hanghofio'i hun i ryw raddau.

Er cymaint oedd y gwahaniaeth rhwng haf a gaeaf i gyfoethogion fel hyhi, yr oedd gwahaniaeth y byd i werin bobl Dyffryn Clwyd. Tra codent eu calonnau yn rhyfeddol gan anghofio eu hafiechydon pan ymddangosai blagur tyner y gwanwyn, disgynnai ysbryd y tlodion druan wrth weld arwyddion cyntaf eu gelyn pennaf, sef y gaeaf. Yr oedd yn fwy didrugaredd nag unrhyw swyddog, meistr na gŵr o uchel dras. Yn yr hydref o leiaf, yr oedd peth ceirch, cnau a ffrwythau a rhai llysiau ar gael iddynt, ond unwaith y deuai Calan Gaeaf dechreuai'r hirlwm. Cyhoeddid ef ymlaen llaw gan wyntoedd cryfach yr hydref yn deifio'r dail ar y coed gan dristáu dyn ac anifail. Porai'r creaduriaid y meysydd yn llymach llymach bob bydd fel y noethai'r coed eu canghennau.

'Mi ddaw yn amser lladd yr anifeiliaid unrhyw ddiwrnod rŵan, meistres,' meddai Mari'r forwyn wrth Catrin.

Pe gwyddai Dâm Siân fod Catrin yn eistedd yn y gegin yn helpu i ddidol yr afalau gorau i'w cadw, byddai ganddi rywbeth i'w ddweud.

'Taw, Mari. Mae gas gen i eu gweld a'u clywed nhw, druain. Fe fydda i'n meddwl weithie eu bod yn deall beth sy'n eu disgwyl.'

'Meddwl am bris yr halen fydda i, meistres. Mae llawer

o'r pentrefwyr yn gorfod benthyca ychydig y dyddie yma os nad ydyn nhw'n ddigon lwcus i fedru prynu peth. Dydyn nhw byth yn rhoi hanner digon ac mae'r cig yn difetha erbyn Calan Ionawr. Anaml mae ganddyn nhw ddim ar ôl i gyrraedd y gwanwyn.'

Ysgydwodd Catrin ei phen.

'Fe fydd yna lai o gegau i'w bwydo erbyn hynny, Mari, wedi i wynt traed y meirw rynnu'r henwyr ac i'r cig drwg wenwyno'r plant gwannaf. Rhaid i ni gofio rhannu ychydig o goed ar gyfer rhai o'r tai yn Henllan.'

'Sut aiff y Ffair Gyflogi, tybed? Ydi Berain am gymryd rhywun o'r newydd, Meistres Catrin?' holodd Mari.

'Dim ond morwyn fach, Mari. Mae Marged Wen yn gwybod am rywun o'r pentref, medde hi.'

'O! pwy tybed? Nid Catrin Cadwalad, gobeithio.'

'Wn i ddim. Pam? Beth sy'n bod ar Catrin Cadwalad, Mari?'

'Enw drwg, meistres. Mae ganddi ddwylo blewog hefyd.'

'Mae Marged Wen yn siŵr o fod yn gwybod ei hanes hi, gelli fentro. Yrŵan, Mari, dos di ymlaen efo'r gwaith yma. Mae'n rhaid i mi fynd at y cowntiau rhenti. Ac mae yna drethi a degwm eisie eu trefnu hefyd. Rho unrhyw un amheus o'r naill du, cofia.'

Gadawodd Catrin y forwyn wrth ei gwaith ac aeth i'r neuadd at ei bwrdd bach ysgrifennu newydd i ddelio â'r cyfrifon pentymor. Nid oedd cowntiau Berain hanner mor gymhleth â rhai Llewenni. Gobeithiai Catrin y câi lonydd gan Syr Siôn eleni rhag gorfod mynd dros ei gyfrifon ef.

Nid oedd neb mwy diwyd na'r gwragedd yr amser yma o'r flwyddyn. Sychent lysiau o bob math fel cymhorthau i gadw bwyd dros y gaeaf ac i roi gwell blas arno ymhen wythnosau lawer. Ni allai gwragedd gwerinwyr yr ardal fforddio sbeis a siwgr at y pwrpas. Bu'n flwyddyn lewyrchus dros ben os gellid fforddio hanner casgennaid o bysgod i'w mygu yn y simdda fawr uwchben y tân mawn. I arbed bwyd i'r ieir lladdent ambell gyw iâr a'i bluo a'i lanhau cyn ei gladdu yn y ceirch i'w gadw am tua chwe wythnos. Ymdrechai'r rhan fwyaf i gadw ffrwythau ac yr oedd pwys mawr ar bren afalau a gadwai'n dda. Yr adeg yma y byddai gweision Berain a lleoedd tebyg ar eu gwyliadwriaeth rhag lladron.

Roedd darpariadau gwragedd da y fro yn ddi-ben-draw ac nid gormod yw dweud fod bywyd y teuluoedd i gyd yn dibynnu ar eu gwybodaeth a'u medr. Perffeithiodd canrifoedd o brofiad allu gwerinwyr Dyffryn Clwyd i oresgyn oerni, afiechyd a newyn am fisoedd ben bwy gilydd. Nid oedd mor galed arnynt hwy o gymharu â'r rhan fwyaf o ardaloedd Cymru.

Os oedd cynnydd mewn afiechydon yn y gaeaf, yn y plasty a'r bwthyn bron yn ddiwahân, o leiaf ni newynai'r uchelwr, hyd yn oed os methai amrywiol lysiau meddyginiaethol ei wraig â'i wella. Gwyddai ambell wraig lawn cymaint â'r 'dyn hysbys' am rinweddau'r wermod lwyd a'r wermod wen, dail tafod yr ych a berwr Taliesin. Wrth gwrs, yr oedd llawer o alluoedd y 'dyn hysbys' ymhell y tu hwnt i fedr neb arall yn y gymdeithas. Clywsai Catrin laweroedd o weithiau am alluoedd rhyfeddol Dyn Hysbys Nantglyn i atal poen. Yr oedd galw mawr am ei fedr yn y dyffryn ac yn Hiraethog. Yn aml iawn fe wyddai beth oedd neges yr ymofynnydd cyn iddo ofyn am ddim. Yr oedd un afiechyd na wnâi'r gŵr o Nantglyn ddim ag ef. Y ticiâu oedd hwnnw. Laweroedd o weithiau, am ryw reswm cyfrin, fe ddaethpwyd ar ei draws yn ardal y claf ac yn cyfarfod â'r negesydd ar ei ffordd i Nantglyn i'w nôl.

Adroddid fel y byddai poen y dioddefydd yn aml yn peidio y foment y cyrhaeddai'r dyn hysbys y buarth.

Ataliai lifeiriant gwaed hefyd wrth ymddangos yn y tŷ neu ar y cae lle gorweddai pwy bynnag a gafodd yr anaf. Ar droeon eraill, fe beidiai ysgrechfeydd person neu blentyn a losgwyd gan dân neu ddŵr berwedig y crochan mawr. Defnyddiai eli a moddion llysiau cyfrinachol i ryw raddau, ond ei brif gyfraniad oedd ei bresenoldeb, yn y man lle'r oedd ei angen. Gwellhaodd ugeiniau o gleifion Dyffryn Clwyd o'r foment y clywsent fod y 'dyn hysbys' ar ei ffordd. Gwyddai yr ardal i gyd am ei ddawn ac nid ofnai ac ni chywilyddiai neb am orfod anfon amdano. Siaradai pawb yn hollol agored am y 'dyn hysbys', ac fe fu disgwyl mawr pan oedd ei ewythr, yr hen Ŵr Hysbys, ar ei wely angau i weld pa un o'r neiaint a gâi'r gallu ganddo.

Gwahanol iawn oedd y swynwr a oedd yn byw yn yr Alafowlia. Ar y slei yr âi pawb at hwnnw wedi iddi nosi fel rheol. Talai'r werin geiniogau prin am ei swynau, pan oedd angen papurau ei abracadabra yn wal y beudy, neu o dan glustog y gwely, yn ôl pa un ai eisiau i'r fuwch ailddechrau godro yr oeddent ynteu eisiau cariad.

Dibynnai gwragedd plasau'r dyffryn hefyd ar alluoedd y dyn hysbys a'r swynwr, yn ôl y gofyn, ac fel eu cymheiriaid yn y bythynnod gwelai Calan Gaeaf hwythau hefyd yn paratoi'n helaeth ar gyfer yr hirlwm. Ond o leiaf fe gâi merched fel Catrin o Ferain y pleser o baratoi bwydydd moethus. Gallent fforddio mynd i Ffair Glangaea i wario ar stondinau'r Urddau, wedi i'w gwŷr dalu'r tollau blynyddol i wlad ac eglwys.

Nid oedd ffair debyg i Ffair Dinbych ac yr oedd sôn amdani cyn belled â Môn a Meirion. Bodolai mwy o wahanol Urddau Gweithwyr Crefft a Masnach yn nhref Dinbych nac odid yn unlle arall yn y Dywysogaeth. Cymdeithasau ceidwadol a chaeedig i warchod dros eu buddiannau hwy eu hunain a'u prentisiaid breintiedig oeddynt. Yn ôl Corfforaeth y Gweithwyr Lledr, 'Ni chaiff y neb na wasanaetho fel prentis heb na thwyll na hoced am lawn saith mlynedd, ac ar ôl hynny bod yn Fwrdeisiad yn y dref, a bod yn feistr yn y grefft, na gwerthu, na chynnig gwerthu, nac esgidiau bach na mawr, na llopanau, ar unrhyw ddydd ffair na marchnad, yn y dref, nes ei dderbyn yn aelod o'r gorfforaeth.'

Cyffelyb oedd rheolau'r Brethynwyr, y Gofaint, Cryddion, Crwynwyr, Gwehyddion, Teilwriaid, Mwrtholwyr, Barceriaid, Cyfrwywyr, Crochenwyr a Seiri. Rheolid ymhellach y dulliau gwerthu a'r prisiau gan swyddogion yr Urdd, ac os dywedai'r stiwardiaid hyn mai tair llath o led a oedd ar gyfer pob stondin, yna tair llath a fyddai. Gallai'r cymdeithasau hyn weini trugaredd ar adegau caled yn hanes teuluoedd eu haelodau ond y gamp oedd cael bod yn aelod o gwbl. Rheolid nifer o'r urddau gan deuluoedd o dras Seisnig ond a Gymreigiwyd yn Nyffryn Clwyd. Ystyriai merch ieuanc a lwyddai i briodi mab i un o'r teuluoedd hyn ei bod hi wedi ei diogelu am weddill ei hoes. Nid oedd dim syndod fod meibion yn dwyn enwau fel Peke, Pygote a Pye yn manteisio'n ddigydwybod ar wyryfon Is Aled.

Pan ddaeth Calan Gaeaf bu'n dda i Catrin o Ferain am y cyfoeth gwybodaeth a drosglwyddodd Dâm Siân, Llewni, iddi dros y blynyddoedd y bu'n ei meithrin. Arni hi y dibynnai holl drefniadau Berain am y gaeaf. Nid aeth i'r ffair, fel ei gŵr, ond anfonodd was a morwyn gyfrifol i negesa rhai nwyddau dethol. Ond ni ddenwyd John Salesbury i Ddinbych gan unrhyw bwrpas buddiol. Mynd a wnaeth ef i fwynhau cwmni'r Hound and Buckle ac i bwrcasu clared a malmsai â dogn helaeth o arian rhenti pentymor tenantiaid Berain. Er na chroesawai Catrin y gaeaf damaid mwy na neb arall o drigolion Dyffryn Clwyd, eto yr oedd yn falch o brysurdeb paratoadau Calan

Gaeaf i lenwi ei meddwl, a bwriodd i'r trefniadau bron gydag afiaith.

Bu llawer tro ar fyd yn ystod y misoedd diwethaf. Cythruddwyd pawb yn Nyffryn Clwyd ym mis Mehefin pan wrthododd yr uchel siryf, John Lloyd, i gael achos yn erbyn Dai Nantglyn. Cynhaliodd y llys ar fyr rybudd yn Rhuthun, yn lle yn Ninbych, i leihau unrhyw deimladau yn erbyn y carcharor. Fe lwyddodd rhyw ychydig bach, a ddarganfu ar y munud olaf ble oedd y llys i'w gynnal, i fynd y tu allan i gastell Rhuthun i grochlefain a bloeddio eu hanghymeradwyaeth. Ond darparwyd digon o gwnstabliaid gan Lloyd i atal unrhyw rwystr o werth. Yn ôl y sôn, yr oedd hyd yn oed wedi cymryd Dai Nantglyn i Fodidris o dan ei nawdd, yn union yn null hen arglwyddi'r Mers.

Gellid dychmygu llid Syr Siôn Salsbri mewn gair a gweithred.

'Mae'r peth yn sen ar fyd a betws. Fe fydda i wedi dadwreiddio'r cythrel Lloyd yna cyn sicred â Dydd Brawd,' melltithiodd Syr Siôn pan glywodd am lygredd y siryf. Bu cyfansoddi llythyrau di-ben-draw wedyn yn Lleweni i Gaer, Llwydlo a San Steffan, yn cwyno nad aethpwyd â'r achos i'r Sesiwn Fawr.

Lliniarwyd peth ar yr anfri a boenydiai Siôn Salsbri gan enedigaeth merch fach i Dâm Siân. Ie, merch ac nid mab, er mawr siom iddi. Cysurwyd hi gan ei gŵr a oedd wrth ei fodd.

'Fe'i galwn yn Siân ar dy ôl di, fy siwgwr gwyn i,' meddai'n garedig noson yr enedigaeth, 'am ei bod bron cyn dlysed â'i mam.'

Llonnodd hynny lawer ar ei wraig lesg, ond mai Jane a ddywedai Dâm Siân. Oherwydd ei bod yn gallu fforddio'n rhwydd i gael Elin Fawr am bron i ddeufis yn y plas i hwyluso genedigaeth y nawfed plentyn, daeth Dâm Siân drwy'r oruchwyliaeth yn ddianaf. Llwyddodd i fwynhau neithior gostus ei mab John Salesbury a Catrin ym mis Gorffennaf a bu ym Merain ddwywaith ers hynny i weld sut gartref a wnâi Catrin i'w mab hynaf. Llwyddodd Catrin yn ei thro i guddio unrhyw annedwyddwch oddi wrthi a dychwelodd Dâm Siân y ddeutro yn dawel ei meddwl.

Cyhuddodd Catrin Huw Tudur unwaith y dylai fod yn chwaraewr drama. Os mai twyllo yn argyhoeddiadol heb ei lawn dwyllo ei hun yw dawn actiwr, yna fe actiodd hithau drwy gydol dathliad ei neithior yn Llweni. Golygai benderfyniad na fyddai wedi dod ond i ferch a feddai wytnwch gwaed y Tuduriaid yn ei gwythiennau. Bu'n rhaid iddi fwrw Huw allan o'i meddwl y diwrnod hwnnw er cymaint o ddolur i'w chalon oedd hynny. Ni hoffai Catrin gyfaddef fod dylanwad hir Dâm Siân arni hi yn gyfraniad hefyd.

Rhoddai perchnogi Berain y pleser mwyaf iddi ac yn barod gwnaeth ei hôl ar y lle. Yr oedd y neuadd a'r solar ddwywaith mwy cysurus. Cafodd gadeiriau ychwanegol a gwelyau moethusach, a gwnâi'r ddau dapestri newydd fyd o wahaniaeth i glydwch ac urddas y neuadd. Anrheg Syr Siôn Salsbri oedd un ohonynt a daeth y llall fis yn ddiweddarach oddi wrth ei chyfnither, y Frenhines Mari Tudur. Ar ôl y mis cyntaf hwnnw nid oedd gofynion ysbeidiol John Salesbury mor atgas ag yr ofnasai. Dechreuodd y weithred droi'n ddyletswydd achlysurol nad oedd a wnelo ryw lawer â hi rywfodd. Gallai ddiolch am ddiffyg diddordeb John Salesbury, pe ond y gwyddai, i'r ffaith nad oedd Angharad Myddelton yn briod eto.

Dwywaith yn unig y cafodd Catrin gwmni Huw Tudur, Wicwer. Bu'r ddau bnawn heulog hynny fel dwy werddon yng nghanol anialwch i'r ddau ohonynt. A'r gaeaf ar y trothwy ni fyddai modd mwyach i ddianc am y prynhawn i ogofâu oer Cefn Meiriadog i gadw oed â Huw. Mewn gwewyr, ceisiodd y ddau ddyfalu bob ffordd i allu bod ynghyd mewn rhyw ffordd well na dwyawr euog fel herwyr mewn ogof. Daeth yr ateb o le annisgwyl a phell.

Y drydedd wythnos o Dachwedd oedd hi a Catrin yn brysur yn egluro i forwyn fach newydd, o bentref Henllan, beth fyddai ei dyletswyddau yn y plas. Cyrhaeddodd ei llysfam, Marged Wen o Ddinbych, o'r cartref dros dro y bu rhaid i ap Robert ei gymryd, tra codid tŷ newydd iddynt ar Ddôl Belydr. Er pan welodd yn bendant fod tŷ sylweddol yn cael ei godi iddi ar lan afon Elwy fe ddadmerodd Marged Wen gryn dipyn tuag at Catrin. Teimlai Marged yn hynod o bwysig heddiw wrth alw ar hwn a'r llall gyda'i newyddion syfrdanol.

'Be ddyliet ti, Catrin?' meddai, gan ei rhoi ei hun i lawr i eistedd ar ei hen aelwyd hi ei hun gynt. 'Wn i ddim be i feddwl. Does wybod beth fydd hanes ein *hanner* ni yrŵan. Bydd yn rhaid inni fod yn sgilgar i gyd, hyd y gwela i.'

'Beth ar y ddaear sy'n bod, Marged? Dywed dy neges mewn difrif calon.' Rhoddodd Catrin arwydd ar y forwyn fach y gallai fynd.

'Mae hi wedi marw.'

'Pwy?'

'Y Frenhines. Y Frenhines Mari, druan.'

Ni chafodd Catrin lonydd i ystyried y digwyddiad o gwbl gan fod Marged Wen yn ferw o gwestiynau a syniadau.

'Mi ddaeth y newydd i Ddimbech neithiwr. Negesydd o Lunden bob cam. Pwy gollith ei swydd yrŵan, ysgwn i? Mae'n bryd i dy dad ei sefydlu ei hun yn lleol a manteisio ar ein harhosiad yn Nimbech i ddod yn fwy adnabyddus. Mi fydd yna swyddi newydd yrŵan. Tybed gaiff John ei urddo'n farchog? Dyna biti ei fod mor ieuanc.'

Ni thewai tafod ei llysfam rhwng dyfalu sut delerau a gynigid i'r esgobion dan y drefn newydd. 'Mi fydd yn rhaid inni i gyd fod yn Brotestaniaid,' meddai Marged.

'Does neb yn sicr ble mae Elizabeth Tudur yn sefyll yn grefyddol eto, Marged. Paid â mynd yn erbyn gofid. Does bosib y bydd hi mor eithafol ag Edward ei brawd gynt!'

'Pryd fydd y coroni, ysgwn i? O! rwyt ti'n debyg o gael gwahoddiad, Catrin, a John yn dy ôl di. Wedi'r cyfan, rwyt ti o'r un gwaed ac mae Lleweni mor ddylanwadol ar ben hynny.'

Y noson honno yn ei gwely yn pendroni, a John Salesbury heb ddychwelyd adref eto, cafodd Catrin syniad. Pe gallai Huw Tudur hefyd ymweld â Llundain yr un pryd byddai'n gyfle na ellid ddim o'i wrthod. Pa mor fuan y coronid Elizabeth, tybed? Ni allai fod yn hir yn ei fyw rhag ofn i ffacsiwn Eglwys Rufain ennill cyfle i gynllunio unrhyw deyrnfradwriaeth. Byddai, fe fyddai yn sicr o gael gwahoddiad i'r coroni. Dim ond gobeithio na ddilëai'r Frenhines Elizabeth yr offeren. Cofiodd Catrin ei phlentyndod pan gâi fynd i'r offeren ddirgel yng Nghapel Mair. Dechreuodd rhai o'r cymylau glirio o'r ffurfafen i Catrin, hyd yn oed pe na byddai ond dros dro. Yr oedd yna le i Huw Tudur ac i Gapel Mair yn ei gobeithion. Trodd drosodd i geisio cysgu. 'Gwell buarth hysb nag un gwag,' meddai wrthi ei hun.

Yn Wicwer, paratôi Huw Tudur i fynd i'w wely yntau. Bu yn Ninbych yn ystod y dydd ac yr oedd ar ben ei ddigon wedi clywed y newyddion yno. Yr oedd marwolaeth y Frenhines Mari yn agor y dorau i'r newidiadau crefyddol a llenyddol y breuddwydiai Siôn Tudur ac yntau amdanynt ers amser. Gellid apwyntio esgobion cydwybodol a bwysai am wasanaethau Cymraeg ac am gyfieithiadau teilwng o'r Llyfr Gweddi a'r Beibl. A beth am holl chwedlau'r Brytaniaid yr oedd angen eu hargraffu yn yr un modd â chwedlau Groeg a Rhufain? Efallai y ceid mwy o ysgolion hefyd i addysgu'r offeiriaid yn well. Ar wahân i Babyddiaeth fel y cyfryw, yr oedd amlblwyfiaeth a diffyg dysg yr offeiriaid wedi gwneud pobl yn ddifater. Gallai William Salesbury godi ei galon yrŵan ac ailafael yn ei gyfieithu. Fe ddylasai fynd i weld Salesbury, meddyliai Huw. Holasai Siôn Tudur amdano yn ei lythyr fis Awst. Yr oedd yn bryd iddo ateb llythyr ei frawd erbyn hyn.

Dyna brysur a fyddai'r Gard y misoedd nesaf yma. Fe fyddai gan Siôn Tudur lawer i'w adrodd wrtho pan welent ei gilydd. Beth pe bai'n ailymuno am gyfnod byr? Fe fyddai cynghorwyr y Frenhines Elizabeth Tudur yn sicr o chwyddo'r osgordd dros dro, beth bynnag, pe bai ond ar gyfer y coroni ei hun. Yr oedd plasau San Steffan yn siŵr o fod yn brysur fel gardd o gychod gwenyn ganol haf gyda'r holl drefniadau swyddogol ynglŷn â marwolaeth Mari Tudur a dyrchafiad Elizabeth a'i hebryngiad i Lundain. Ble byddai hi yn debyg o gael ei gwarchod hyd y coroni? I lawr ym Mhlas Greenwich oddi wrth y stŵr i gyd? A fyddai hi'n fodlon cymryd ei threfnu, tybed, neu a oedd hi'n hunanddigonol a phenstiff fel y gweddill o'r Tuduriaid? Un peth oedd yn dda ynglŷn â hi, ar wahân i'w ffafraeth Brotestannaidd; yr oedd ganddi ychydig o Gymraeg, ble nad oedd gan Mari Tudur ddim o gwbl. Siawns nad ymddiddorai mewn cyfieithu'r Ysgrythurau.

Daeth cnoc isel ar ddrws Huw Tudur i dorri ar draws ei obeithion. Agorodd yn araf. Safai Lowri yno a channwyll yn ei llaw. Trodd ei phen ar un ochr a chodi ei haeliau cystal â gofyn, 'Ga i ddŵad i mewn?'

Nid oedd Huw wedi meddwl y deuai heno eto ac yr oedd ar goll beth i'w wneud am foment.

'Cau'r drws yn dawel,' meddai wrthi.

Torrodd gwên fach ar ei hwyneb del a gwnaeth fel y gorchmynnai ei meistr. Ni allai Huw ddweud wrthi am roi'r gorau i ddod ato. Nid na hoffai hi, yr oedd y forwyn fach yn annwyl, a'i chalon yn rhy garedig er ei lles ei hun.

Daeth ato gyntaf, noson neithior Catrin Salesbury, yn ddigon hirben a chraff i wybod sut y teimlai Huw.

'Dwi'n meddwl fod fy eisie arnat ti heno,' meddai. 'Mi fydda i'n falch os ca i dy gysuro di a ddyweda i ddim gair wrth neb.'

Yr oedd wrth ei ochr cyn iddo gael amser i godi ar ei eistedd. Pan geisiai Huw ddweud wrthi, fwy nag unwaith ar ôl hynny, nad oedd o'n deg â hi, rhoddai law ar ei wefusau a dweud nad oedd arno ef ddim iddi hi. Pitïai Huw Lowri yn wirioneddol, ond yn ei hunigrwydd ni allai ddarganfod y geiriau na'r ffordd i'w gwrthod, a phlygai bob gafael i'w wendid. Yr oedd hithau yn dlws ac yn destun edmygedd gweision yr ardal gyda'i gwallt a'i llygaid duon Iberaidd a'i chorff bach twt. Yr oedd hi'n 'hogen bropor' fel y buasent hwy yn dweud.

Daeth heno i chwilio am ei freichiau unwaith yn rhagor.

'Wyt ti'n fy ngharu ychydig bach?' gofynnodd.

Edrychai Huw dros ei hysgwydd ar y gwely.

'Alla i ddim llai,' atebodd, ac i osgoi rhagor o siarad cusanodd hi'n dyner.

Pennod XV

Anfantais fawr ar daith hir oedd y dull ochrog a ddefnyddiai merch i farchogaeth ceffyl. Nid oedd galw am gyflymder mawr, wrth gwrs, ond i wneud y siwrnai o Ddyffryn Clwyd i'r brifddinas mewn tair noson yr oedd gofyn bod yn y cyfrwy am oriau lawer bob dydd, ac yr oedd cadw cydbwysedd yn wysg eich ochr yn llawer mwy blinedig nag wrth farchogaeth gamfa-led fel dyn.

Cymerodd y siwrnai i San Steffan bum niwrnod i Catrin o Ferain gan aros bedair gwaith ar y daith. Gyda hi teithiai Elisabeth Salesbury a morwyn bob un ganddynt, ac yr oedd ei gŵr John Salesbury gyda hi hefyd a gwas ganddo yntau. Drwy glyfrwch Catrin, fe fynnodd Dâm Siân fod Tudur ap Robert a Huw Tudur yn gwarchod y fintai ar y daith. Dechreuai Catrin ddysgu bod yn ystumddrwg, yn enwedig wrth drin ei mam yng nghyfraith. Taflodd awgrym i Siân Salsbri y gallai cleddyfau ei thad a Huw Tudur fod yn gaffaeliad mawr ar y daith ac fe fabwysiadodd hithau y syniad fel ei heiddo ei hun, a hynny ar waethaf protestiadau John Salesbury y byddai dau was o Leweni yn gwneud y tro yn iawn. Yr oeddent yn wyth i gyd felly, a chyfrif y gwas a'r ddwy forwyn.

Bu pregeth angladd Mari Tudur yn gynnar ym mis Rhagfyr ac erbyn y Nadolig cyrhaeddodd y gwahoddiad i'r coroni i Catrin a John Salesbury yn Llewni. Estynnai neges arall ar wahân wedi ei arwyddo gan David Vaughan, Stiward y palas, lety iddynt ym Mhalas Sant Siâms yn San Steffan. Yr oedd Sant Siâms yn gymharol newydd a byddai cymaint hwylusach ei leoliad na Chwrt Hamptwn neu hyd yn oed Richmwnd. Pe byddai Dâm Siân wedi manteisio ar gynnig a gafodd ddwy flynedd yn ôl, i Catrin fynd yn forwyn llys i'r Dywysoges Elizabeth yn Hatfield, mae'n siŵr y byddai hi'n gweini ar y frenhines newydd yn y gwasanaeth coroni. Yr oedd dwy gyfnither i Catrin, Mary a Kathryn Grey, yn sicr o fod yn cyflawni swydd weinyddol yn y gwasanaeth, a Kate Carey, ffrind pennaf Elizabeth Tudur. Er gwell neu er gwaeth, gwrthodasai Dâm Siân y cyfle hwnnw.

Taith oer a gwyntog gydag ambell gawod o eira ysgafn a gafodd Catrin a'i gosgordd ar y daith yn Ionawr 1559. Gosgordd Catrin oedd hi, wrth gwrs, gan gynnwys John Salesbury, oherwydd mai yn rhinwedd ei pherthynas gwaed â'r teulu brenhinol y daeth y gwahoddiad. Faint bynnag o obaith a oedd gan ei gŵr o gael ei urddo'n farchog cyn hir, neu hyd yn oed cael ei ddyrchafu'r iarll ryw ddydd, fel y dymunai Simwnt Fychan, Wiliam Llŷn a Wiliam Cynwal yn eu cywyddau iddo amser y neithior, eto Plas Berain oedd y prif gysylltiad â'r frenhines newydd, nid Lleweni.

Cychwynnwyd o Ddyffryn Clwyd ben bore Ionawr y trydydd a chyrraedd Palas Sant Siâms yn y llwyd olau ar ôl pum niwrnod o deithio blin. Syr Siôn Salsbri a ddygodd y draul i gyd.

'Mae'n llawer iawn gwell gennyf fi dalu na mynd yn eich lle,' meddai, 'yn arbennig yr amser yma o'r flwyddyn. Mynnwch ddigon o danau yn yr hosbytai ar y ffordd i lawr neu fe fyddwch wedi rhynnu, a pheidiwch â disgwyl i blasau San Steffan fod mor gynnes â hynny. Pam na allen nhw aros hyd y gwanwyn cyn coroni, wn i ddim. Ac fe wn hefyd o ran hynny.'

'Ofni brad?' holodd Dâm Siân.

'Ie. Fe fydd yna ysbïwyr ym mhobman, felly gwyliwch eich tafode bob un ohonoch,' rhybuddiodd Syr Siôn cyn iddynt gychwyn. 'Cymerwch arnoch nad ydech chi'n deall rhyw lawer eto pa ffordd y mae'r gwynt yn chwythu yn siroedd y Gogledd. Fe fydd rhywun yn sicr o fod wedi ei benodi i dynnu sgwrs â chi tua'r llysoedd. Pysgota am wybodaeth fydden nhw dros rywun arall a hynny mewn ffordd glên iawn. Ond peidiwch chi â chymryd eich twyllo gan gyfeillgarwch ymddangosiadol. Ar wahân i gwyno am y John Lloyd Bodidris yna, os cewch gyfle, cofiwch mai tawel iawn yw hi yn y Dywysogaeth os hola neb.'

'A John,' meddai ei fam, 'cedwch eich llygaid ar agor i weld pa foneddigion ieuanc sy'n cael sylw gan Elizabeth Tudur, ac os cewch gyfle ryw ddiwrnod i ymweld ag Ysbytai'r Gyfraith ceisiwch wneud hynny. Ac mae Thomas Goldwell hefyd wedi anfon cennad yn gofyn wnewch chi geisio darganfod sut mae hi'n argoeli ym myd yr Eglwys. Does dim gwahoddiad iddo i'r coroni ond bydd yn mynd i Dŷ'r Arglwyddi ganol y mis yma.'

Cafwyd rhes o ddyletswyddau cyffelyb gan y teulu cyn gadael a thocyn o lythyrau i'w rhannu i berthnasau gwahanol bobl o Ddyffryn Clwyd yn ystod eu harhosiad. Byddai gwybodaeth ap Robert a Huw Tudur yn ddefnyddiol dros ben i ddosbarthu'r llythyrau hirddisgwyliedig. Yr oedd yn hwyr ar y Sadwrn arnynt yn cyrraedd cyffiniau San Steffan a throesant i'r dde oddi ar y brif ffordd, ymhell cyn cyrraedd plwyf Sant Giles, i gyfeiriad yr afon. Pan gafwyd mynediad drwy'r dorau mawr i mewn i gwrt Palas Sant Siâms yr oedd yn dechrau tywyllu.

Derbyniwyd hwy yn y gwyll gan aelodau o'r Gard ond nid oedd ap Robert na Huw yn adnabod neb ohonynt. Llanciau ieuanc newydd eu comisiynu oeddynt i gyd. Bu cryn ffwdan wrth brofi eu hawl i fod yn y palas o gwbl ac wedyn yr oedd yn ofynnol iddynt fynd i'w cyflwyno eu hunain i David Vaughan, Stiward Sant Siâms. Ni chafodd Catrin unrhyw gyfle i drefnu dim â Huw Tudur er cystal y gweithiodd ei chynllun hyd yn hyn. Yr oedd Vaughan yn brysur ond yn ddigon croesawgar. Yr oedd yn ddrwg ganddo ond ni allai roddi siambr i ap Robert na Huw Tudur gan mai dim ond dwy a oedd ganddo ar eu cyfer. Ni chododd John Salesbury fys bach i geisio'i berswadio i ddod o hyd i ystafell ychwanegol.

Gwyddai Tudur ap Robert y byddai yna Sarsiant o'r Gard ym mhob un o balasau San Steffan a dywedodd wrth Huw mai mynd i weld pwy oedd yn gyfrifol am y gwarchodlu yn Sant Siâms, a'r Neuadd Wen os oedd raid, fyddai y peth callaf iddynt.

'Diolch i ti, ap Robert. Fe'th welwn cyn hir, rwy'n siŵr. Rwyt yn dy gynefin a chei di ddim trafferth i gael llety, mi wranta. Tyrd, Elisabeth a Catrin, mae'r gweision yma yn aros i'n hebrwng i'n stafelloedd,' meddai John Salesbury.

'Fe adawaf neges i ti, Nhad, yn swyddfa'r Stiward, os gadawn Sant Siâms,' eglurodd Catrin yn ddigon uchel i Huw allu clywed. 'Ffarwél eich dau, efo llawer o ddiolch.'

Aethpwyd â'r merched blinedig a Salesbury o'r cyntedd derbyn gyda'u paciau a'r ddwy forwyn, a gwas John Salesbury yn eu dilyn. Edrychai'r tri gwerinwr yn betrus ochelgar wrth ddilyn eu meistr a'u meistresi drwy'r drysau uchel crand.

'Sylwaist ti ar y dyn Vaughan yna?' holodd Huw Tudur ei gyfaill. 'Ni thorrodd yr un gair o Gymraeg. Fe gofiaf yr amser y dechreuodd fel gwas i Stiward Richmwnd. Ychydig iawn o *Saesneg* oedd ganddo'r pryd hynny.

'Na hida, tyrd i holi am y Sarsiant,' atebodd ap Robert.

Oherwydd nad oedd ond misoedd ers i'r ddau adael y Gard eu hunain, byddent yn siŵr o fod yn adnabod y swyddog cyfrifol. Ni ddyrchefid neb i'r fath swydd heb flynyddoedd o wasanaeth fel un o'r yeomen. Gwyddent eu ffordd o gwmpas ac aethant allan i'r cwrt agored yn eu holau a chroesi'r sgwâr i swyddfa'r sarsiant dan y bwâu pilerog yr ochr draw. Erbyn hyn crogai ffaglau tanllyd ar amryw o'r pileri gan oleuo ychydig ar ymylon tywyll y cwrt.

'Caniatâd i weld Sarsiant y Gard?' gofynnodd ap Robert i'r yeomen a safai y tu allan i'r drws gyda'i halberd hir. Yr oedd sŵn awdurdod yn llais ap Robert ac ni ofynnwyd iddo paham yr holai o gwbl. Ar ôl edrych yn graff arnynt am eiliad yng ngolau'r lantern uwchben, trodd y milwr a churo'r drws yn drwm.

'Pwy yw'r sarsiant yn Sant Siâms yr wythnos hon?' gofynnodd ap Robert yn Saesneg.

'Sarsiant Tudur, syr,' atebodd y Gard.

'Y Nefoedd Wen! Siôn sydd yma!' bloeddiodd Huw. 'Wel myn Mair, pwy feddyliai?' meddai wedyn.

'Paid â synnu cymaint, fachgen. Roedd yn un siawns o ddeg mai yfo fyddai yma, wedi'r cwbl,' chwarddodd ap Robert.

'Wrth gwrs, mae dyn yn anghofio'n fuan.'

Agorodd y drws.

'Caniatâd i ddau ŵr bonheddig i weld Sarsiant Tudur?' meddai'r milwr.

Cawsant fynediad, ac yno a'i gefn at danllwyth o dân coed safai dyn tal, cydnerth yn lifrai gorau y Gard Brenhinol a chlamp o goron ar ei benysgwydd i ddynodi swydd fawreddog Sarsiant o'r Gard. Anodd fyddai ei ddychmygu fel un o feirdd gorau ei genedl ar y pryd, ond dyma Siôn Tudur. Edrychodd yn syn arnynt, yna torrodd y genllif.

'Huw Tudur!' gwaeddodd. 'Ar asgwrn Dafydd. Beth yw hyn? Dewch i mewn.'

Chwarddodd pawb a churo cefnau ei gilydd.

'Rydech yn tewhau, eich dau. Mae bywyd segur bonheddig yn eich difetha,' meddai Sarsiant y gôt goch. 'Duty Yeoman!' bloeddiodd. 'Bring full tankards here and smartly with them,' gorchmynnodd. 'Wel ar f'enaid coll i, ydech chi am ail listio neu beth? Beth sy'n dod â chi yma? Hiraeth am y barics?'

Nid oedd diwedd ar ei holi, ac er eu blinder, wedi cael eistedd a chynhesu a chael diod, nid oedd waeth gan ap Robert a Huw Tudur adrodd eu holl hanes.

'Cywydd ar ddychweliad Huw Tudur a Tudur ap Robert i Lundain, yrŵan, Siôn,' heriodd Huw gan ddrachtio'r cwrw chwerw i'w waelod.

'Ie, ie pam lai, mae'r awen wedi bod ar ddisberod ers misoedd,' meddai ei frawd. 'Ond nid heno. Rhaid imi newid y Gard am wyth ac rydech chithe eisie gorffwys. Ble mae eich llety?'

'Dau *vagabond* ydyn ni, Siôn Tudur. Dim gwely, dim llety. Mae'n well iti ein restio a'n chwipio drwy'r strydoedd ben bore yfory,' eglurodd ap Robert.

'Paid â sôn am restio. Mae'r carcharau'n llawn dop ers wythnose, a'r Tŵr hefyd. Welais i ddim byd tebyg ers miri Wyatt. Mae pawb yn cael eu gwylio a negese cyfrinachol yn dew rhwng y llysoedd yma a'i gilydd. Pawb ar bige'r drain. Y dasg fwyaf ydi cadw pob math o uchelwyr, fawr a mân, a chyfreithwyr a chlerigwyr, allan o'r siamberi mewnol. Mae yna fwy o arian wedi newid dwylo y mis diwethaf yma nag a welodd siopau Siepseid mewn deng mlynedd. Pawb yn ceisio cael gair mynwesol efo aelodau'r Cyfrin Gyngor neu Dŷ'r Arglwyddi.'

'Mae yma lawer o newid felly, Siôn?' holodd Huw.

'Newid? Oes, bron cymaint ag a fu pan ddaeth Mari i'r orsedd bum mlynedd yn ôl. Mae William Cecil wedi adennill ei swydd. A dweud y gwir, oni bai ei fod o a Parker yn cadw'u penne, Duw a ŵyr sut fyddai hi.'

'Ydi Cecil yn Ysgrifennydd y Cyfrin Gyngor, felly?' holodd Huw.

'Ydi, ond maen nhw wedi cael trafferth fawr i gael esgob i goroni Elizabeth. Yr Esgob Oglethorpe, gyda chymorth Parker, fydd yn gwasanaethu yn San Steffan. Drwy law Rhagluniaeth fe fu farw Gardiner a Pole ac mae hynny wedi hwyluso pethe'n enbyd, ond mae'n berygl bywyd i neb ddweud gormod. Fe glywsom yn ddiweddar fod Brenin Ffrainc wedi cyhoeddi'r Sgoten ieuanc yna yn frenhines gyfiawn Lloegr a galw Elizabeth yn fastard.'

'Felly'n wir. Fydd yna ddim erlid caled ar unrhyw Babyddion rhonc, felly, rhag eu gyrru i gefnogi Mari Sgotland o ganlyniad,' meddai ap Robert.

'Mae'n edrych felly,' atebodd Siôn Tudur. 'Mae saith o hen aelodau'r Cyfrin Gyngor wedi cadw eu swyddi a Cecil yn gweithio'n dawel heb gythruddo fawr neb. P'run bynnag, cael swyddi gynta ydi amcan pawb fel arfer, a phoeni am gydwybod crefyddol yn nes ymlaen. Fe gawn senedd danllyd ddiwedd y mis yma ond mae William Cecil yn ddigon o fachgen iddynt i gyd. Os daw'r Frenhines i'w drystio, rwy'n ffyddiog y cawn wared o'r Pab a'r ofergoelion unwaith yn rhagor. Ond fe gymer amser. Welsoch chi William Salesbury, un ohonoch chi? Yr annwyl bach! fe fydda i'n meddwl llawer amdano fo.'

Gyda chywilydd, cyfaddefodd Huw na fu ar ei gyfyl eto, yna bu'n rhaid i Siôn Tudur ymorol am newid y Gard.

'Allwch chi ddim mynd i grwydro heno mwyach,' meddai. 'Gwnewch y gore o'r cwartars sydd yma. Fe ga i hyd i rywbeth gwell i chi eich dau ar gyfer nos yfory.'

Aeth Tudur ap Robert a Huw i gysgu i'w hen gynefin yn Nhŷ Gard y palas tra mwynheai Catrin ac Elisabeth a John Salesbury ystafelloedd cyfochrog ym mhen arall Palas Sant Siâms.

Gadawodd John Salesbury ei wraig gydag Elisabeth wrth y tân glo yn y siambr a oedd ar ei gyfer ef a Catrin. Cysylltai â siambr ei chwaer yn hwylus drwy gyfrwng drws canolog. Yr oedd ef am fynd i ymholi, eglurodd wrth y ddwy ferch, a oedd unrhyw gynulliad ffurfiol neu adloniant wedi ei drefnu ar gyfer drannoeth. Nos Sadwrn oedd hi a'r coroni i ddigwydd wythnos i'r Sul. Yn sicr fe fyddai cynulliadau brenhinol a dawnsfeydd a masgiau drwy gydol yr wythnos i ddod.

'Ewch i'ch gwelye os mynnwch,' meddai Salesbury, 'gan ein bod wedi bwyta. Fe gewch unrhyw newyddion sydd gen i, eto.'

Y tu allan i'r ystafell safai gwas siambr yn ei lifrai swyddogol. Cynigiodd arwain John Salesbury i swyddfa'r Siamberlin, fel y swyddog gyda chyfrifoldeb dros seremonïau ac adloniant, ond yr oedd yn well gan Salesbury gael llonydd i grwydro ac edrych o'i gwmpas. Ym mhobman yr oedd pobl yn mynd a dod gyda phapurau a bwydydd weithiau, a boneddigion yn sefyllian yn dyrrau o dri neu bedwar yn y coridor. Safodd Salesbury gan esgus edmygu'r darluniau a'r tapestrïau, a chlustfeiniai orau y gallai ar sgwrs ambell gwmni. Cydgerddai clerigwr yn amlwg wrth ei ddiwyg, yn ôl a blaen y tu ôl i John Salesbury, gyda rhyw ŵr ieuanc pryd tywyll.

'I am full of hope that Her Majesty will promote the gospel and advance the kingdom of Christ,' meddai'r clerigwr. 'Thomas Parry, I see the hand of God in the sad passing of Queen Mary.'

'It must be so,' cytunai'r gŵr a alwyd yn Parry. 'My Master and the Archbishop are most anxious to learn who of the exiles in Frankfurt are commendable men.'

Aethant o glyw John Salesbury cyn troi a dychwelyd i'w gyfeiriad. Ceisiodd yntau edrych fel pe byddai'r tapestri clasurol o'i flaen yn dwyn ei holl fryd.

'We shall also need Welshmen to go to the Principality to investigate,' meddai Parry. 'William Cecil is very conscious of the singular nature of his countrymen's needs. The Scriptures in the vernacular would be a great boon. Firstly, whatever, a Visitation is important and my Master considers, Thomas Chambers, that he has two very suitable

Visitors in the persons of Rowland Meyrick and Thomas Young, and he seeks a third who . . .'

Aethant allan o'i glyw eto a gweddïai John Salesbury nad oeddent wedi cymryd llawer o sylw ohono. Ceisiodd sefyll fel delw ddiniwed o flaen y tapestri. Troesant eto a chychwyn i'w gyfeiriad. Y clerigwr, Chambers, oedd yn siarad.

'. . . not only for scholarship, but what is of greater import, for wisdom and a balanced judgement in religion there is none superior to him. The Reverend Richard Davies has all these qualities and I cannot recommend him too highly. I recall the factions at Frankfurt and he truly mastered John Knox and his sect of . . .'

Peidiodd y siarad yn sydyn a meddyliodd John Salesbury ei fod yn gweld llaw y dyn Parry ar fraich y clerigwr fel pe bai yn ei atal rhag dweud mwy. Cerddasant heibio a'u sgwrs ar ben mwyach. Ailadroddodd Salesbury yr enwau a glywodd, wrtho'i hun. Rowland Meyrick, Thomas Young a Richard Davies. *Visitors* i Gymru dros beth, tybed? Yr oedd dysgu cyfrinachau yn deimlad cynhyrfus. Pa ddefnydd a allai ei wneud o'r wybodaeth? Ond efallai mai rhywbeth digon dibwys oedd y cyfan. Eto, pam oedd raid iddynt dewi pan gredasant ei fod ef yn gallu clywed? Byddai'r Esgob Thomas Goldwell yn medru dehongli'r enwau o bosibl. Beth oedd y cysylltiad rhwng y Davies a enwyd a Frankfurt? Onid yn yr Almaen oedd y lle hwnnw? Dyn gwallgof a haerllug oedd y John Knox y clywsai Salesbury amdano yn Ysgol Winchester. Ai at yr eithafwr hwnnw y cyfeiriwyd? Ie, mae'n siŵr. O leiaf ni swniai'r Richard Davies yma fel un o giwed ddistrywgar John Knox.

Aeth Salesbury yn ei flaen i gael hyd i swyddfa'r Siamberlin. Ni chafodd fynd ymhell cyn i un o stiwardiaid y palas ofyn a allai fod o gymorth iddo. Nid ymddangosai fod llawer o lonydd i wyneb dieithr i grwydro o gwmpas a chymerodd Salesbury ei arwain i ystafell fechan foethus yn ymyl cyntedd y palas. Daeth gŵr canol oed ato ymhen ysbaid. Ef oedd y Dirprwy Siamberlin, meddai ef. Yr oedd yn ddrwg ganddo nad oedd y Siamberlin ar gael mor hwyr ond gofynnodd pwy a gâi ef yr anrhydedd o'i wasanaethu. Eglurodd Salesbury pwy ydoedd gan olrhain ei dras a phwysleisio urddau marchog ei dad a'i daid a'i hendaid a pherthynas ei wraig Catrin â'r Frenhines. Yr oedd y Dirprwy Siamberlin yn hen gyfarwydd ag uchelwyr Cymru a'u tras ond ymochelodd rhag gwenu na dangos unrhyw sen. Ymddangosai fod y Salesbury yma yn dweud y gwir ac nid yn rhaffu celwyddau. Rhai dauwynebog iawn, gyda mwy o ddychymyg nag o synnwyr, oedd ei gyd-genedl, yn nhyb y Dirprwy Siamberlin. Pam oedd yn rhaid iddo ef aros yn ddirprwy a'i bennaeth ef ei hun gymaint iau oni bai mai Vaughan oedd enw hwnnw? Yr oedd yn hen bryd torri cribau y Welsh bondigrybwyll. Daliasent lawer o'r swyddi gorau yn y gwasanaeth sifil ac yn y gyfraith ers tair cenhedlaeth, o swydd yr Ysgrifennydd Gwladol i lawr. Nid oedd fawr o werth iddo ef, fel gwas yn San Steffan, fod Awdurdodau Dinas Llundain wedi llwyddo i'w cadw allan o fyd masnach.

Gwenodd y Dirprwy yn glên a mynd i nôl amryw o restrau oddi ar fwrdd cyfagos. Dydd Llun, eglurodd, yr oedd dawnsfeydd, ac yn ôl y rhestr yr oedd—rhedodd ei fys i lawr y golofn enwau, Rowland, Rumsey, Salesbury— oedd, yr oedd gwahoddiad i John a Catrin Salesbury i'r Neuadd Wen i ddawns. Byddai'r Frenhines yn bresennol. Gallent fynychu'r adloniant gyda pherson gwadd ychwanegol bob un. Yr oedd y gwahoddedigion i gyrraedd o dri o'r gloch y pnawn, ymlaen. Wedyn, ddydd Mawrth, eto am dri yn y prynhawn, byddai masg gan Gwmni'r Arglwydd Siamberlin yn y Neuadd Wen, ac arhosed ef, oedd, yr oedd John a Catrin Salesbury wedi eu gwahodd. Ar y rhestr arall ymddangosai eu henwau unwaith yn rhagor, am un ar ddeg fore ddydd Mercher i gael eu cyflwyno i'w Mawrhydi mewn Cynulliad Brenhinol yn Neuadd San Steffan. Llywydd newydd Cyngor Cymru a'r Gororau, Syr Henry Sidney, a fyddai'n eu cyflwyno i'w Mawrhydi. Ni fyddai ond eisiau iddynt roddi eu henwau i'r stiward wrth y fynedfa ymhob man yn ystod y dathliadau i gyd ac ni ddylai unrhyw anhawster godi. Fe gâi John Salesbury fanylion pellach am yr Orymdaith Frenhinol o Lundain i San Steffan ddydd Sadwrn, yn nes ymlaen. Ymhyfrydai Swyddfa'r Arglwydd Siamberlin yn ei threfniadau manwl.

Diolchodd Salesbury i'r Dirprwy effeithlon yn llawen ac yn llawer mwy serchus na'i arfer. Teimlai ei fod yn cerdded yn rhyw ddimensiwn addas i'w statws ers cyrraedd i San Steffan. Yn lle mynd i chwilio am gwmni i yfed, fel yr oedd wedi hanner ei gynllunio yng nghefn ei feddwl ers gadael ei wraig a'i chwaer, penderfynodd ddychwelyd atynt i ddadlennu'r rhialtwch gwych a oedd o'u blaenau. Yr oedd yr ystafel, pan aeth John Salesbury i mewn iddi, fel stondin ffair yn union. Dilladau yn hongian ac yn gorwedd ym mhobman, a Catrin ac Elisabeth, a'r ddwy forwyn o Leweni, fel marsiandwyr yn eu canol.

'Tyrd i mewn. Mae dy ddillad di yr ochr yma,' cyfarchodd Elisabeth. 'O! ddaw'r crychau byth bythoedd allan o'r gwisgoedd hyn erbyn yfory,' cwynodd.

'Rho'r un sydd arnat ti ei heisie yfory wrth y tân,' cynghorodd Catrin.

'Rwy'n mynd. Does gen i ddim amynedd i fod yma,' meddai Salesbury. 'Cewch yr hanes eto.'

'Na, na!' gwaeddodd y ddwy ar ei ôl. 'Beth sy'n digwydd yfory? Ble fyddwn ni'n mynd?'

'Wn i ddim. Mae dawns ddydd Llun. Drwy'r dydd.

Y Neuadd Wen. Rwy'n mynd.' A chaeodd John Salesbury y drws arnynt yn hunanol, ar waethaf eu protestiadau. Fe chwiliaf am gwmni a gwin i'w yfed, meddyliodd.

Anelodd am y cyntedd yn ei ôl. Yr oedd gweld ei chwaer yng nghanol y dilladau wedi ei atgoffa am rywbeth. Ie, y gwahoddiad i Catrin ac yntau i fynd â dau arall yn gwmni i'r adloniadau gwahanol. Elisabeth fyddai un ohonynt, wrth gwrs, neu faddeuai ei fam byth iddo. Ond beth am yr ail? Mab fyddai ei angen i wneud pedwarawd. Gwelodd John Salesbury y byddai Huw Tudur yn cael gwahoddiad gan y merched oni fyddai'n wyliadwrus. Y peth gorau iddo'i wneud fyddai cael hyd i rywun heno ac estyn y gwahoddiad i hwnnw. Ni allai, fel gŵr bonheddig, dorri ei air i neb a dderbyniai'r gwahoddiad, waeth beth a ddywedai'r merched.

Aeth yn hwyr erbyn hyn a deuai sŵn rhialtwch o gyfeiriad y neuadd fawr lle cawsant fwyd yn gynharach. Trodd ei gamrau am yno. 'Cymar i Elisabeth yn lle Huw Tudur,' meddai wrtho'i hun. 'Ni ddylai hynny fod yn anodd iawn.'

Aeth John Salesbury i mewn i'r neuadd.

Pennod XVI

Digiodd Catrin ac Elisabeth yn enbyd wrth John Salesbury pan gawsant ar ddeall drannoeth sut drefniadau a wnaeth ar eu cyfer. Ni chyrhaeddodd ei ystafell hyd oriau mân y bore ar ôl noson o yfed. Pan glywodd y merched fore Sul am y ddawns fawr yn y Neuadd Wen, a'r masg, ac am y Cynulliad Brenhinol, yr oeddent wrth eu boddau, yn naturiol, ond gwrthodai Elisabeth siarad â'i brawd wedi deall beth arall a drefnodd.

'Ond ar ôl gwahodd Charles Neville, alla i ddim torri fy ngair yrŵan,' plediodd Salesbury.

'Ac rwyt yn dweud mai dim ond un ar bymtheg oed ydi o?' gofynnodd Catrin.

'Un ar bymtheg, dwy ar bymtheg, pa wahaniaeth?'

'Wel, mae gwahaniaeth gan Elisabeth, John. Pam na fyddet wedi aros i drafod y mater? Wyt ti wedi ei wahodd i bob achlysur fyddwn ni'n mynd iddo?'

'Do. Bydd y cysylltiad yn werthfawr inni. Wyt ti ddim yn deall, Catrin, pwy ydi Neville?'

'Eisie mwynhau ei hun yn y dawnsiau y mae dy chwaer, nid chware dy geme gwleidyddol di a dy fam.'

Am y tro cyntaf erioed, yn ei gwylltineb, beirniadodd Catrin gymhellion Siân Salsbri.

'Mab ac aer Iarll Westmorland ydi Neville. Fe fydd yn arglwydd neu'n iarll ei hun ryw ddydd ac mae o'n Babydd. Fe gaiff Gogledd Lloegr y llaw uchaf ar William Cecil a'i gynllunie yn y diwedd, medd ef. Efallai mai Mari Sgotland fydd ar yr orsedd. Fe ddâl i ni glosio at wŷr pwerus y Gogledd, Catrin.'

'Beth wyt ti wedi ei wneud yrŵan? Wyt ti ddim yn cofio rhybudd Syr Siôn yn erbyn siarad anghyfrifol? Beth oedd eich sgwrs chi'ch dau neithiwr ar ôl yr holl win yna? O! Duw a'n helpo! Pwy sydd wedi clywed dy siarad gwyllt di, tybed? Sôn am wleidyddiaeth! Dyma ni yn cael ein cyflwyno i'r Frenhines fore dydd Mercher gan neb llai na Llywydd Cyngor Cymru a dyma tithe wedi chware gwleidyddiaeth ddychmygol efo bachgen mewn gwin.'

Ni throdd Catrin erioed ar John Salesbury o'r blaen. Beth oedd yn digwydd iddi? Yr oedd bod yn ddi-serch yn magu rhyw galedwch a diffyg amynedd ynddi.

'Wahoddais i ddim ohono i'r Cynulliad Brenhinol, wraig,' cododd llais Salesbury. 'Dim ond i'r gwahanol adloniade. Fe fyddi yn dweud nesaf fy mod wedi gofyn iddo ddod i'r coroni hefyd.'

'Fydd hynny'n gwella dim ar annifyrrwch Elisabeth,' atebodd Catrin, gan fynnu ceisio cael y gair olaf.

'Edrychwch,' meddai Salesbury yn uchel, 'gallai'r bachgen yna gael mynediad i unrhyw lys yn y lle yma efo'r enw sydd ganddo. Mae'n sicr bod ganddo drwydded i'r cwbl sy'n mynd ymlaen o un pen i San Steffan i'r llall. Gwahoddais ef i gyfarfod ag Elisabeth, dyna'r cwbl,' gorffennodd ar dop ei lais.

'Does arna i ddim eisie siarad na dawnsio â phlantos,' meddai Elisabeth yn wyllt o'r ochr arall i'r ystafell, a rhedodd am ddrws ei hystafell a'i gau o'i hôl â chlep fawr.

'Merched Uffern!' gwaeddodd Salesbury. 'I beth y creodd y Bod Mawr nhw, wn i ddim.'

'Rwyt ti'n ddigon o'u hangen nhw ar adege,' edliwiodd Catrin.

'Beth wyt ti'n feddwl?' brathodd Salesbury.

'Strympedi Dimbech a Gwaunynog,' meddai hithau fel bollt.

'Dimbech a Gwaunynog?'

'Ie. Rwyt ti'n deall yn iawn. Mae morynion plas yn gwybod mwy na feddyliest erioed ac weithie maen nhw'n siarad yn rhy uchel. Dos i chwilio am gysuron strympedi Llundain, mae yna ddigon ohonyn nhw'n stelcian o gwmpas Sant Pawl. Efallai y gallen nhw ddysgu rhywbeth i ti. Mae'n rhaid mai rhai di-ddawn sydd gartre yng Nghymru, ac efalle byddaf inne'n ddigon ffortunus i gael hyd i ddyn gwirioneddol yn rhywle.'

'Ie, cer ynte, cyn iti oeri'n dalp o rew neu droi'n garreg.'

'A dyna'r cwbl wyt ti'n falio?'

'Ie. Y cwbl sy'n cyfrif ydi cael aer fydd yn berchen Plas Berain a'i diroedd yn ychwanegol at Leweni ei hun. Mae'n hen bryd i tithe adael dy blentyndod ar ôl a magu teulu a dysgu dy ddyletswydd fel pob gwraig.'

'A beth ydi dy ddyletswydd dithe, ysgwn i?'

'Diogelu'r enw Salesbury mewn unrhyw ddull a modd, ac rwy'n golygu unrhyw ddull. Anturio, cynllwynio, dychryn, bygwth a noddi. Mae'n rhestr hir ac mae'r cwbl yn adio, fel symie dy gowntie ariannol gartre, i un peth— yr enw Salesbury. Bydd dy fywyd yn llawer hwylusach i ti y foment y derbynni di'r gwirionedd yna. Dyna paham yr yden ni yn San Steffan heddiw, dyna paham y dychwelaf yma ryw ddydd i Ysbyty'r Gyfraith.'

'A dyna paham yr yden ni'n briod,' meddai Catrin.

'Wrth gwrs. Paid â bod mor wirion. Fydd dim newid ar hynny.'

Aeth John Salesbury allan o'r siambr a'i gadael ei hunan. Eisteddodd Catrin yn blwmp ar gadair fawr y siambr gysgu yn ymladd â'i dagrau fel y gwnaeth droeon o'r blaen. Bu'n pendroni'n hir. Fe wyddai ers blynyddoedd wirionedd bopeth a ddywedodd ei gŵr yn ei dymer, ond nid hyd y foment hon y gorfodwyd iddi dderbyn y ffaith a symud y gwirionedd o'i deall, fel petai, a'i dderbyn yn ei chalon. Yr oedd yn trywanu'r balchder ac yn briwio'r galon mewn ffordd newydd a hallt. Bu'n ei thwyllo ei hunan mai hi oedd yn rheoli ei bywyd a bod ei charwriaeth ddirgel fel rhyw ail balas i ddianc iddo pan ddymunai. Gwelai nad palas oedd ganddi ond twll mewn craig yng Nghefn Meiriadog a dyna i gyd. Nid oedd yn rheoli dim ar ei bywyd ei hun. Pyped oedd hi yn Sioe Lleweni. Yr unig newid a fu oedd bod Dâm Siân wedi trosglwyddo'r llinynnau i ddwylo ei mab. Yr oedd hithau'n ddisgynnydd o lwynau'r Brenin Harri VII ac yn bodloni ar adegau prin i Huw Tudur gymryd yr awenau, yn lle'r perchennog John Salesbury. Oni fyddai'n brafiach gallu troi rhan o'r llif i'w melin ei hun? Derbyn y sefyllfa y rhoddwyd hi ynddo gan ei thad a Dâm Siân Salsbri, cadw ei hunan-barch a chwarae ei rhan yn fwy bodlon fel uchelwraig. Gallai roddi aer i John Salesbury a helpu i'w ddyrchafu, mwynhau ei harhosiad yn San Steffan a pharhau ei charwriaeth â Huw Tudur yn lle gweld y cwbl fel amodau creulon a oedd yn ei llywio a'i gwasgu.

'Fe gaf weld,' meddai wrthi ei hun. 'Fe gaf weld ar ôl cael amser i ystyried rhagor. Yrŵan, Catrin Salesbury, cer i gysuro Elisabeth ac anghofia dy hun ychydig. Paid â bod mor blentynnaidd ddifrifol. Chei di ddim dod i blasau San Steffan yn aml iawn, felly mwstra i fod yn llawen.'

Pan aeth Catrin i mewn at Elisabeth yr oedd yn edrych ac yn teimlo'n debycach i'r ferch ysgafngalon honno a farchogai'n chwim hyd lawr Dyffryn Clwyd a'i gwallt yn y gwynt, ond gyda hyn o wahaniaeth—yr oedd yn ymwybodol ei bod rywfodd yn dewis ei hymagweddiad at fywyd drwy rym ewyllys, lle gynt y bu'n ymddwyn yn reddfol naturiol. Yr oedd Catrin o leiaf wedi croesi'r trothwy i fyd realiti gwraig uchelwr.

Er nad oedd hi ddim wedi maddau o gwbl i John Salesbury am drefnu cwmni ar gyfer Elisabeth i'r ddawns drannoeth, eto ceisiodd ei darbwyllo.

'Fe fydd y ddawns yn parhau am orie a phob math o

gwmni yno. Does wybod pwy fydd y Neville yma yn gallu eu cyflwyno inni.'

'Wyt ti'n meddwl?' gofynnodd Elisabeth gan geisio cuddio'i dagrau.

'Ni fydd disgwyl inni gadw at ein gilydd, siawns, yr holl amser. Ac er fy mod i'n ddig wrth John, fel tithe, mae'n sicr fod gan yr enw Neville fynediad i'r adloniade i gyd, pa 'run bynnag, fel y dywedodd.'

'Ie, efalle dy fod yn iawn. Ond beth am dy dad a Huw Tudur? Maen nhw wedi bod mor garedig yn teithio i lawr efo ni. Fe ddylasen nhw gael ymuno yn y rhialtwch hefyd.'

'Fe drefnwn ni rywbeth ar eu cyfer. Paid â phoeni. Tyrd, yrŵan, a gorffen osod dy wallt. Fe anfonwn ni negesydd i chwilio amdanyn nhw ac fe gân nhw ein tywys o gwmpas Sant Siâms. Mae'r tywydd yn well heddiw. Nid yw mor oer.'

Llonnodd Elisabeth ryw gymaint a chytunodd â'r trefniadau. A chyn pen yr awr yr oedd Tudur ap Robert a Huw Tudur yn eu cwmni. Yr oedd awydd ar y merched i fynd i'r offeren yn y Capel Brenhinol ond yr oeddent yn rhy hwyr ar gyfer hynny.

'Fe gewch gymuno digon cyn mynd oddi yma. Na hidiwch,' meddai ap Robert.

'A glywsoch chi hanes yr Offeren Dydd Nadolig yn Westminster?' gofynnodd Huw Tudur.

'Naddo. Beth ddigwyddodd?' holodd Elisabeth.

'Siôn Tudur oedd yn adrodd yr hanes y bore yma.'

'A! rwyt ti wedi cyfarfod â'th frawd yn barod, Huw Tudur?' llawenychodd Catrin.

'Do. Fo sy'n gyfrifol am y Gard yn Sant Siâms hyd y coroni. Dweud yr oedd fod y Frenhines Elizabeth a'i llys wedi mynd i'r offeren yn Eglwys Gadeiriol San Steffan fore'r Nadolig. Derbyniwyd hi ym mhorth yr eglwys gan y canoniaid a thapre ynghynn yn eu dwylo. "Put out those tapers. We have enough light," medde'r Frenhines, a gorchmynnodd yr esgob nad oedd i ddyrchafu'r bara cysegredig yn yr offeren. Pan wnaeth o hynny yn erbyn ei hewyllys fe gododdd Elizabeth ar ei thraed. "Methought this place was Westminster not Rome," medde hi, a cherddodd allan o'r eglwys.'

'Mae'n anodd credu,' meddai Catrin.

'Mae'n wir bob gair,' atebodd Huw, 'ond fe glywais fod William Cecil yn flin fel cath pan gafodd wybod am y digwyddiad.'

'Gobeithio y gall ddarbwyllo Elizabeth Tudur, ddywedaf i. Mae hi'n ormod o ferch ei thad,' sylwodd Catrin.

'Wel, oni all Cecil wneud, efalle y gall Robert Dudley. Mae o efo hi ym mhobman mae hi'n mynd. Mae yna si yn y llysoedd hyn mai efô fydd ei gŵr hi.'

'Huw Tudur, rwyt ti'n mynd i swnio yn debyg iawn i fy mam,' cyhuddodd Elisabeth. 'Ers pa bryd mae milwyr y Gard yn lledaenu straeon ar hyd ac ar led?'

Cerddasant ill pedwar o Balas Sant Siâms drwy'r parc i gyfeiriad y Strand. Crwydrai llawer fel hwythau i fwynhau Sul derbyniol o braf yng nghanol gaeaf. Mwynhaodd y merched edrych ar y gwisgoedd lliwgar, yn enwedig ar liwiau a defnyddiau di-rif y dynion gyda'u pluf a'u hetiau, eu dwbledi a'u clogynnau a'u hosanau mewn pob lliw dan haul. Yr oeddynt fel haid o geiliogod o bob rhyw yn torsythu mewn cystadleuaeth â'i gilydd. Gwelsant nifer wrthi'n chwarae bowliau a *paille-maille* ar lawntiau bychain. Dynion yn unig a oedd wrth y bowliau, ond chwaraeai llawn cymaint o foneddigesau y gêm arall gan nad oedd yn rhaid plygu i lawr i chwarae. Yr oedd yn hollol hawdd chwarae yn y sgertiau *farthingale* oherwydd defnyddid morthwyl pren hirgoes ar gyfer taro'r bêl drwy'r targedi. Ni welsai Catrin ac Elisabeth y chwarae arbennig hwn o'r blaen a buasent wedi mwynhau ei wylio'n llawer gwell nag ymladd ceiliogod, ond mynnai'r dynion eu bod i gyd yn prysuro i'r Cockspur ger Eglwys Sant Martin i weld y *Welsh Main*.

Clywent y sŵn o'r Cockspur ymhell cyn ei gyrraedd. Dechreuasai'r *Main*, yr oedd yn amlwg, a barnu oddi wrth y banllefau uchel. Safai pobl o gwmpas yr adeilad penagored lle cynhelid yr ymladd, a phawb wrthi ar dop ei lais yn dadlau, sgwrsio, begera neu fargeinio, a'r bonheddig a'r tlodion yn gymysg blith draphlith â'i gilydd. O'r tu mewn i'r muriau pren uchel y deuai'r bloeddio a glywsant o bell. Ar adegau mwy tawel clywid sgwâc a sgrech yr adar milain yn rhwygo'i gilydd.

'Allwn ni byth fynd i mewn, Nhad. Mae'r lle'n orlawn,' meddai Catrin yn obeithiol.

Gwelsai ymladd ceiliogod laweroedd o weithiau ar y Green gartref yn Ninbych ac ni lwyddodd erioed i weld sbort yr arferiad, yn enwedig y dull Cymreig o'i gynnal, a dull Cymru oedd yr ornest heddiw yn ôl ei thad. Aethai Huw at ddrws y palis mawr pren a amgylchynai'r cylch ymladd i holi ble safai'r ornest ar y pryd ac i weld pa obaith oedd yna o gael i mewn. Daliai amryw o'r dynion a safai o gwmpas, fasgedi yn cynnwys eu ceiliogod. Gosodasant hwy, a'r rhan fwyaf o'r gwylwyr, symiau o arian yn erbyn enw da eu hadar. Yr oedd yn ddigon hawdd adnabod y gwahanol dderbynwyr betiau gan eu bod yn galw enwau'r adar enwocaf yn uchel – enwau fel Lincoln Lad, Tudur Monarch ac Essex Wonder. Yn y *Welsh Main* dosberthid y ceiliogod yn barau ar gyfer ymladd a chedwid yr enillydd bob tro ar gyfer rownd bellach yn erbyn enillydd arall nes gorffen yn y diwedd efo un pâr. Byddai'r ddau geiliog olaf wedi lladd cymaint â phedwar ceiliog arall, efallai, i gyrraedd y rownd derfynol. Golygai hyn eu bod yn aml wedi eu hanafu yn farbaraidd cyn dechrau ar yr ornest olaf. Byddai eu pennau yn doredig ac yn waed i gyd erbyn hynny ac nid oedd yn anghyffredin i un, onid y ddau, fod heb lygad. Ar adegau ymladdai ceiliog oedd yn gwbl ddall ac ni fyddai ond offrwm i'w wrthwynebydd yn y diwedd.

Ni chadwodd Syr Siôn Salsbri erioed geiliog ymladd hyd y gwyddai Catrin, ond yr oedd amryw ar gael gan wahanol weision yn Lleweni. Gwyddai am yr holl ofal ac ymarfer a pharatoi a olygai cadw ceiliog ymladd. Dygai'r gweision fara gwyn o gegin Lleweni ac aent yn unswydd i Ffynnon Cil Llwyn yr ochr draw i afon Clwyd i nôl dŵr yfed i'r ceiliog. Credent yn rhinwedd y dŵr hwnnw. Cymysgent flawd gwenith a cheirch mewn cwrw i wneud past maethlon a chaent y bai am ddwyn ymenyn ac wyau hyd yn oed o'r ceginau ar gyfer eu pencampwyr. Maeth heb ormod o fwyd trwm oedd y nod. Plagient y gof byth a hefyd i wneud y sbardunau miniog o ryw hyd neu siâp arbennig.

Ni faliai Catrin gymaint am yr ymarfer a wneid gyda'r ceiliogod oherwydd gosodai'r gweision gwcwll am gribau'r adar a myfflau lledr am eu sbardunau naturiol rhag iddynt allu anafu ei gilydd wrth ymarfer. Yn wir, yr oedd tacteg a symudiadau amrywiol ceiliog ymladd yn werth ei weld. Wedi cael gweld ei wrthwynebydd cyhoeddai'r ceiliog ei sialens ar utgorn uchel ei lais a safai ar flaenau ei draed gan chwifio'i ben i arddangos ei grib writgoch fel marchog yn dyrchafu baner mewn twrnameint. Cuddiai'r cwcwll y grib herfeiddiol mewn gwirionedd. Lledai ei adenydd cwta dro ar ôl tro a chodai a gostyngai ei gorff fel pe byddai'n ystwytho ei aelodau yn debyg i greadur o ddyn cyn ymaflyd codwm. Yr oedd y sialens hon gan geiliog mawr milain yn un o'r pethau mwyaf gwrywaidd ym myd y creaduriaid. O'r foment y gollyngid ef i ymladd ni chanai wedyn nes ennill y fuddugoliaeth, ond grwniai'n ffyrnig yn ei wddf fel pe byddai'n bygwth pob math o erchylltra i'w elyn.

Dychwelodd Huw Tudur o'r fynedfa i'r cylch swnllyd at ei gyfeillion i roddi adroddiad iddynt.

'Mae'r rownd gyntaf bron ar ben. Fe ddaw llawer allan o'r pit wedyn ac fe gawn ninne gyfle i fynd i mewn.'

'I'r dim,' meddai ap Robert. 'Mae misoedd ers pan weles i ornest. Rwy'n disgwyl ei fwynhau'n arw. Waeth inni roi ychydig sylltau ar y Tudor Monarch yma. Mae o'n un o'r ffefrynnau ac mae'n rhaid imi gefnogi fy enw fy hun, on'd oes?'

Tynnodd Catrin anadl hir a'i gollwng. 'Un rownd ac un rownd yn unig. Fydda i ddim yn medru gwylio dim ar honno chwaith, mi wn,' meddai hi.

'O! paid â bod mor fisi, Catrin,' ceryddodd Elisabeth heb ronyn o gydymdeimlad. 'Mae'n gyffrous iawn.'

'Ond does dim help gen i,' plediodd Catrin.

Newidiodd y dorf y tu mewn i'r pit ei thôn. Trodd y gweiddi'n siarad a chwerthin a dechreuodd llawer ohonynt ddod allan drwy'r drysau. Talwyd grôt yr un i fynd i mewn. Yr oedd hyn yn grocbris i'w roi ond yr oedd y perchnogion yn elwa oddi ar y ffaith fod cannoedd o ddieithriaid wedi dod i Lundain a San Steffan ar gyfer y dathliadau. Gwnaethai perchnogion y cylchau ymladd teirw ac eirth yr un peth yn Southwark dros y coroni.

Cafodd ap Robert le i bedwar yn yr ail reng o'r blaen.

'Oni bai fod y pris mor uchel ni fyddai mor gysurus yma. Does dim llawer o werinwyr drewllyd o gwmpas o ganlyniad,' meddai.

Gwerinwyr trefol a olygai ap Robert wrth ei sylw sarhaus, nid gwerin bobl fel y cyfryw. Ceisiodd Catrin ymddiddori yn wynebau a dilladau'r bobl a eisteddai o gwmpas y cylch ymladd. Llyfnai dau was y llwch llif trwchus ar waelod y cylch â chribiniau ar gyfer y rownd nesaf. Gwasgai amryw o'r dorf eu ffordd rhwng eu cydwylwyr yn ôl ac ymlaen at y derbynwyr betiau a safai o amgylch y cylch i gymryd arian. Aeth Tudur ap Robert yn un. Yr oedd llawn cymaint o fetio yn digwydd rhwng unigolion a'i gilydd.

Teimlai Catrin yn llawer oerach o orfod eistedd. Bu'n ddiwrnod digon braf i gerdded, ond gaeaf oedd hi wedi'r cyfan. Daeth bloedd gan y dorf a dychrynwyd hi gan ei sydynrwydd.

'Dyma nhw,' meddai Huw Tudur yn eiddgar wrth ei hochr. 'Yrŵan am yr hwyl.'

Ymddangosodd rhyw fath o farsial mewn gwisg liwgar ysgarlad budr yr olwg, o ddrws llai, gyferbyn â'r brif fynedfa. Dilynai pedwar dyn arall ef yn cludo dau gawell. Cododd y marsial ei freichiau am ddistawrwydd a chyhoeddodd yr enwau—Irish Fury a Tudor Monarch. Daeth banllef arall pan gerddodd perchnogion yr adar i sefyll ar ymyl y cylch gyferbyn â'i gilydd, a dechrau agor y cewyll. Tynnwyd y ceiliogod mawr allan.

'Mae'r Gwyddel yna yn tynnu am ddeg pwys,' meddai ap Robert. 'Rhy drwm o lawer.'

'Ydi,' cytunodd Huw. 'Os medr y du yma gadw o'i ffordd rhag mynd odano fe ddylai fod yn gyflymach nag o.'

Tynnwyd y mygydau oddi ar bennau y ddau a gwelodd Catrin fod eu cribau wedi eu torri'n greulon o gwta. Daliai un dyn yr adar tra gosodai'r llall y sbardunau hirfain bwaog ar figyrnau'r adar. Paratoai'r ddau bâr y ceiliogod a'u cefnau at ei gilydd ond fe wyddai'r adar mai ymladd oedd eu rhan a chanodd un ac wedyn y llall yn uchel a chryf nes tynnu banllef arall o'r dorf a wasgai amdanynt o bob tu. Safai'r marsial aflêr yn y cylch a'i freichiau fry, a phan glapiodd ei ddwylo ynghyd uwch ei ben camodd yn ôl a gollyngodd y perchnogion eu hadar yn rhydd un bob pen i'r cylch.

Llygadodd yr Irish Fury coch a'r Tudor Monarch du ei gilydd gan droi eu pennau o'r naill du i'r llall. Ysgydwyd adenydd cwta a daeth y ddau i lawr o'r cantel isel i'r llwch llif ar lawr y cylch. Cwrcydiodd y ceiliogod yn isel ac wedyn codasant yn uchel ar eu traed bob yn ail. Closiodd y ddau at ei gilydd a'u gyddfau cryf yn dartio'n igam ogam wrth chwilio am eu cyfle i bigo neu i drywanu â'r sbardunau hyll. Trodd Catrin ei phen i ffwrdd i edrych o'i chwmpas ar wynebau'r bobl. Gwelai bawb wedi eu dal a'u llygaid yn hoeliedig ar yr ysgarmes. Yr oedd rhyw hanner gwên ar rai wynebau, cegau eraill wedi eu sgriwio yn dynn gan eiddgarwch, a llawer yn gweiddi enwau'r adar ar dop eu lleisiau: 'Tear him up, Monarch!' a 'Get at him Irish!' ac yn y blaen.

Daeth gwaedd uwch oddi wrth y dorf a sgrechfeydd oddi wrth yr adar. Bu'n rhaid i Catrin edrych, a gwelai'r ceiliog coch yn sgrialu ar ôl y du a phlu ym mhobman wrth i'r nodwyddau dur wneud eu hanfadwaith. Rhaid fod blaen pig neu sbardun y du wedi trywanu llygad y Gwyddel achos ymwahanasant a gwelid y llygad yn hongian allan o'i ben. Trodd Catrin ei phen i ffwrdd eto ac am bum munud arall bu'n troi y ffordd hyn a'r ffordd acw rhag gwylio'r ymladd. Troes y gweiddi yn siant erbyn hyn. 'Strike, strike, strike, strike . . .' a chiledrychodd Catrin i'r cylch. Gwelai'r Tudor Monarch ar gefn y llall a sylweddolodd mai cyfeiliant i drawiadau angheuol sodlau dur y ceiliog du oedd y siant. Gwnaeth y coch un ymdrech fawr reddfol i godi, ond yr oedd ei ben yn llifrïau a thrwy drugaredd bu farw. Clochdarddodd y Tudor Monarch uwchben y gelain a bloeddiodd y dorf wedi ei phlesio gan fuddugoliaeth waedlyd.

Yr oedd saith ysgarmes arall i ddilyn yn y rownd hon a pharatôdd Catrin i eistedd yn amyneddgar drwyddynt a cheisio peidio â meddwl yn rhy fanwl am fanylion y digwyddiadau. Sut oedd merched yn gallu mwynhau cymaint â dynion, ni wyddai. Yr oedd un o bob pedwar o'r gynulleidfa yn ferch, ond mai ychydig ohonynt oedd yn ferched gwir fonheddig. Dilynwyr dynion oedd cyfran helaeth ohonynt er na ellid dweud hynny'n hawdd gan eu bod yn hardd at ei gilydd ac yn drwsiadus. Merched a allai obeithio tynnu sylw y mawrion oedd y rhain ac nid eu chwiorydd llai ffortunus a stelciai o gwmpas strydoedd a thafarnau dinas Llundain. Dros dro, beth bynnag, perchnogent y teitl 'meistres' a chynhelid hwy gan yr aelodau seneddol a'r cwrtwyr na arferai ddod â'u gwragedd i gyd-fwy â hwy yn y llysoedd brenhinol a chyfreithiol. Sylwodd Catrin ar dwr o foneddigion tu hwnt o osgeiddig a chyfoethog eu gwisg, ychydig ar y chwith iddi. Yr oedd y talaf ohonynt yn benuchel iawn a'i wisg o felfed du wedi ei thrimio ag arian. Sylwasai yn gynharach ei fod yn ei llygadu. Ychwanegid at ei flaenoriaeth amlwg yn y cwmni gan y sylw parhaus a roddid iddo gan y lleill o'i gwmpas. Clywodd Catrin ef yn dweud rhywbeth am 'the one with the bonny eye' wrth y gweddill.

Pan gafodd gyfle trodd i ofyn i Huw Tudur pwy oedd y gŵr bonheddig blaenllaw i fyny ar y chwith.

'Yr un tal, uchel ei gloch wyt ti'n olygu?'

'Ie, yr un mewn du,' eglurodd Catrin.

'Robert Dudley. Ffefryn y Frenhines. Dyna beth rhyfedd ei fod o yma o gwbl. Hwnyna sy'n ei dilyn hi fel cysgod. Mae hi wedi ei ddyrchafu yn Feistr y Meirch yn barod ac yn aelod o'r Cyfrin Gyngor. Mae Cecil o'i go' ynglŷn â'r cwbl.'

'Yr Arglwydd Robert Dudley, ai ie?' synfyfyriodd Catrin. Byddai'n ddiddorol cael ei gyfarfod. Nid oedd ryfedd fod Elizabeth Tudor wedi colli ei phen gydag ef. Byddai'n hyfryd o gyffrous i gystadlu â brenhines. Edrychodd Catrin i'w gyfeiriad eto. Oedd, yr oedd yn ei gwylio eto. Moesymgrymodd iddi ac ni allai lai na gwenu'n ôl. Diddorol iawn fyddai ei gyfarfod yn y ddawns yfory. Ymwrolodd Catrin o Ferain i wylio gweddill yr ymladd ceiliogod.

Pennod XVII

Daeth bore Llun a safai Huw Tudur yng nghwrt Palas Sant Siâms ar ei ben ei hun ac yn benisel at hynny. Roedd Siôn Tudur yn gaeth i'w ddyletswyddau gyda'r Gard, ac aethai Tudur ap Robert i mewn i Lundain i ymweld â hen gyfeillion ac i ddanfon nifer o lythyrau o Ddyffryn Clwyd i wahanol deuluoedd yn y ddinas. Esgusododd Huw ei hun rhag mynd yn gwmni iddo yn y gobaith y gallai weld Catrin Salesbury. Ni fu cyfle hwylus i drefnu oed â hi a digalonnai Huw pan gofiai am yr holl achlysuron a fyddai'n dwyn ei hamser hi bob dydd, hyd ddydd Iau neu ddydd Gwener beth bynnag. Byddai dawns heddiw, masg yfory a'r Cynulliad Brenhinol drennydd. Cawsai ap Robert ac yntau lety erbyn hyn yn y Members Arms heb fod ymhell o Neuadd San Steffan. Gwesty o safon pur uchel oedd hwn a wasanaethai fel llety i'r aelodau pan eisteddai'r Senedd, ac yr oedd y ddau yn ffortunus i gael lle ynddo ar fyr rybudd oherwydd prysurdeb y brifddinas ar y pryd.

Cerddasai Huw oddi yno heddiw ac ar y foment yr oedd mewn cyfyng-gyngor pa 'run ai mynd i mewn i'r palas oedd orau iddo i chwilio am y Salsbriaid, ynteu beth? Yr oedd mewn penbleth arall mwy annelwig o'r hanner. Er bod anhawster trefnu oed â Catrin, eto teimlai Huw Tudur fod yna ryw wahaniaeth yn rhywle yn eu perthynas â'i gilydd. Beth oedd hyn ni allai ddweud yn hollol. Efallai mai cyffro dod i barthau Llundain a gyfrifai amdano ond rywsut rywfodd yr oedd Catrin yn fwy siaradus naturiol gydag ef yng nghwmni pobl eraill. Cyn hyn, yr oedd yna ryw elfen o dyndra rhyngddynt pan oeddynt yng ngŵydd eraill oherwydd eu cyfrinach. Dywedid yn aml mai dim ond merched yn unig a allai synhwyro newid bychan yn ymddygiad person ond yr oedd Huw bron yn sicr ei fod yn profi rhyw wahaniaeth. Cysurodd ei hun mai cyfuniad o gyffro'r dathliadau brenhinol, a'r ffaith na fu Catrin ac yntau gyda'i gilydd ers wythnosau, a gyfrifai am y cyfan, a chaniatáu bod sail i'w amheuon.

Wrth edrych o'i amgylch meddyliodd ei fod yn adnabod y gŵr ieuanc a oedd newydd gerdded i mewn drwy'r porth i gwrt y palas, a phan anelodd y gŵr bonheddig tuag ato gyda'r bwriad amlwg o'i gyfarch, fe gofiodd pwy ydoedd.

'Meistr Huw Tudur, onid e? Wyt ti'n fy nghofio i? Owen Brereton ydi'r enw.'

'Wrth gwrs, y daith o Amwythig ddechre'r haf llynedd,' atebodd Huw yn ddigon cwrtais, achos y gwir oedd fod Brereton yr adeg honno wedi dilyn esiampl John Salesbury a'i anwybyddu ar y daith, i bob pwrpas. Dangosodd geiriau nesaf Brereton ieuanc mai eisiau cymorth oedd arno ac efallai mai dyna paham yr oedd mor glên.

'Rwyf wedi cael ar ddeall fod John a Catrin Salesbury ac Elisabeth yn aros yma yn Sant Siâms. Tybed a allet ti fy nghyfarwyddo? Rwy'n credu y bydden nhw'n falch o'm gweld.'

'Ar bob cyfrif. Y ffordd hon, Meistr Brereton. Maen nhw yma ers nos Sadwrn a heb fynd allan i unlle eto, hyd y gwn i. Maen nhw'n mynd i'r Neuadd Wen i Ddawns Frenhinol brynhawn heddiw,' eglurodd Huw yn gyfeillgar.

Os gallai Brereton ei ddefnyddio ef yna fe ddefnyddiai yntau Brereton. Dyma esgus bendigedig i gael mynd at Catrin y bore hwn. Arweiniodd Huw y gŵr o Gaergyrle i mewn i gyntedd derbyn y palas a gofynnodd am was i'w hebrwng i ystafelloedd teulu Salesbury. Ni allai Huw beidio â theimlo rhyw oruchafiaeth ar Brereton oherwydd ei fod yn gyfarwydd â'r llysoedd a'u harferion. Mae arna i ofn fy mod yn syrthio i'r un bai ag uchelwyr Cymru i gyd wrth ymfalchïo yn y fân wybodaeth yma am y llysoedd, meddyliodd Huw, wrth ddilyn y stiward bach drwy'r plas. Fyddai Siôn ddim yn fy nghanmol.

Cafodd Owen Brereton groeso brwd gan John Salesbury ac aethant drwy rigmarôl rhyw gân Ladin am ragorfraint Ysgol Winchester ar bob ysgol arall. Ni chafodd Huw ei draed dano o gwbl. Bu'n rhaid i'r merched ddiolch iddo am ei gymwynas.

'Ble gefaist ti a fy nhad le i aros, Huw Tudur?' holodd Catrin. 'Roeddwn yn anniddig eich bod yn y barics eich dau.'

'Lle ardderchog mewn cyrraedd hwylus i Neuadd San Steffan, yn y Members Arms,' eglurodd Huw.

Tynnai Brereton sylw John Salesbury ac Elisabeth oddi ar Huw ond meddai Catrin, 'Y Members Arms? Fe gofiaf yr enw,' ac edrychodd yn syth i'w lygaid gan ychwanegu, 'Efalle y gallwn ni giniawa yno yn nes ymlaen. Tua nos Iau? Fe drefnwn rywbeth,' meddai hi'n rhwydd.

Ni hoffai Huw ei rhwyddineb agored wrth sôn am gyfarfyddiad. Yr oedd yn llawer rhy sicr ohoni ei hun. Ni swniai'n debyg i oed o gwbl. Ynte, a oedd hi'n ymddwyn yn hynod o glyfar dan amodau caeth y sgwrs bresennol yng nghlyw eraill?

'Fe wn i beth,' meddai hi wedyn. 'Bydd Elisabeth a minne am weld dillade yn siope Llunden, cyn yr Orymdaith Frenhinol ddydd Sadwrn. Tybed a fyddai fy nhad a thithe'n fodlon ein hebrwng yn y ddinas? Gallem ymuno â chi wedyn yn y Members Arms.'

Bu'n rhaid i Huw adael, ond o leiaf ymadawai'n fwy gobeithiol nag yr oedd pan ddaeth i mewn. Llwyddodd yn hollol fonheddig i fynegi ei obeithion y mwynheai pawb ohonynt y ddawns weddill y dydd.

Pan drodd Catrin at y tri arall deallodd mai trefnu yr oeddynt i gael Owen Brereton i gadw cwmni iddynt y prynhawn.

'Fydd Neville ddim yn dibynnu arnom ni,' meddai Salesbury. 'Gallwn gyfarfod ag ef yno yr un fath.'

Er cymaint o fyw bonheddig a brofodd Catrin ac Elisabeth hyd yma, ni welsant erioed y fath ysblander ag oedd yn y Neuadd Wen pan gyraeddasant ganol y pnawn. Safai ugeiniau o'r Gard brenhinol lliwgar yn gyson o amgylch y neuaddau allanol a'r Neuadd Fawr, a chymaint ddwywaith o weision a stiwardiaid mewn liferi o'r naill du, ac eto'n barod at wasanaeth unrhyw un o'r dyrfa boneddigion.

Cyhoeddwyd enwau'r Salsbriaid yn y cyntedd derbyn a chyflwynwyd hwy i Arglwydd Siamberlin y Frenhines, a derbyniodd yntau hwy yn ei henw. Arweiniwyd hwy drwy ail siambr i'r Brif Neuadd. Dechreuasai'r ddawns cyn iddynt gyrraedd ac ymddangosai'r neuadd yn llawn yn barod. Yr oedd un ddawns newydd orffen, mae'n amlwg, oherwydd safai llawer o'r gwahoddedigion ym mhobman ar hyd ac ar led y llawr agored. Llenwid ochrau'r ystafell yn ogystal â dynion a merched mewn gwisgoedd o bob lliw a llun. Arweiniodd John Salesbury y cwmni i lawr i'r chwith ychydig, lle nad oedd mor dynn o ran pobl.

'Edrych ar y dynion oedrannus, Catrin,' sylwodd Elisabeth. 'Mae hyd yn oed gyfran dda ohonyn nhw yn cystadlu â lliwie y gwŷr ieuanc.'

Yr oedd yn berffaith wir. Gwelent ysgarlad a glas a phorffor gan nifer ohonynt er bod eu gwalltiau yn wynion. Nid oedd angen na sgwrs na dawnsio i ddiddanu'r amser achos yr amrywiaeth pobl ysblennydd ymhob cyfeiriad. Ni theimlai'r ddwy ferch o Ddyffryn Clwyd eu bod hanner digon ffasiynol ond fe gaent gyfle i gywiro hynny cyn diwedd yr wythnos.

'Rhaid inni gael capie efo las arnyn nhw a gwisgoedd sy'n dangos mwy ar yr iswisg,' sisialodd Elisabeth.

'Mae'n llewyse yn anghywir hefyd,' atebodd Catrin, 'ac

edrych ar fodis y gwnie, mor isel ydi rhai'r merched ieuenga.'

Cychwynnwyd ar ddawns o'r newydd. Dawns osgeiddig ac araf y *Pavane*. Nid oedd yn anodd o gwbl ond yr oedd yn amlwg fod yn rhaid wrth urddas arbennig. Gwyliodd Catrin y camau'n ofalus. Dau gam ymlaen a dau yn ôl oddi wrth y cymar. Dychmygai y gallai ei dawnsio yn gymharol lwyddiannus yn nes ymlaen. Mewn gwirionedd yr oedd llawn mwy o angen i'r dynion fod yn osgeiddig na'r merched gan fod cymaint o'u coesau yn y golwg a lliwiau llachar eu hosanau yn tynnu mwy o sylw fyth at eu camau.

Aeth yr amser yn gyflym wrth wylio dawns ar ôl dawns —y *Galliard* bywiog a'r *Coranto* sbonclyd. Edrychodd Catrin ac Elisabeth ar ei gilydd mewn syndod pan welsant neidiadau uchel y dynion yn nawns y *Volte*. Codent y merched i fyny hefyd mewn ffordd ddigywilydd a ddangosai eu hesgidiau a'u fferau i bawb. Nid oedd neb yn dawnsio'r jigiau a'r *Dumps* a'r *Hey* a welsant yn Llundain cyn hyn ac nid oedd bagbib na drymiau yn y gerddorfa mwyach. Swniai'r miwsig yn fwy melodaidd o'r hanner oherwydd mai'r liwt a'r fiol a'r pibau yn unig a chwaraeid.

Cawsant fwyd mewn awr neu ddwy mewn siamberi cyfagos cyn iddynt fod wedi dawnsio eu hunain o gwbl. Bwriadent fentro i'r llawr y tro nesaf y byddai'r *Pavane* a'r *Coranto* yn cael eu dawnsio.

'Mae'r ddwy yn hollol rwydd,' broliodd John Salesbury wrth ei gyfaill Brereton. 'Fe hoffwn i ti gyfarfod â Charles Neville. Fe gefais gip arno yn gynharach yr ochr draw i'r neuadd. Ysgwn i ydi o'n bwyta wrth un o'r byrdde hyn?'

Ar eu traed y bwyteai bron bawb a ddewisodd, fel hwythau, i ddod at y bwyd yr adeg yma. Oni bai fod y prydau ym Mhalas Sant Siâms mor wych byddai'r bwyd presennol wedi achosi llawer o syndod, meddyliai Catrin.

Ni allai faddau i'r bwydydd melys. Yr oedd cymaint o ddewis yno. Ni holai yr un ohonynt faint tybed a gostiai yr holl wleddoedd a'r paratoadau drudfawr eraill i bwrs y wlad. Yr oedd yr ysblander afrad ym mhob man o heddiw hyd y coroni yn rhan annatod o gyfriniaeth a mawredd brenhiniaeth. Heb barchedig ofn a mawrhydi diffygiai cred gwrêng a bonedd ac ni fyddai llywodraeth yn bosibl, a heb lywodraeth ni fyddai gwladwriaeth yn bod. Disgwyliai'r werin bobl yr un safon bron iawn gan eu boneddigion. Dyletswydd y Frenhines, a'r uchelwyr mawr a mân, oedd cynnal awyrgylch o fawredd o'u cwmpas. Yr oedd y Cymry bron iawn wedi anghofio sut i ymfalchïo mewn unbeniaeth brenin neu dywysog hyd nes iddynt lwyddo i osod un ohonynt eu hunain ar orsedd San Steffan wedi Brwydr Maes Bosworth. Nid oedd dwywaith yn eu meddwl nad buddugoliaeth Gymreig oedd honno a'u teidiau wedi tywallt eu gwaed ar y maes hwnnw er mwyn trechu Brenin Lloegr a dadwneud yr hen hualau Seisnig a'u caethiwai. Yr oedd pob hawl gan Elizabeth Tudur i fod yn hael ar bwrs y wlad.

Dychwelodd y Salsbriaid a Brereton i'r Neuadd Fawr wedi eu harfogi o'r newydd â danteithion a gwin y llys. Disgwylient am y cyfle cyntaf i ddawnsio. Daeth tro y *Coranto* eto a thrwy gymorth gwin gwyn Ffrainc ni theimlai neb yn betrus na swil. Yr oedd hwb chwareus i gamau'r ddawns hon, a rhwng y gwin a'r symudiadau bywiog teimlai Catrin yn hapus ddiofal iawn. Mae'n rhaid fod ei dawnsio gwisgi a'i hwyneb hardd wedi dechrau tynnu sylw. Yr oedd yn ymwybodol bod nifer o'r boneddigion ieuanc yn edrych arni a nodiodd mwy nag un ei ben i'w chyfeiriad. Dechreuodd hithau feddwl fod y ffordd y dawnsiai'r plu yn eu hetiau crwyn afanc yn ddoniol dros ben; yr oeddynt fel ceiliogod bach lliwgar. Cafodd ormod o win a dechreuodd gilchwerthin fel hogen bymtheg oed.

'Beth sy?' holodd Elisabeth.

Eglurodd Catrin am yr hetiau ceiliogod a dechreuodd Elisabeth led chwerthin yn ogystal. Edrychai John Salesbury yn ddiamynedd a blin, ond cyn iddo gael dwrdio dim arnynt, syrthiodd distawrwydd ar y dorf siaradus a daeth ffanffer trympedi oddi wrth y drysau dwbl yng ngwaelod y neuadd. Ciliodd y gwahoddedigion ar ganol y llawr i'r naill ochr a gwelai Catrin ddau uchelwr pwysig yn y drws. Adnabu un ohonynt fel yr Arglwydd Siamberlin a dyfalodd mai Black Rod oedd y llall. Ar ddiwedd y ffanffer uchel cerddasant yn araf yn eu blaenau. Y tu ôl iddynt cerddai Arglwydd Geidwad y Sêl Fawr gyda Rheolwr y Llys Brenhinol, ac yna daeth y Frenhines ei hun.

Disgleiriai ei gwisg borffor â gemau ac addurniadau euraid. Yr oedd yn dalach na'r cyffredin, ac yn lluniaidd, ac edrychai, bob modfedd ohoni, fel brenhines. Dan ei choron tywysoges tonnai ei gwallt rhuddaur yn naturiol ac edrychai ei hwyneb crwn yn llawen a bywiog. Ie, merch ei thad oedd hon yn ddiau ac fe ddysgai llawer o bobl mai tafod chwim ei thad oedd ganddi hefyd. Byddai ei angen arni fel brenhines ieuanc ar deyrnas fywiog a rhanedig. Byddai o dan anfantais hefyd am mai merch ydoedd yng nghanol dynion yn y llys, dynion a oedd wedi hen hen arfer â thrin brenhinoedd. Byddai galw am bob un o'i haml ddoniau ynghyd â'i gwytnwch cymeriad i wrthsefyll y pwerau o'i hamgylch. Ond heno, a'r wythnos hon ar ei hyd, yr oedd yn amlwg fod Elizabeth Tudur yn mynd i ddenu a swcro hynny o gariad, edmygedd a theyrngarwch ei phobl ag y gallai.

Yn syth o'i hôl cerddai'r Arglwydd Robert Dudley, Meistr y Meirch, a'i chariad yn barod meddai rhai. O ran ei olwg fe wnâi hwn frenin yn rhwydd. Yr oedd yn dal a thywyll ac athletaidd, digon i droi pen brenhines ieuanc heini heb sôn am ferched eraill. Dilynai Elizabeth fel paun mawreddog ac ni chymharai neb o'r uchel swyddogion yn yr orymdaith ag ef.

Plygodd pawb yn isel i'r Frenhines wrth iddi ddynesu atynt, a hwnt ac yma arhosai o flaen rhai a dweud gair neu ddau wrthynt. Cododd ambell un â'i llaw a gellid teimlo'r effaith a gâi hynny ar y gwylwyr. Daeth yn nes nes at Catrin o Ferain. Ni chyfarfu Catrin erioed â hi er y berthynas rhyngddynt a'r cyfle unwaith i ymuno â'i llys. Fel y paratôdd Catrin i blygu iddi, safodd yr Arglwydd Siamberlin o'i blaen a sylweddolodd wrth blygu ei gliniau fod Elizabeth Tudur yn mynd i aros. Crynai Catrin wrth ymostwng a syfrdanwyd hi pan lefarodd y Frenhines mewn Cymraeg, 'Codwch, Catrin Salesbury. Croeso i Westminster. Croeso, John Salesbury.'

Ni chofiai Catrin beth a ddywedodd yn ôl wrthi, ond diolch mewn Cymraeg a wnaeth yn hollol reddfol.

Yr oedd amryw yn ymyl wedi sylwi ar ddieithrwch iaith y Frenhines ond gwyddent ei bod hi'n hyddysg mewn cymaint o ieithoedd fel na chafodd y digwyddiad unrhyw effaith arnynt. Yr oedd Elizabeth yn mentro yn feiddgar wrth arddel y Gymraeg, ond barnodd William Cecil a hithau, ymlaen llaw, y talai'r ffordd yn y pen draw i ddangos cynhesrwydd tuag at deulu pwysicaf Gogledd Cymru a chofiodd yr Arglwydd Siamberlin yn dda pa un oedd y ferch oleubryd hardd pan gyrhaeddodd ati. Argoeliai gofal a manylrwydd y Cyfrin Gyngor newydd yn dda ar gyfer y dyfodol. Byddai digon o broblemau yn ei wynebu ac yr oedd cadw teyrngarwch Cymru yn rhan o'r cynllun.

Wrth ymadael, gofalodd Robert Dudley ei fod yn gostwng ryw ychydig ar ei ben balch ac yn gwenu ar Catrin. Yr oedd yntau newydd adnabod y foneddiges dlos a oedd yn gwylio'r ceiliogod ddoe. Aeth yr orymdaith o amgylch y neuadd i gyd a gorffen lle y dechreuodd. Ymlaciodd pawb wedyn er nad aeth Elizabeth a'i swyddogion allan. Yr oeddynt am ddawnsio, mae'n amlwg, ac edrychai'r gwahoddedigion ymlaen at weld y Frenhines a'r Arglwydd Dudley yn arwain. Ni siomwyd neb. Yr oedd y ddau gyda'r dawnswyr gorau ar y llawr a bu curo dwylo brwd ar ddiwedd y *Galliard* fywiog. Yna ymddeolodd y parti brenhinol o'r neuadd i ystafelloedd preifat y palas.

Tynnodd John Salesbury y cwmni yn ôl i'r ystafelloedd bwyta i gael gwin i ddathlu'r sylw arbennig a gawsant gan y Frenhines. Collasant eu pennau'n lân ynglŷn â'r digwyddiad ac ni fuasant ronyn llai balch ychwaith hyd yn oed pe dywedid wrthynt mai gweithred wleidyddol gyfrwys a gyflawnwyd gan Elizabeth.

'Rhaid imi gael sgwrs â Neville ar unwaith. Ble mae o, tybed?' meddai Salesbury yn llawn ohono'i hun ac yn gwbl anghyson â'i safbwynt cynharach, os oedd Neville ac yntau o ddifrif ynglŷn â chael gwared ar Elizabeth Tudur oherwydd ei chrefydd. 'Os esgusodwch fi,' meddai, 'fe yfaf fy ngwin ac mi af i chwilio amdano. Fe'i cyflwynaf i chi os caf afael arno.'

'Ie, ei gyflwyno i ni ac nid nyni iddo ef,' meddai Elisabeth.

Llyncodd John Salesbury ei win ac aeth i chwilio am Charles Neville y boneddwr Pabyddol.

'Bydd yn rhaid inni roddi Mam i eistedd yn dawel mewn cader cyn dweud yr hanes yma wrthi pan awn adre,' chwarddodd Elisabeth.

'Bydd. Fe fydd ar ben ei digon,' cytunodd Catrin. 'Fe hoffwn i ddawnsio yrŵan. Pam oedd yn rhaid i John diflannu mor fuan? Ellwch chwithe ddim â fy ngadael ar fy mhen fy hun. O! mae o'n medru bod yn ddifeddwl.'

'Na hidia, Catrin, mae'n anrhydedd i mi gael gwarchod

dwy o ferched harddaf y ddawns yr un pryd,' meddai Brereton, a moesymgrymodd i'r ddwy yn gwrtais.

Fel y sythodd Owen Brereton daeth stiward swyddogol atynt a moesymgrymodd yntau. Pe byddai yn plesio Meistres Catrin Salesbury, meddai, byddai'r Arglwydd Robert Dudley yn ei chyfrif yn fraint o'r mwyaf pe buasai hi cyn hynawsed â chytuno i ymuno yn y *tableau* yr oedd ef yn ei gyflwyno i'r Frenhines yfory yn y masg yn Westminster. A byddai'n hyfryd pe gallai ymweld ag ef am ychydig i drefnu'r manylion.

Rhwng y gwin a'r rhialtwch a'r sylw brenhinol a gafodd hanner awr yn ôl yr oedd pen Catrin yn troi. Clywodd ei hun yn ateb yn gadarnhaol. Rhoddodd ei gwydr i Owen Brereton ac arwyddodd ei bod yn barod i gymryd ei harwain gan y stiward. Ni welodd yr olwg syn ar wyneb ei dau gymar pan ddiflannodd ar ôl y negesydd drwy'r dyrfa bobl.

195

Pennod XVIII

Ni fwynhaodd Catrin ddim gwell erioed na'r hwyl a'r miri a fu wrth wisgo ar gyfer y Masg Brenhinol yn Neuadd San Steffan. Yr oedd y paratoadau a'r defnyddiau yn anhygoel i'w gweld. Mawl i Elizabeth Tudur oedd thema amlwg y chwarae, ac ymrithiodd Fenws a Diana, Palas a Juno a degau o dduwiau a duwiesau eraill o'r byd clasurol gydag anifeiliaid byw, a llanciau a llancesi, yn un gyfres hir o sefyllfaoedd lliwgar. Cafwyd miwsig a dawns ac adrodd mewn Lladin gan ddefnyddio gwahanol gefndiroedd wedi eu paentio'n fanwl. Gwthiwyd ffug fynyddoedd a choedlannau â choed byw i mewn i'r neuadd ar gyfer nifer o'r golygfeydd. Gwerthfawrogodd y Frenhines a'r gynulleidfa fawr ysblander a phrydferthwch y rhwysg drudfawr gan gymeradwyo golygfa ar ôl golygfa.

Fel un o rianedd hardd Diana yr ymddangosodd Catrin yn y *tableau* a drefnodd yr Arglwydd Dudley. Er mai tiwnic cwta a thenau a wisgai hi a'i chyd-berfformwyr, anghofiasant eu hoerni yn afiaith eu hieuenctid a'r cyffro llon o'u cwmpas. Nid ymddangosai fod eu hanner noethni yn poeni dim ar y boneddigion a'r boneddigesau ieuanc eraill a gymerai ran, ac ni allai Catrin lai nag ysmalio nad oedd tamaid o wahaniaeth ganddi hithau. Erbyn y perffformiad ei hun yr oedd wedi arfer â'r wisg ac wedi ei hargyhoeddi ei hun fod gofynion y ffantasi yn cyfiawnhau'r beiddgarwch a'i fod yn cyfleu harddwch pur.

Cymerodd y perfformiad cyfan tua thair awr i gyd, yn bennaf oherwydd yr areithiau hirwyntog a adroddwyd yn gyson drwy'r chwarae. Gorffennwyd y masg gydag ail ymddangosiad yr holl dduwiau a duwiesau, a galwyd ar Elizabeth Tudur i'w choroni ganddynt hwy a'r Naw Awen.

Gosodwyd y goron ar ei phen gan Zeus, brenin y duwiau, ac arweiniodd Elizabeth y cymeriadau allan o'r neuadd i gyfeiliant miwsig a chymeradwyaeth y gynulleidfa.

Yr oedd yn amlwg fod y Frenhines wedi ei phlesio a safodd am rai munudau i siarad â'r boneddigion ieuanc o'i chwmpas cyn mynd i'r ffreutur cyfagos i swper cynnar a drefnwyd gan yr Arglwydd Dudley. Gwahoddwyd y perfformwyr ieuanc hefyd na fyddent, gan mwyaf, yn cael mynd i weddill y dathliadau. Eu rhieni oedd i gael y sylw pennaf drannoeth yn y Cynulliad Brenhinol ac yn yr orymdaith ar y Sadwrn a'r coroni ddydd Sul. Yr oedd Catrin yn un o'r eithriadau a hynny oherwydd fod Dudley wedi ei swyno ganddi.

Y noson cynt pan aethai Catrin, gyda'r stiward, i'w weld yn ei ystafelloedd yn y Neuadd Wen, ni chuddiasai Robert Dudley ddim ar y ffaith ei fod wedi ei ddenu ganddi a'i fod eisiau ei chwmni tra byddai yn Llundain. Pryfociodd hithau ef drwy ddweud efallai na fyddai ei gŵr yn rhy hapus ynglŷn â hynny ac onid oedd yna rywun o'i du yntau a fyddai'n ddig a dweud y lleiaf.

'Rydym ein dau yn rhy glyfar i beri i hynny ddigwydd, Catrin Salesbury,' meddai'r Sais.

'Rwy'n cytuno ein bod yn ddigon clyfar,' atebodd Catrin, 'ond peth arall yw ewyllysio. Rwyf wedi cael gormod o win i fedru bod yn glyfar iawn, pa 'run bynnag.'

'Os felly fe fyddaf i yn ddigon clyfar ar gyfer y ddau ohonom ac fe roddaf hwb bach i'r ewyllys yr un pryd,' meddai, a phlygodd i lawr yn araf a'i chusanu'n ysgafn.

Buasai Catrin wedi gallu symud mewn pryd ond ni wnaethai hynny.

'Ydi hynyna i fod i newid fy meddwl?' gofynnodd iddo.

'O! nac ydi, ddim ar ei phen ei hun.'

Aeth breichiau Robert Dudley amdani ac yr oedd ei gusan y tro hwnnw yn fwy pwrpasol.

Pan ddaeth Catrin i mewn i'r ffreutur am y swper gwelai Dudley yn sisial yng nghlust y Frenhines a honno'n chwerthin yn galonnog wrth y bwrdd bwyd am ben beth bynnag oedd ei gyfrinach. Go brin fod ffefryn golygus Elizabeth Tudur yn dweud wrthi ei fod wedi ceisio hudo'r Gymraes oleubryd yna o Sir Ddinbych i mewn i'w wely neithiwr. A fyddai brenhines fel hyhi yn medru bod yn ddigon digyffro i holi a lwyddodd ef ai peidio, ynteu ai ymateb fel merch deimladol hunanol a naturiol a wnâi? Pe bai'n gysur iddi, ac yn ôl y ffordd serchus yr edrychai hi arno, y tebygrwydd oedd y byddai felly, yna yr ateb oedd na lwyddodd er ei holl ymbiliadau bonheddig. Un peth oedd hudo cenedl gyfan i gredu mai yn Llundain a San Steffan y gorweddai ei hiechydwriaeth, peth arall oedd perswadio uchelwraig o Gymraes ddiwylliedig nad oedd ganddi ei hewyllys hi ei hun. Wedi mwynhau'r gusan a'r cyffro amlwg a achosodd, gwin Ffrainc neu beidio, darbwyllodd Catrin ei hun y dylai ymadael. Yr oedd Dudley yn ddigon bonheddig i beidio â pheri unrhyw ddiflastod ac eglurodd y trefniadau ar gyfer y masg drannoeth gan estyn y gwahoddiad iddi i'r swper hwn.

'Gobeithio y cyfarfyddwn eto, Catrin Salesbury,' meddai'n foesgar. 'Mae pawb yn San Steffan yn dotio at eich harddwch ond ychydig sy'n gwybod fel myfi mor ffortunus yw'r gŵr a fedd eich calon. Noswaith dda i chi a derbyniwch fy niolch am fodloni ymddangos yn y *tableau* yfory.'

Nid oedd yn edifar gan Catrin ei bod wedi dychwelyd at Elisabeth ac Owen Brereton. Ni lwyddodd neb o'r blaen i borthi ei balchder yn ei harddwch ei hun gymaint ag y gwnaeth Robert Dudley, a hynny mor urddasol. Sylweddolai ei bod yn euog o demtio Dudley i'r pen ac yr oedd yn ddrwg ganddi mewn gwirionedd ei bod wedi bradychu ei hurddas wrth wneud. Nid oedd wedi bod yn deg ag ef na hi ei hun ac yr oedd yn ddyledus iddo.

Digwyddodd Elizabeth Tudur edrych i'w chyfeiriad pan oedd ar fin cymryd ei sedd wrth y bwrdd. Gostyngodd y Frenhines ei phen mewn cydnabyddiaeth a phlygodd Catrin ei gliniau'n foesgar iddi.

Na, fe gei di gadw dy ffefryn gosgeiddig, meddyliodd Catrin. Fyddaf fi ddim mewn cystadleuaeth â thi, ond mae'n braf i feddwl mai myfi sy'n dewis mai felly *mae* hi.

Swper cymharol fyr a gafwyd, er bod y danteithion yn fendigedig, wrth gwrs, a dychwelodd Catrin i'r Neuadd Fawr lle disgwyliai John Salesbury ac Owen Brereton ac Elisabeth amdani. Y tu allan i'r llys, disgwyliai gweision Brereton a Salesbury, fel bod pedwar gŵr i gyd, i hebrwng y merched yr hanner milltir tywyll i Balas Sant Siâms. Am weddill y noson y masg a'i ryfeddodau oedd testun eu sgwrs, ac er cymaint yr holai Elisabeth heno eto am yr Arglwydd Robert Dudley, fe gadwodd Catrin ei phrofiadau iddi hi ei hun. Yr oedd arni hynny i Dudley yn bennaf ac iddi hi ei hun yn ogystal.

Nid oedd y seremoni o gael eu cyflwyno'n ffurfiol i'r Frenhines drannoeth yn Neuadd San Steffan hanner mor gyffrous, er pwysiced oedd. Y pleser pennaf oedd cael ychydig funudau yng nghwmni Syr Henry Sydney, Llywydd newydd Cyngor Cymru a'r Gororau. Yr oedd yn ŵr gwâr a chyfeillgar a gwisgai ei uchel dras a'i statws yn rhwydd a naturiol. Nid crach foneddwr mohono o gwbl. Mynegodd John Salesbury y gobaith y caent yr anrhydedd o'i gyfarfod yn Nyffryn Clwyd yn y dyfodol agos ac atebodd yntau, pe byddai'n bosibl, y rhoddai hynny bleser mawr iddo.

'Teimlaf fy mod wedi derbyn anrhydedd fawr wrth gael fy ngwneud yn Llywydd y Cyngor,' meddai. 'Ar ryw ystyr yr wyf yn llywodraethwr traean y deyrnas hon, dros ei

Mawrhydi, a'm gobaith yw mai dim ond da a all ddod o hyn. Mae hen genedl y Cymry yn agos iawn at fy nghalon, ei llenyddiaeth hynafol yn arbennig felly, a fy mwriad yw noddi lle gallaf. Ychydig flynyddoedd yn ôl fe gwrddais ag ysgolhaig mawr iawn i'm tyb i, gŵr o'r un enw â chi— William Salesbury. Fe fu mor garedig â chyfieithu imi ddarnau o Lyfr Coch Hergest. Bendigedig! Y mae hwnnw yn un o'm trysorau pennaf. Ond heddwch yw prif angen y Dywysogaeth a dyna'r nod cyntaf a osodais i mi fy hun.'

Ni fu fawr o amser i siarad ymhellach ond teimlai Catrin fod y Sais diwylliedig hwn yn ddiffuant yn ei galon.

Er bod pob ysblander a rhwysg yn y seremoni ddifrifol a ddilynodd, byr iawn oedd y sylw a gâi pawb yn ei dro, a blinedig dros ben oedd y cyfan. Sut yr oedd Elizabeth ei hun yn dal dan reidrwydd gwenu'n ddidor barhaus a cheisio arddangos diddordeb llawn ym mhob digwyddiad ac ym mhob person, yr oedd yn anodd dirnad. Nid oedd ond canol yr wythnos ac yr oedd ganddi bedwar diwrnod eto cyn y coroni. Ond ei phoen hi oedd hynny.

Cafodd Catrin ac Elisabeth Salesbury ddeuddydd i ymlacio a phenderfynasant dreulio peth o'r amser hwnnw yn archwilio siopau Siepseid a Goldsmiths Row yn Llundain. Dilladau yn bennaf oedd eu diddordeb. Yr oedd ar John Salesbury ac Owen Brereton awydd mynd i weld y cŵn yn ymladd teirw yn Southwark, felly tad Catrin a Huw Tudur a gafodd y fraint o hebrwng y merched yn y ddinas. Gan eu bod yn pasio heibio i Eglwys Sant Pawl troesant i mewn i'r adeilad enwog i weld y bobl a ymgynullai yno. Dod i weld ei gilydd ar bob math o faterion a wnaeth bron pawb oedd yno ac nid i syllu ar un o adeiladau harddaf y deyrnas, ac yn sicr nid i addoli. Fe wyddai Catrin a'i chwmni beth i'w ddisgwyl, er y gwelai Catrin fod yr amgylchiadau wedi gwaethygu ers iddi fod yn Sant Pawl o'r blaen.

'Does ond un ateb i'r holl weiddi a chwerthin a bargeinio yma,' sylwodd Huw Tudur.

Cyfeirio yr oedd at y ffraeo uchel a'r dadlau a glywid o un pen i'r llall i ale ganol yr eglwys. Yr oedd yn union fel stryd brysur yn llawn masnachwyr yn bargeinio, twrnïod yn holi a thaeru, a thlodion yn begera. Digon tebyg oedd y ddwy ale ochrog; yr oeddynt hwythau'n frith, a phobl o bob math yn sefyllian neu'n ymgomio.

'Beth ydi'r ateb felly? Esgob sy'n ddigon dewr i roddi ei droed i lawr a throi pawb allan?' gofynnodd ap Robert.

'Ie, hynny a chodi masnachdy digon mawr yn rhywle cyfagos fel y gall yr arianwyr yma fargeinio hyd Ddydd Brawd os mynnan nhw. Edrych mewn difrif calon ar y ddau acw yn tywysu pâr o geffyle drwy'r lle yma i arbed cerdded yr holl ffordd o amgylch yr eglwys y tu allan.'

'O! dydi hyn yna yn ddim byd. Fe alla i gofio gweld cert yn mynd ar draws corff yr eglwys untro,' chwarddodd ap Robert.

'Welaf fi ddim byd doniol yn hynny, 'nhad,' meddai Catrin. 'Esgobion digrefydd sy'n gyfrifol am yr halogi. Fe wn i beth fyddwch chi'ch dau'n ddweud, mai'r Hen Ffydd sy wedi dirywio. Rydech eisie beio'r fam am bechodau'r plant.'

'O! peidiwch chi'ch tri â dechre dadl yrŵan,' torrodd Elisabeth ar eu traws. 'Dod allan i weld y siope a wnaethon ni, nid i siarad crefydd. Arwain ni allan, ap Robert, neu fe gollwn amser gwerthfawr. Mae'r dydd yn ddigon prin.'

Trodd at Catrin wrth iddynt symud i ffwrdd. 'Roeddwn i'n meddwl fod arnat ti eisie dewis llyfr Saesneg print i'w brynu, Catrin. Fe gymer hynny amser i ddechre.'

Aethant allan drwy ddrws deheuol yr eglwys i'r iard ac at y siopau a'r stondinau llyfrau. Arbenigai nifer ohonynt mewn llyfrau Lladin a Groeg, eraill mewn llyfrau

Ffrangeg gweddus ac anweddus. Fe wyddai Huw Tudur am y lleoedd a gadwai'r detholiad gorau o lyfrau Saesneg.

'Siop Toy neu Lloyd ydi'r goreuon, Meistres Catrin. Y siop agosaf ydi Siop Hwmffre Toy ond mae Lloyd yn Gymro mwy rhugl nag o ac yn barod i gynghori'n glên iawn. Byddwn yn awgrymu ein bod yn mynd ato fo.'

'Ydi hi ar ein llwybr yn hwylus ar gyfer y teilwriaid?'

'Ydi. Siop Lloyd ydi'r olaf o siope Sant Pawl wrth inni ddechrau i lawr Siepseid,' eglurodd Huw. 'Fe wyddost amdani, ap Robert; mae hi ar y dde wedi i ti fynd heibio i Siop Hwmffre Toy. Wnei di arwain efo Elisabeth?'

Ceisiodd Huw gael cyfle i siarad â Catrin wrth ddilyn y tu ôl i Tudur ap Robert ac Elisabeth Salesbury. Prin yr oedd wedi gweld dim arni drwy'r wythnos ac nid oedd rhannu ei chwmni â rhywun arall fawr gwell chwaith. Teimlai ei fod yn dechrau colli nabod arni ond trodd i edrych arno â'r wên honno a welodd Huw gyntaf ar Ddôl Belydr ar lan Elwy.

'Fedra i ddim dweud llawer yrŵan,' meddai hi, 'ond os gelli ddod i Balas Sant Siâms heno fe fydd modd inni weld ein gilydd.'

'Sut hynny? Ble fydd Elisabeth? Ble fydd John?'

'Na hidia. Mae dy Catrin di yn glyfar iawn y dyddiau yma. Mae'n rhaid fod haerllugrwydd Llundain yn magu cyfrwystra mewn dyn. Tyrd, 'nghariad i. Fe gei weld.'

Llanwyd Huw gan lawenydd ac fe'i cafodd hi'n anodd i dynnu ei lygaid oddi ar Catrin weddill y diwrnod.

Er ei bod yn olau dydd y tu allan, llosgai ychydig lampau yn siop Jonathan Lloyd ar gyfer unrhyw un a ddymunai ddarllen darnau o unrhyw un o'i gannoedd llyfrau. Cyfarchodd Huw Tudur y Cymro bychan gwargam mewn Cymraeg a chyflwynodd y siopwr i'r ddwy foneddiges.

'Mae'n bleser gyda fi fod o wasanaeth i chi, foneddigese,' meddai Jonathan Lloyd. 'Fe glwes fwy nag unweth am deulu Salesbury, Llewni. Wi inne yn hanu o

Aberhonddu,' a chynigiodd iddynt le i eistedd ar fainc gefn-uchel a redai i lawr un ochr i'w siop fach dywyll. Aeth ymlaen i restru categorïau ei lyfrau Saesneg, yn almanaciau, anturiaethau, llyfrau hanes, gweithiau crefyddol a chyfieithiadau o chwedlau a rhamantau.

'Mae'r boneddigese yn aml iawn yn hoffi'r chwedle a'r rhamante,' meddai.

Estynnodd Lloyd ddwy astell arbennig a gosod un bob un o flaen y merched i ddal llyfrau. Buont wrthi am awr yn edrych ar wahanol gyfrolau ac yn darllen darnau hwnt ac yma. Canmolai Lloyd fraster y print mewn rhai cyfrolau, a harddwch cyfrol arall, neu boblogrwydd y cyfieithiad o waith Boccaccio, neu werth moesol rhyw chwedlau a fwriadwyd fel hyfforddiant i ferched.

'Rwyt yn credu, Mister Jonathan Lloyd, fod merched angen hyfforddiant arbennig felly, gwahanol i ddynion,' holodd Catrin.

Synhwyrodd y siopwr ryw fymryn bach o fin yn ei chwestiwn.

'O! nid pob merch, Meistres Salesbury, nid pob merch. Mae gyda fi lyfre at anghenion pawb. Falle'r hoffech chi'r gyfrol hon, foneddigese?'

Dangosodd lyfr o waith Robert Burdet dan y teitl, *A Dyalogue defensyue for women agaynst malycyous detractoures.*

'Ma' hwn yn gwerthu'n gampus. Ro'dd yn hen bryd inni gael llyfyr yn amddiffyn chi'r gwragedd yn erbyn yr awduron o'dd yn ymosod arnoch chi.'

Gosododd y gyfrol o flaen Catrin ar yr astell bren. Darllenodd hithau ddarnau ohono yn uchel.

'A womans offyce, as Arystotle taught
In his Econymyckes, is redy for to make
Suche thynges for sustynaunce, as to her be brought

Her famylye to fede, that paynes and labours take
All rychesse procured, by nyght or els by day
Throughe the manes trauayle, in felde or in towne
The wyfe with her wysdom, must kepe from decay
And suffer no proffyte in losse to fall downe.'

Ysgydwodd Catrin ei phen a gollwng anadl hir.

'Y wraig yn israddol yn hwn eto a does dim gronyn o harddwch yn perthyn i'r ysgrifennu ar ben hynny. Meddylie ydyn nhw, meddylie yn unig, a dim tamed o grefft. Byddai'r geirie yna'n gwella ar eu canfed pe cynganeddid hwy i ddechre. Cytuno, Huw Tudur? Mae dy frawd yn well bardd filwaith. Beth a wnâi'r Saeson heb Chaucer, dyn a ŵyr.'

'Cytuno'n llwyr, Meistres Catrin. Mae angen bardd o Gymro i foli gwraig. Fe fyddai'r Burdet yna yn haerllug i freuddwydio y gallai ennill gradd Disgybl Ysbas hyd yn oed.'

'Na, Mister Lloyd, fe gymera i gyfieithiad o'r clasuron nes bydd Lloegr wedi codi llenor gwell na hwn yna.'

Cymerodd Catrin ddau gopi gwahanol o chwedlau amrywiol wledydd gan William Painter am ddeuddeg ceiniog yr un. O fewn dwyawr arall yr oedd wedi gwario yn nes i gan punt, ac Elisabeth bron gymaint, mewn dwy siop yn Siepseid. Trefnwyd i'r siopwyr ddanfon y dilladau i Balas Sant Siâms erbyn trannoeth. Prynasant ŵn nos cyfoethog bob un a wasanaethai nid yn unig ar ben y smoc cysgu, ond fel gwisg ar gyfer y boreau yn ogystal. Mynnodd y ddwy y llewysau llac mwyaf cyfoes. Cawsant beisiau mewn sidan lliwgar ar gyfer eu dangos o dan y gŵn uchaf. Costiodd busg bob un wedi ei gryfhau ag esgyrn morfil yn ddrud iddynt, ond ar y ddwy *kirtle* a'r ddwy ŵn y gwariasant hanner eu harian.

'Dyna ni, Catrin, yn gynrychiolwyr teilwng o Ogledd Cymru yn y coroni. Fe dynnem ddŵr o ddannedd gwraig Simon Thelwall yrŵan, os tynnai neb.'

'Gwnaem, ond tyrd, mae'r dynion druan yn sicr o fod wedi yfed holl win y siopwr erbyn hyn; fe huriwn gadeirie i'n cludo'n ôl i San Steffan. Rwy'n flinedig iawn; gobeithio nad ydw i ddim yn magu rhyw glefyd. Bydd yn well imi beidio â dod efo ti a John ac Owen Brereton heno i'r ddrama. Fe arhosaf yn y palas.'

'Ond Catrin, fydd dim cymaint o hwyl hebot . . .'

'Bydd, yn enw'r Tad, fe gei hwyl yr un fath. Fe fydda i'n iawn.'

'Wyt ti'n siŵr?'

'Yn berffaith siŵr, diolch i ti. Fe alla i edrych ar fy ôl fy hun yn iawn,' meddai Catrin yn bendant.

* * *

Wedi iddi gael ei gadael ar ei phen ei hun y noson honno gan John Salesbury, Elisabeth a Brereton, cafodd Catrin hamdden i hel ei meddyliau at ei gilydd. Bu gormod yn digwydd yn gyflym, un peth ar ôl y llall, ers diwrnodiau iddi fod wedi gallu rhoddi trefn ar ei theimladau a'i dymuniadau. Mewn byd a reolid gan ddynion nid oedd i'w synnu mai ei pherthynas hi â hwy oedd angen ei benderfynu. Byddai wedi hoffi rhannu ei chalon ag Elisabeth ond ni thyciai hynny oherwydd mai chwaer John oedd hi. Er yr holl gyfoeth a chyffro o'i chwmpas, ymdeimlai Catrin â rhyw unigrwydd. Yr oedd yn hawdd iawn i ferch fod yn unig heb gyfeilles agos i ymddiried ynddi ac nid oedd ganddi gyfeilles o'r fath yn y byd ar wahân i'w chwaer yng nghyfraith. Yr oedd hynny'n wir hefyd gartref yn Nyffryn Clwyd. Nac oedd, nid yn hollol, pe bai hi'n closio at Jane Conwy. Yr oedd ganddi ffrind da ynddi hi. Oni bai am ei phlentyn ieuanc, efallai y byddai Jane wedi dod i Lundain i'r coroni.

Beth oedd hi i'w wneud ynglŷn â chael plentyn ei hun?

Ers iddi ddechrau gweld yn well mai priodas wedi ei threfnu oedd eu priodas hwy i *John* hefyd, nid oedd ei gŵr mor atgas yn ei golwg mwyach. Bu'n hollol ddall a difeddwl wrth ddychmygu mai hyhi oedd wedi ei thynnu i mewn i drefniadau Dâm Siân. Gorfodwyd yntau hefyd, wrth gwrs, gan ddyheadau gwleidyddol Lleweni. Pe bai hi ddim hanner mor dlws ag oedd hi, pwy fyddai wedi cael y fargen orau? Yr oedd gan y balchder a fagwyd ynddi gan ei harddwch lawer iawn i'w wneud â'i hapusrwydd.

Beth pe byddai ganddi blentyn, yn enwedig mab, yna fe atebid y rhan fwyaf o obeithion John Salesbury a'i fam. Gallai plentyn ei harbed rhag gorsylw ei gŵr. Gallai fod yn blentyn serch hefyd, pam lai? Plethodd Catrin ei breichiau amdani ei hun a gwasgodd ei hysgwyddau wrth feddwl am ei baban hi ei hun o ffrwyth ei chariad ei hun. Gallai anwesu, gallai anwylo a charu baban felly. Baban y bu ei genhedlu yn wefr.

Trodd Catrin i estyn y gŵn llaes hwnnw o daffeta rysed a'r goler ffwr a wisgodd y noson fythgofiadwy honno yn Lleweni. Tynnodd bob cerpyn oddi amdani. Aeth at ei chist fach ble cadwai ei thlysau a'i hancesi ac estynnodd bersawr a gafodd yn anrheg gan Dâm Siân adeg ei neithior ond a oedd eto heb ei agor. Bron iawn nad oedd yn gofyn am sêl bendith Siân Salsbri wrth sgentio'r diferion gwerthfawr ar ei chnawd gwyn. Os oedd Elizabeth Tudur ym mreichiau'r Arglwydd Dudley heno nid oedd hi'n hafal i Catrin, waeth pa mor osgeiddig ydoedd. Rhoddasai Dudley hanner ei gyfoeth pe gwelsai Catrin Salesbury y funud hon yn paratoi i'w rhoi ei hun i'r gŵr a feddai ei chalon. Byddai gwahaniaeth y byd rhwng sibrwd yr enw Huw a'r enw Robert.

Cyn pen yr awr nid sibrwd ei enw yr oedd ond ei alw drosodd a throsodd wrth i Huw ddiwallu'i anghenion ei hun a hithau a'u rhyddhau oddi wrth dyndra pob cymhlethdod.

Pennod XIX

Chwythai gwynt y gogledd yn ddeifiol o oer i fyny Dyffryn Clwyd o Forfa Rhuddlan. Bu'n chwipio rhewi ers diwrnodiau. Pe byddai'r gwynt ond yn troi i'r dwyrain fe allai bryniau Clwyd fod yn rhyfaint o gysgod i ladd peth ar ei feinder iasol, ond fel yr oedd hi, gorweddai'r dyffryn eang gwastad ar drugaredd ei fileindra cas. Ar gloddiau'r caeau lle gweithient, gwnâi'r gweision ffarm, druain, war yn ei erbyn i geisio'u harbed eu hunain rhagddo. Yr oedd yn waeth ar y rhai a geisiai fraenaru'r tir cyndyn caled ymhell o gysgod clawdd. Ceisiai pawb gael tasgau yn ymyl y tai byw gan eu meistri, i borthi anifeiliaid, llifio coed, symud gwenyn neu gorau oll cael helpu'r morynion fel bod esgus da i fynd dan do.

Fe rewai llawer o'r henoed mwyaf musgrell cyn fawr o amser os parhâi'r tywydd fel yr oedd, ac eto fe wyddai'r werin mai bendith ar y cyfan oedd yr holl oerni hwn. Yr oedd yn lladd clefyd yn y tir ac yn y tai.

'Mae'n rhaid wrth hwn, wel' di,' eglurai Huw Tyddynreithin wrth Hywel Caerwys, a chymerodd sbelan i wardio dan y wal i hogi ei gryman efo'r garreg grud. Ym mherllan Lleweni yr oedd y ddau ar y bore rhewllyd hwn o Ionawr.

'"Gaeaf glas mynwent fras", medde'r hen bobl ac mae'n eitha gwir hefyd. Oedd hi'n oer tua Llunden 'na? Ryden ni'n rhynnu'r ffordd yma ers wythnos.'

Sythodd Hywel Caerwys ei gefn a thynnodd y sach ar ei war yn dynnach amdano.

'Ddim felly. Wrth adael Amwythig y dechreuon ni deimlo'i ddannedd o echdoe.'

'Gest ti dipyn o hwyl tua'r brifddinas yna? Fuost ti yn y Stiws o gwbl?'

'Yn y be? Yn y Stiws?'

'Ie. I lawr dros yr afon yna yn Southworc. Codi crocbris o hyd, dwi'n siŵr.'

'Am be ddiawl wyt ti'n siarad, Huw?'

'Wel, os nad wyt ti'n dallt, fuost ti ddim yno, naddo?'

'Naddo, mae'n rhaid. Be gebyst ydyn nhw?' holodd Hywel.

'Wel y llefydd i ga'l merched, fachgen.'

'Stiws! Mi glywis i bob math o enwe amdanyn nhw ond ddim hwn'na, a doedd dim isie cerdded cyn belled â Southworc chwaith. Duw Mawr! roedden nhw fel chwain ym mhobman. Sôn am strydoedd Caer! Mae Caer fel seintwar i gymharu â'r Llunden 'na. Ond wyddost ti be welis i tu isa'r afon yna?'

'Esgob yn deud 'i bader! Na, be?'

'Cŵn yn ymladd teirw, fachgen. Teirw ifanc noblia welist ti 'rioed, a'r hen gŵn yma, ryw bethe tew trwm a ffyrnig fel llewod.'

'Y bwl dog oedd o. Do, mi welis i nhw ers talwm, ond fues i ddim i mewn i'r ring, fedrwn i ddim fforddio.'

'Diawl! dyna i ti sŵn. Tri o'r cythreulied yn ymosod o wahanol gyfeiriade fel tasen nhw'n dallt ei gilydd i'r dim. Ac roedd 'u hen goese nhw mor fyr, ti'n gweld, roedd hi'n anodd ar y naw i'r tarw gael ei gyrn o' tanyn nhw. Ond y Nefoedd Fawr, pan oedd o'n digwydd dal un ar ei draed ôl, roedd hi wedi darfod amdano. Mi welis i un ohonyn nhw'n cael 'i falu'n fflat fel pwdin yn erbyn trawstie'r ring.'

'Roedd y tarw'n feistr arnyn nhw, 'te?'

'Mawredd, nac oedd. Un yn unig welis i yn lladd dau gi, ac mi wrthododd y cachgi olaf ag ymladd dim rhagor ac mi gafodd y tarw bardwn. Na, efo bob tarw arall roedd y cŵn yn rhwygo'i wddf o cyn hir, a'i geillie fo. Chlywis i 'rioed y fath sŵn yn fy nydd erioed. Wedyn, wrth iddo fo golli gwaed yn lli, roeddet ti'n ei weld o'n arafu bob munud ac roedd hi wedi darfod arno fo.'

Nid yr un disgrifiadau o gyffro Llundain a San Steffan a gafodd Dâm Siân a Syr Siôn Salsbri yn y plas clyd. Er i John wylio yr un ymladd ag a welodd Hywel Caerwys, digwyddiadau tra gwahanol a ddiddorai ei rieni. Mynnodd ei fam fod Catrin ac yntau yn aros yn Lleweni am ddeuddydd ar ôl dychwelyd. Yr unig beth a fynnodd wybod echnos, ar ôl eu bwydo a'u cynhesu, oedd efo pwy y bu John mewn cysylltiad. Pan glywodd am Syr Henry Sidney a Charles Neville a'r sylw a gafodd Catrin gan y Frenhines a'r Arglwydd Dudley yr oedd fel cath wedi cael yr hufen i gyd iddi ei hun. Gwrandawodd yn astud hefyd ar John yn disgrifio'r sgwrs gyfrinachol y damweiniodd arni rhwng y Thomas Parry a'r clerigwr hwnnw, Thomas Chambers, ym Mhalas Sant Siâms.

'Wel, yrŵan,' meddai, 'mae'n rhaid inni anfon y manylion i Esgob Goldwell yn syth bin yfory, er mai'r Sul ydi hi. Mae o'n cychwyn ben bore Llun i fod, i Dŷ'r Arglwyddi.'

'Druan ohono, ddyweda i,' meddai Syr Siôn. 'Fe fydd wedi rhewi i farwolaeth, dyn o'i oed o. Byddai'n well iddo aros am wythnos neu ddwy. Fe fydd y Senedd yna wrthi am wythnose yn dadle fel hyn ac fel arall.'

'Digon gwir, Nhad,' ymunodd John. 'Fe gânt flino eu hunain yn lân ac yna fe rydd Cecil a'r Frenhines eu troed i lawr, hyd y gwelaf i.'

'Na hidiwch, yr esgob a ŵyr ore beth i'w wneud. Fe anfonwn ni'r neges yr un fath. Yrŵan, mae'r merched wedi blino'n llwyr ac rydym yn anfoesgar iawn o flaen ein dau gyfaill caredig, ap Robert a Huw Tudur. Dywed wrthyf, Meistr Huw, welaist ti dy frawd o gwbl?'

'Do, diolch, Dâm Siân, fe gefais fymryn o'i gwmni ond roedd o'n gaeth ddifrifol efo'i ddyletswydde dros y dathliade. Dim sôn am fedru dychwelyd i Ddyffryn Clwyd y gwanwyn yma o gwbl. Fe fydd yn ganol haf arno yn ymddeol.'

'Mae o *am* ymddeol, felly?'

'Ydi. Caiff bensiwn sarsiant yn llawn a chyfle i roi ysbeidie o wasanaeth i mewn yn ôl ei ddewis.'

'Ie, ond rwyt yn siomedig, Huw Tudur, mi wranta,' meddai Siôn Salsbri. 'Paid â phoeni, os wyt am gyngor neu help llaw yn Wicwer fe wyddost ble i ddod. Mae Dâm Siân a minne yn dy ddyled, a John hefyd. Ydi, mae'n bryd iti gael llonydd i ddewis gwraig i ti dy hun, fachgen. Yr annwyl bach, pe bawn i yn dy oed ti, mae yna ddewis o lodesi tan gamp i fyny ac i lawr y dyffryn yma.'

'Gad iddo, Siôn, da ti. Rwyt yn siarad fel llencyn anghyfrifol yn lle fel dyn yn ei oed a'i amser,' dwrdiodd ei wraig.

'Diolcha fod yna dipyn o fynd yna' i o hyd, lodes. Rhyw rif rhyfedd ydi naw. Y nawfed don a'r nawfed ach ac yn y blaen. Mae gen inne naw o blant. Wn i ddim, ap Robert, a ddylwn i gau pen y mwdwl yrŵan ai peidio.'

'Dyna ddigon, Siôn Salsbri. Rwyt ti wedi llymeitian gormod ar y gwirod yna heno eto,' meddai Dâm Siân.

'Ond 'dydy hi'n ddigon oer i sythu brain? Rhaid imi gael rhywbeth i gadw'r oerfel yma allan.'

'Mae eisie i'r plant yma fynd am eu gwelye. Mae yna badelli poeth ymhob gwely i bawb ohonyn nhw. Fe gawn sgwrs eto yfory,' a phan gododd Dâm Siân ar ei thraed yr oedd yn arwydd i bawb fod yn rhaid iddynt hwylio yn ôl ei gorchymyn, nid bod llawer o waith perswadio arnynt ar ôl eu taith.

Ddoe, wedi i Feistres Lleweni sicrhau fod ei mab wedi ysgrifennu'r manylion yn gywir ar gyfer Goldwell yn

Llanelwy, a bod gwas cyfrifol ar ei ffordd i blas yr esgob, yr oedd yn berffaith fodlon i John gael llonydd i ddisgrifio'r ymrysonau ymladd a welodd yn Llundain i'w dad. Eisiau sgwrs hir efo'r merched oedd arni hi, ac yn y prynhawn, wedi i Elisabeth a Catrin ddod atynt eu hunain ar ôl marchogaeth cyhyd, cafodd weld eu dilladau newydd a chael eu gwisgo. Presantwyd hi gan bawb, a Syr Siôn am sefyll y draul, ac yna aeth y tair ohonynt i ystafell Siân Salsbri i frodio wrth y tân ac i sgwrsio am y dawnsfeydd a'r seremonïau.

Rhoddodd y ddwy ferch ieuanc ddisgrifiad manwl o'r digwyddiadau fesul diwrnod gan orffen efo'r prosesiwn brenhinol o'r Tŵr drwy Lundain i San Steffan ar y Sadwrn.

'Mil o bobl ar gefne ceffyle yn yr orymdaith, ddywedoch chi?'

Siglodd Dâm Siân ei phen mewn edmygedd.

'Oedd, Mam. Ond mae arna i ofn fod y Frenhines yn medru bod yn benboeth ynglŷn â chrefydd.'

'Sut felly?'

'Dyweda di wrthi'r hanes a glywodd Huw Tudur gan ei frawd, Catrin, am yr offeren ddydd Nadolig.'

Adroddodd Catrin stori Elizabeth Tudur yn codi ac yn gadael yr eglwys.

'Ac wedyn, Mam, yn yr orymdaith ar y Sadwrn. Roedd hi'n cael ei chario yn y gader hardd yma, a bob hyn a hyn ar y siwrne roeddent yn aros i weld pasiant fer. O! chofiaf fi ddim y lleoedd i gyd, ond yn Gracechurch a'r Cornhill a lleoedd eraill, yr oedd awdurdode'r ddinas wedi trefnu'r pasiante yma. Wel, yrŵan, yr oedd y Frenhines wedi cyrraedd i ardal Sant Pawl, a dyma ble oedd pasiant ar Amser. Dwed ti, Catrin, rwyt ti'n cofio'n well na mi.'

'Ie, dyna oedd y teitl,' meddai Catrin. '"Amser", a galwodd Elizabeth Tudur yn uchel o'i chader, 'Ac Amser a ddaeth â finnau yma.' Wedyn cyflwynodd y Tad Amser ei ferch ac yn ei llaw yr oedd copi o'r Beibl Saesneg. Daeth y ferch i lawr a chyflwyno'r Beibl i'r Frenhines. Fe ddiolchodd amdano a chusanodd ei glawr. Dylasech chi glywed y banllefe o gymeradwyaeth oddi wrth y Llundeinwyr. Daliodd y Beibl Saesneg i fyny wedyn a'i dynnu at ei bron a'i anwesu. Fe aethon nhw yn lloerig bron, gymaint oedd eu boddhad.'

'Do, gweiddi dros y lle,' ategodd Elisabeth, 'ac roedd yn ddigon hawdd gweld beth oedd byrdwn pob perfformiad. Cyfeirio at annifyrrwch y gorffennol a gobeithion y dyfodol.'

'Mae fy nhad yn barnu mai mynd allan o'i ffordd i blesio pobl y ddinas oedd hi ond na fydd pethe ddim cyn rhwydded yn y Senedd ymysg y mawrion. Gobeithio hynny, beth bynnag. Fedrwn i ddim addoli mewn Saesneg,' eglurodd Catrin.

'Os caiff dy dad a Huw Tudur ac eraill eu ffordd, yn Gymraeg fyddwn ni'n gorfod addoli,' ychwanegodd Elisabeth. 'Fe glywais bregeth Gymraeg, ond peth od iawn fyddai gwasanaeth. Fe fydd yn anodd iawn credu dim wedyn, yn enwedig os noethir yr eglwysi eto fel yn amser y Brenin Edward.'

Treuliodd y merched brynhawn difyr yn rhoi'r byd a'r betws yn ei le ac yr oedd eu sgwrs gryn dipyn mwy adeiladol nag eiddo Syr Siôn a John Salesbury wrth iddynt ymboeni am ddyfodol eu crefydd. Eto, ym mwydydd a dilladau ac adloniant dieithr a moesau llysoedd San Steffan yr oedd eu prif ddiddordeb, gan gynnwys Catrin i raddau. Brithid eu siarad gan gyfeiriadau at *cosmetics, farthingale, kirtle, tableau, sweets* ac yn y blaen. Llundain a'i chyffiniau a gynhyrchai'r pethau hyn i gyd gan eu hallforio i Fryste, Norwich, Caer ac Amwythig a Chymru. Yr oedd eu bywydau o leiaf cyn llawned o firi Winchester, a'r Inner Temple a lleoedd tebyg, ag yr oedd o dreialon beunyddiol Dyffryn Clwyd a mân blasau siroedd y Gogledd.

Pan ddeuai'r gwanwyn, yn ôl ei hen arfer, i lasu a deffro eu bro hyfryd lonydd, fe fyddai'n amser iddynt ymweld â'r plasau a gwahodd eu cyd-uchelwyr i'w cartrefi hwythau, i rannu'r profiadau ac i dorheulo yn eu hedmygedd. Ac fe delid yn dda i feirdd i ganu eu clodydd ar gywydd. Nid clod ar faes y gad neu yn yr helfa mwyach, ond clod am berfformio yn y masg a'r ddawns.

Ond cyn i'r gwanwyn gyrraedd i ysgafnhau a llonni bywyd i wrêng a bonedd yn Nyffryn Clwyd, fe ddarganfu Catrin arwyddion cyntaf ei beichiogrwydd. Daeth diwedd Chwefror a hithau heb gael ei misglwyf. Anaml iawn y byddai'n hwyr, a phan fyddai felly teimlai'n hollol annifyr am y deuddydd neu dri hynny. Ond y tro yma nid oedd unrhyw annifyrrwch o gwbl. Aeth yn wythnos a mwy ac yr oedd yn sicr yn ei meddwl ei hun fod ganddi blentyn. Ni wyddai i sicrwydd a deimlai'n falch ai peidio. Teimlai'n ofnus, wrth gwrs, achos nid oedd raid i neb ddweud wrthi fod ei bywyd yrŵan mewn perygl, ond nid hynny a'i poenai gymaint â'r ffaith na châi ei phlentyn fod yn blentyn ei dad. Unwaith yn unig y gwelsai Catrin Huw Tudur yn ystod y mis diwethaf a dechreuodd yr hen hunandosturi ddod yn ôl. Ymdrechodd ei gorau glas efo hi ei hun i sadio ei theimladau, ond ar ei gwaethaf deuai ysbeidiau o ddigalondid. Hanner boddhaol oedd gwobrau a llawenydd, meddyliai. Yn wastad beunydd yr oedd rhyw huddugl neu'i gilydd yn y potes.

Aeth Catrin i eistedd ar ei phen ei hun yn ei hystafell ym Mhlas Berain. Nid oedd tân o fath yn y byd yno ond ni theimlai hi'r oerni.

'Cyn hir fe fydd yn rhaid imi ddod i ryw benderfyniad,' meddai wrthi ei hun. 'Rwyf wedi mynd yn rhyfedd o dawedog ac mae pobl yn dechre sylwi arna i. Mae fy meddwl i'n bell dro ar ôl tro pan fydd John neu'r morynion yn fy nghyfarch. Sut fydd hi arna i wrth fagu'r bychan yma a finne yn eithaf siŵr mai mab i Huw ydi o? Fe fydd pobl yn sicr o wneud cyfeiriade at ei berthynas â Lleweni. O'r Annwyl Bach! fe gân Wiliam Cynwal, neu Gruffudd Hiraethog, gywydd croeso iddo a rhaffu ei achau. Beth wna i? Fedra i ddal ati i dwyllo fy ffordd drwy'r cwbl? Beth pe bai'r bychan yn ymdebygu'n rhyfeddol i Huw? Fe fydda *i* yn sicr o weld rhyw debygrwydd, boed o yno neu beidio. Fedra i byth ei wared o, hyd yn oed pe bai modd. Mae erthylu'n bechod o'r mwyaf.'

Beth hyn a beth y llall. Nid oedd terfyn ar ddychmygion Catrin. Yr oedd un peth yn dechrau dod yn glir iddi. Fe fyddai'n well pe câi rannu ei gwybodaeth â Huw Tudur. Nid oedd am ddadlennu ei chyflwr i neb arall nes byddai wedi medru penderfynu beth a fyddai ei hagwedd hi ei hun yn iawn. Ar wahân i unrhyw gydymdeimlad a gâi ganddo, byddai'n rhyddhad i gael dim ond dweud wrth rywun arall. Huw oedd yr unig berson byw y gallai droi ato ar hyn o bryd. Na, nid oedd hynny'n hollol wir. Gallai Ein Harglwyddes, y Fam Fendigaid ei helpu. Aeth Catrin ar ei gliniau o flaen delw'r Forwyn Fair yn y llofft ar ôl cynnau cannwyll dalach nag arfer.

Edrychai Mair mor llonydd a heddychlon, gweddïodd arni mewn llais isel:

'Ave Maria, gratia plena, Dominus tecum;
Benedicta es tu in mulieribus,
et benedictus es fructus ventris tui, Jesus.
Sancta Maria, mater Dei,
ora pro nobis peccatoribus,
nunc et in hora mortis nostri. Amen.'

Arhosodd mewn tawelwch am ychydig yna ychwanegodd,

'Rho i mi dawelwch yn fy nghalon, Fair Fendigaid,
Gwyddost fy mhryder. Bydd yn gysur im.
Dangos i mi pa lwybr i'w gerdded
A bydd yn gwmni imi. Amen.'

Llwyddodd Catrin i gau popeth allan o'i meddwl am rai munudau ymhellach a myfyrio ar sancteiddrwydd a symlrwydd a glendid y Forwyn Fendigaid. Daeth iddi brofiad o'i symlrwydd hi ei hun gynt, yn hogen fechan wyth oed yng Nghapel Mair erstalwm, yng ngolau canhwyllau'r offeren ddirgel. Pan gododd Catrin ar ei thraed ni theimlai gymaint o hunandosturi, hyd yn oed os oedd yn dal mewn cyfyng-gyngor fel o'r blaen.

Pennod XX

Parhaodd cledi gaeaf y flwyddyn 1559 yn hir hyd ddiwedd Mis Bach. Ni fu ei galetach yn Nyffryn Clwyd yng nghof neb ac fe fu cyni'r werin bobl yn waeth nag arfer. Bu'r uchelwyr yn dda tu hwnt wrthynt, yn ôl eu harfer, gan ddanfon tanwydd a bwydydd a dilladau i deuluoedd eu gweision. Ar dlodion y trefi a'r pentrefi yr oedd hi waethaf, onid oeddynt yn digwydd bod yn brentisiaid neu'n grefftwyr i feistri tosturiol. Allan yn y wlad ymysg yr amaethwyr yr oedd amgenach cymdogaeth, ac er ei fagwraeth drefol a dieithr fe wyddai Huw Tudur yn dda am y traddodiad nawdd. Ni fu'n ofynnol i Modlen awgrymu dim iddo. Yn wir, mewn ambell achos fe'i perswadiodd i beidio â bod mor hael.

'Mi dyngech fod teulu Tyddyn Bach ar eu cythlwng ganol ha',' meddai hi. 'Paid â rhoi gormod o goel ar gŵynion Wmffre Fawr, Meistr Huw. Os caiff o nefoedd o gwbl mi gwynith Wmffre ar ei le yn y fan honno, os nad ydw i'n cablu wrth ddeud hynny.'

'O'r gore, Modlen, os wyt ti'n dweud felly. On'd oes dim perygl y cawn ni fwy o ladrata os byddwn ni'n rhy dynn?'

'Na. Mae digon o barch i ti a dy enw i hynny. Ma'n nhw'n gwybod oddi ar bwy i gymryd. Ac mae'r gweision ar 'u gwyliadwriaeth yr amser yma o'r flwyddyn, rhag i ormod o wrêng y dre ddŵad allan i 'sbeilio. Mae pawb ar 'u colled wedyn. Ond na hidia, Meistr Huw, mi fydd gen ti wraig ryw ddiwrnod i drefnu cymortha ac elusen drosot.'

Wrth gwrs, gwella a wnâi popeth o hyn ymlaen wrth i'r hin dyneru o'r diwedd. Ni welai Huw, serch hynny, lawer o obaith am gael ateb hawdd i'w amgylchiadau ei hun. Yr oedd amryw o bobl yn ddiweddar yn cyfeirio at ei stad ddibriod. Modlen yn unig a allai fod ag unrhyw syniad fod dim rhyngddo a Lowri, os gwyddai *hi* hynny. Gallai'r duedd naturiol hon i fusnesu yn stad y dibriod fod yn fwrn. Roedd yn wir fod Huw yn eithriad i'r drefn arferol, fel dyn golygus chwech ar hugain oed a heb wraig, ond beth a wyddai neb am ei amgylchiadau. Ni allai briodi Catrin hyd yn oed pe ymwrthodai â'i safbwynt Pabyddol. Deallai Huw na ollyngai John Salesbury byth mohoni. Cellweiriodd wedyn fwy nag unwaith efo Elisabeth Salesbury, ond nid oedd hi yn ei gyffroi o gwbl, a pha 'run bynnag ni byddai ei dras yn ddigon uchel ym meddwl Dâm Siân Salsbri. A dyna Lowri. Oedd, yr oedd Lowri'n ei gyffroi ac yr oedd yn eiddo iddo unrhyw bryd. Cywilyddiai ar adegau wrth sylweddoli fel y manteisiodd arni, nid am ei fod yn dweud unrhyw gelwyddau wrthi, ond am ei bod hi'n rhoi mor llwyr, ac yntau a'i fryd ar Feistres Berain. Fe wyddai hithau hynny ac eto deuai ato, heb edliw dim a gofyn dim ond cael ei garu. Gallai fod wedi awgrymu iddo y byddai ef fwy o'i heisiau pe byddai'n ferch uchelwr. Pe gofynnid iddo, ni allai wadu na fedrai ef byth yn ei fyw fod wedi canmol neb arall yn fwy nag y canmolodd Lowri. Onid oedd o wedi ei haddoli mewn gair a gweithred? A oedd yn gwrthod ei meddwl chwim a'i hynawsedd a'i phrydferthwch am ei bod yn anllythrennog a digyfoeth a di-dras? Ym mhopeth arall, onid rebel oedd ef a'i frawd Siôn Tudur, yn erbyn hen gredoau a hen freintiau a dagai ffyniant cymdeithas? Gartref y dylai ef ei hun ddechrau chwyldroi bywyd os oedd am fod yn gyson ag ef ei hun. Gallasai ddysgu Dafydd Bach a Lowri i ddarllen. Gallasai eu dysgu i fod yn Brotestaniaid da. Beth a oedd ar ôl? Fe ddyrchefid statws Lowri pe priodent, ac ar wahân i ddigwyddiad anhygoel ni fyddent byth yn dlodion.

Felly yr ymresymai Huw Tudur ag ef ei hun ond taflwyd ef oddi ar ei echel pan gafodd newyddion Catrin. Trefnasant gyfarfod yng Nghapel Mair ac yno y cafodd ar ddeall ganddi yn gynnar ym mis Mawrth ei bod yn feichiog. Ar droed yr aeth Huw i lawr i'r capel bach a gwelodd gaseg Catrin, wrth dennyn yn y mangoed, tu allan i'r adeilad dirgel. Darganfu hi ar ei gliniau yn y llwch wrth yr allor pan aeth i mewn. Cododd yn syth i ddod ato ond nid i'w freichiau.

'Diolch iti am ddŵad yma, Huw,' meddai. 'Rwyf wedi deisyfu cael dy weld yn fwy nag erioed i gael siarad efo ti, ac yrŵan wn i ddim sut i ddechre dweud wrthyt ti.'

'Dweud beth, f'enaid gwyn i?'

'Dweud rhywbeth wrthyt ti heb wybod yn iawn beth a ddywedi amdano.'

Edrychodd i ffwrdd oddi wrtho ar y capel gwag ac aflêr gan ofni'r agendor a allai agor rhyngddynt y munud y datgelai ei newyddion. Nid oedd dim amdani ond mentro.

'Rwy'n feichiog, Huw, ac yn berffaith siŵr erbyn hyn.'

Trodd i'w wynebu, ond eto heb yr hyder i edrych i'w lygaid, ac ychwanegodd, 'Fe wyddost ti pa bryd oedd hi. Does dim posib bod dim ers hynny.'

Cododd ei golygon yrŵan a gwelai Huw y boen yn ei llygaid golau a'r ymdrech amlwg i'w rheoli ei hun. Ni thorrodd y llifddorau nes y cymerodd hi at ei fynwes a'i siglo a'i chysuro tra gwibiai ei feddwl yn wyllt yn dyfalu beth i'w ddweud.

'Paid â phoeni,' meddai, 'rho amser i mi feddwl am foment,' gan ddal i'w siglo yn ei syfrdan.

'Yrŵan fy mod i hefo ti, fe wn y medra i ddweud unrhyw gelwydde sydd raid wrthyn nhw,' meddai Catrin, 'a chware unrhyw ran fydd ei angen. Ond Huw, hebot ti wyddwn i ddim sut i wynebu neb. Rwy'n gweld yrŵan y medra i siarad amdano.'

Rhyddhaodd ei hun o'i freichiau a gafael yn ei ddwylo.

'Wedi i'r bychan ddŵad,' meddai, 'fe alla i ddisgrifio i ti ei gampe ac fe ofala i y cei di ei gwmni. Ein cyfrinach ni fydd o. Ein creadigaeth ni.'

Ymataliodd Huw rhag gofyn pa sicrwydd a oedd ganddi mai dyna oedd y gwir, nid oherwydd awydd i wadu neu osgoi'r ffaith o gwbl, ond i'w gadarnhau y tu hwnt i amheuaeth. Dywedai ei reswm wrtho nad dyma'r foment i'w chynhyrfu. Gwelai oddi wrth ei siarad nad oedd yn ddigon hunanfeddiannol ar hyn o bryd. Porthi ei syniadau oedd orau am ychydig.

'Un peth rwyf am ei ofyn iti,' meddai hi. 'Mae arna i eisie ei fagu'n Babydd, hyd yn oed os na chaiff fedydd priodol. Fe lanheuwn y capel yma ac fe allaf ddŵad ag ef yma fel y byddwn inne'n dŵad, ers llawer dydd.'

'Ie, purion, Catrin fach,' atebodd Huw, a chusanodd hi.

Oddi mewn yr oedd Huw'n ferw o groes deimladau. Gwelai ei fywyd yn ymestyn o'i flaen fel un caethiwed hir anfodlon. Pwy oedd yn hunanol? Catrin ynteu ef ei hun? gofynnodd. Nid oedd ateb heddiw i'r cwestiwn hwnnw. Yn ei benbleth cafodd Huw gip arno'i hun fel creadur gwan. Mewn dadl neu mewn cweryl neu ysgarmes gyda dynion buasai ei safbwynt yn glir a byddai wedi taro i ennill y fantais gyntaf o'r dechrau. Yr oedd yn rhy hyblyg o lawer yn ei berthynas â merched. Trechid ei gadernid gan y rhyw deg ac ni hoffai'r ymdeimlad diymadferth hwn o fod ofn eu brifo.

'Rwy'n gobeithio, Huw, na cha i lawer o salwch y misoedd nesa. Bydd yn rhaid imi oddef cyfarwyddiade di-ben-draw Dâm Siân bob hyn a hyn, mae'n sicr. Diolch i'r drefn bod rhai milltiroedd rhwng Berain a Lleweni.'

Yr oedd sgwrs Catrin erbyn hyn yn arwyddo ei bod yn dechrau meddwl mewn termau mwy realistig o'r hanner.

'Mae gennyt ddigon o amser eto cyn y bydd hi'n gorfodi Elin Fawr arnat ti,' cysurodd Huw hi.

'Oes, gwaetha'r modd. Bydd angen dy gwmni dithe arna i, Huw. Rwy'n dechre teimlo ychydig o unigedd yn barod wrth feddwl am fy nghyfrifoldeb gyda hwn. Ti sy biau fo, Huw. Rwy'n fodlon am mai ti sy biau fo.'

Daeth yn ôl i'w freichiau a theimlai nerth ei gorff yn ei chynnal. Yr oedd fel coeden braff i gysgodi dani, ac wrth gau ei llygaid a mwynhau ei gusanu ar ei thalcen a'i harleisiau, bron iawn nad oedd yn gwbl ddedwydd.

'Fe alla i ddweud amdano ym Merain ymhen ychydig ddyddie. Dyna a wnaiff y synnwyr gore i John, rwy'n credu. Tudur Salesbury fydd ei enw. Fe wna hynny synnwyr hefyd i bawb, ond fe fydd gennyf i fy rheswm da fy hun dros ei enwi'n Tudur, wrth gwrs. Mwy nag un rheswm mewn gwirionedd, ond mai tydi ydi'r prif un o ddigon.'

Cerddodd Catrin allan o'r capel i heulwen wan y gwanwyn.

'Rwy'n mynd yn fy ôl yrŵan, Huw,' meddai, 'ac rwy'n dychwelyd yn llawer dewrach a bodlon na phan ddes i yma. Diolch i ti am fy ngharu. Fe wyddwn na fyddet yn fy siomi. Rwy'n cofio i ti ddweud unwaith na wnaet fy siomi byth. Wn i ddim a oes digon o ruddin ynof pe baet yn cefnu arna i yrŵan.'

Oni bai ei bod mor gynhyrfus efallai y byddai Catrin wedi sylwi ar ddistawrwydd Huw Tudur, ond dychwelodd i Ferain a dyfodol hapusach o'i blaen yn ei meddwl ei hun. Yn ystod y diwrnodau dilynol bwriodd ei hun i mewn i brysurdeb a llawenydd paratoadau'r gwanwyn. Aeth tridiau heibio a Catrin erbyn hyn wedi ei stilio ei hun i ddweud wrth John Salesbury bod ganddi obaith magu. Daeth i'r penderfyniad nad oedd rheswm dros oedi mwyach, a byddai'n dweud wrtho y noswaith honno, wedi iddo ddychwelyd o Ddinbych ar fusnes.

Yr oedd yn Ffair Wanwyn ac yr oedd ar John Salesbury eisiau pwrcasu gwinoedd newydd a chyfrwy i'w farch. Byddai'r rhan fwyaf o foneddigion y fro yn y ffair gan adael y rhelyw o'u gweision dyfal i ofalu am yr ŵyn newydd a'r holl hau angenrheidiol. Er nad oedd John fawr o gyfarwyddwr fferm fe allai siarad ac yfed gyda'r goreu, ac yn yr Hound and Buckle y treuliodd ran helaeth o'r dydd. Disgwyliai Catrin y dychwelai i Ferain mewn tymer hael a llon ond fel arall y bu. Yn y lle cyntaf yr oedd John mor hwyr fel y penderfynodd Catrin ei hwylio hi am y gwely. Clywai ei sŵn yn uchel, wrth iddi ddadwisgo yn ei llofft, yn damnio'r gweithwyr a'r march ar y buarth. Yna daeth i fyny'r grisiau yn drwm ei droed. Dychrynwyd hi i farwolaeth bron pan hyrddiodd ddrws y llofft led y pen ar agor nes ei fod yn diasbedain yn erbyn y mur. Rhythodd arni â chasineb hyll a chaeodd y drws o'i ôl â chlep nes crynai'r nenfwd. Yna trodd yr agoriad yn y drws.

'Taflu strympedi Dinbych i fy wyneb!' rhuodd. 'Fe rodda i strympedi iti! Ond wedi dechre'n ieuanc dy hun fe ddylaset wybod eu hanes yn well na mi.'

'Am beth wyt ti'n sôn? Rwyt wedi yfed gormod, John. Ymbwylla, yrŵan, rwy'n erfyn arnat ti.'

'Mae'n drueni na fyddet wedi erfyn mwy ar Ifan Lloyd, Bodidris, yn lle gadael i'r cnaf hwnnw gael ei ffordd hefo ti.'

Deallodd Catrin yn syth beth oedd ar ei feddwl er na chofiasai am y digwyddiad ers hydoedd o amser. Ond sut wyddai ef ddim am y peth, ni allai ddirnad.

'Os wyt yn cyfeirio at ryw ddiflastod anghwrtais ym Mhlas Cinmel ddwy neu dair blynedd yn ôl,' meddai Catrin, 'yna fe wnes i fwy nag erfyn. Fe sgrechiais ar dy dad ac fe gafodd Ifan Lloyd y fath glets ar draws ei wyneb gan Syr Siôn nes ei fod ar ei hyd ar lawr ac yn ei baglu hi'n syth a hynny nerth ei draed.'

'Dyna a ddywedi di. Nid dyna a glywais i heno yma.'

Camodd John Salesbury ymlaen a rhwygo'i dillad isaf oddi ar ei hysgwyddau yn ei dymer gorffwyll. Syfrdanwyd Catrin yn hollol gan y fath weithred annisgwyl ond ymwrolodd i wneud ymdrech arall i'w dawelu.

'Gofyn i dy dad, John, roedd o yna. Fe ddwed teulu Bodidris unrhyw beth i daro Lleweni. Fe wyddost ti hynny cystal â neb.'

Heb air ymhellach o ddadlau camodd Salesbury ymlaen a'i gwthio yn wysg ei chefn ar y gwely. Yr oedd ei lais yn uwch nag erioed.

'Sut fath uchelwraig wyt ti? Mae'r dyffryn yma, os nad Gogledd Cymru i gyd yn siarad am dy gywilydd. Gorwedd yn ôl ar y gwely yna ac fe ddangosa i iti dy haeddiant.'

Gwnaeth Catrin symudiad i'w osgoi ond taflodd hi'n ei hôl. Tynnodd hithau ei chrys isaf rhwygedig i fyny i guddio'i bronnau.

'John, ymbwylla, da ti,' ymbiliodd, 'neu fe godi di'r tŷ i gyd.'

'Rhyngot ti a hynny. Bloeddia os mynni, ond fe gei di fy nghymryd i naill ffordd neu'r llall. Gwna dy ddewis, drwy deg neu annheg, does fawr o wahanieth gen i, ac os ydw i wedi cael pocs Ffrainc ar fy nhrafael fe gei di ei rannu hefo mi fel gwraig dda am unweth. Gwna le imi, Catrin o Ferain.' Yr oedd Salesbury bron wedi gorffen diosg ei ddillad. 'Mae hi wedi cymryd ceg fudr Lloyd, Bodidris, i wneud imi fynnu dy feistroli di unwaith ac am byth. Gwir neu anwir mae hyn yn dŵad iti.'

Ymaflodd John Salesbury ynddi.

'Mae gen i faban! Mae gen i faban iti!' beichiodd Catrin.

'Nid gen i, yn o siŵr, ond fe wnawn yn sicrach ohono yrŵan.'

Ymbalfalodd yn frwnt a digelfydd cyn llwyddo i'w

orfodi ei hun arni ac nid oedd gan Catrin yr ysbryd na'r nerth mwyach i'w wrthwynebu.

Pan gafodd hi lonydd i orwedd mewn dagrau poeth ymhen hir a hwyr, ar ei herchwyn hi o'r gwely, gwelai'r treisio a wnaeth John Salesbury fel ei chosb. Nid cosb am y trosedd y credai ei gŵr iddi ei gyflawni ym Mhlas Cinmel, ond am drosedd na wyddai John Salesbury ddim amdano. Daliai'r canhwyllau yn y llofft ynghynn, ac yn eu golau gwelw edrychai'r Forwyn Fair yn dawel dosturiol ar Catrin o Ferain.

Pennod XXI

Yr oedd llawenydd heb ei fath yn Wicwer Galan Awst. Dychwelodd Siôn Tudur o'r Gard yn Llundain ac yr oedd Huw ar uchelfannau'r maes. Ymddeoliad dros dro a fyddai hyn efallai, gan mai cyndyn iawn oedd yr awdurdodau i ollwng gŵr mor brofiadol a'r deyrnas heb ei diogelu. Arhosai peryglon oddi mewn i'r wlad, ac o'r cyfandir, oherwydd newidiadau crefyddol y Frenhines Elizabeth. Ond dros dro neu beidio nid oedd neb balchach o gael bod yn ei gynefin na Siôn Tudur. Mwynheai Huw yntau sgwrs o sylwedd am y tro cyntaf ers amser maith.

Eisteddai'r ddau ohonynt, y noson y cyrhaeddodd Siôn Tudur, allan ar ben torlan uchel Wicwer uwch afon Elwy, a'u cefnau at fachludiad yr haul, gan edrych ar gyfoeth y fro o'u cwmpas. I gyfeiriad yr Allt Goch codai'r gefnen a guddiai afon Clwyd oddi wrthynt, ond draw i'r dwyrain dros y gefnen ymestynnai Bryniau Clwyd yn un rhes fonheddig o gopaon clir. Moel Hiraddug, Moel Maen Efa, Cefn Du, Penycloddiau, Moel Arthur a Moel Famau i gyd gyda'i gilydd yn gwneud rhagfur castell enfawr rhyngddynt a Lloegr draw.

'Rwyt wedi cychwyn ers bron i fis, felly?' holai Huw. 'Sut wlad sydd tua'r Deheubarth yna?'

Cyfeirio yr oedd yn bennaf at Fro Morgannwg a Dyffryn Tywi gan fod Siôn Tudur wedi bod yn Llandaf ac Abergwili fel rhan o warchodlu bychan, i Gomisiwn Ymwelwyr yr Archesgob Parker. William Cecil a fynnodd fod pedwar gŵr o'r Gard, heb eu liferi, wrth gwrs, i weithredu fel esgus o glercod i'r tri Ymwelydd a'u cyfreithiwr, Richard Pate. Comisiwn yr Ymwelwyr oedd gwneud ymholiadau, yn esgobaethau Caerwrangon a

Henffordd a phedair esgobaeth Cymru, ynglŷn ag agwedd yr offeiriaid tuag at Eglwys Brotestannaidd y Frenhines Elizabeth. Cychwynasant o Lwydlo, ar ôl ymgynghori â Syr Henry Sidney ac aelodau Cyngor Cymru. Wedi ymholi yng Nghaerwrangon a Henffordd daethant i Dde Cymru.

'Fe glywais i Gruffudd Hiraethog yn disgrifio Bro Morgannwg erstalwm, a ddywedodd o ddim gair yn ormod wrth ei chanmol. Mae yna gyfoeth di-ben-draw yno, fachgen. Digonedd o feysydd toreithiog a choedlanne—mwy na Dyffryn Clwyd yma o lawer. Dyffryn Tywi wedyn, yn eitha tebyg i'r parthe hyn.'

'Oes yna lawer o blase yno i'r beirdd, fel cynt?'

'Digon o blase ond dim cymaint o sôn am Gerdd Dafod. Mae clera da wedi prinhau yn Neheubarth, hyd y gwela i. Beirdd Gwynedd a Phowys sydd yno gan fwya, a'r cyfan braidd yn ddireol. Mae hi'n drueni gweld yr hen gyfundrefn yn bedwar aelod a phen. Rhaid inni gael eisteddfod arall i ddwyn trefn yn ôl ar bethe. Mae cardotwyr yn hawlio'r enw bardd nes gyrru'r uchelwyr i ame pawb ddaw ar eu gofyn.'

'Ie, wel, heb imi fod allan o'r dyffryn yma, alla i ddim barnu,' meddai Huw, 'ond sut bynnag, mae hi'n dda dy gael di yma, Siôn. Dwed i mi, pwy ydi'r Comisiwn sydd wedi cyrraedd i Lanelwy, yn hollol?'

'O! Cymry go dda i gyd ac yn gadarn yn y Ffydd Newydd, gelli fentro. Y Rheithor Richard Davies o Swydd Buckingham ydi'r arweinydd. Fe ddychwelodd ddechre'r flwyddyn yn fuan ar ôl y coroni, o Frankfurt yn yr Almaen. Wedi cael ei erlid yno yr oedd o, gan Gyfrin Gyngor Mari Tudur.'

'Aros di, Siôn, fe glywais i'r enw yna fisoedd yn ôl gan John Salesbury. Roedd *o* wedi clywed trafodeth gyfrinachol ym Mhalas Sant Siâms. Fe enwyd y Davies yma yr adeg honno.'

'Yr un un, yn siŵr ddigon iti. Mae o'n ddyn wrth fodd dy galon di, Huw. Yn Gymro i'r carn ac yn ail i William Salesbury o ran dysg, ddywedwn i.'

'Mae'n dda gen i glywed. Pwy sydd hefo fo?'

'Dau offeiriad dysgedig arall, y ddau yn ddoethuriaid o Rydychen gynt, Rowland Meurig o Fodorgan ym Môn, a Thomas Young. Deheuwr ydi Young. Dim cystal Cymreigiwr â'r ddau arall ond yn ysgolhaig eto i flaene ei fysedd. Syr William Cecil a fynnodd mai Davies a fydde'r arweinydd, fel y dealla i, ond mae Young yn agos iawn at yr Archesgob Parker, ac yn sicr wedi cael ei ddethol efo'r bwriad o'i ddyrchafu.'

'Ac maen nhw'n croesholi'r esgobion, meddet ti? Beth ydi'r argoelion, Siôn?'

'Ydyn, ac yn croesholi'r uchel offeiriaid i gyd ac yn cael adroddiad ar agwedd pob dyn byw sy'n ordeiniedig drwy Gymru benbaladr.'

'Eu hagwedd at y deddfe newydd sydd dan sylw?' holodd Huw.

'Y Ddeddf Uchafiaeth a'r Ddeddf Unffurfiaeth. Mae'r Sais, Anthony Kitchen, wedi derbyn y cyfan yn Llandaf. Fe wnaeth hynny'n glir yn Nhŷ'r Arglwyddi, pa 'run bynnag.'

'Pan basiwyd y deddfe yn y gwanwyn?'

'Ie. Mae o'n derbyn, felly, adferiad Ail Lyfr Gweddi'r Brenin Edward. Gan nad ydi hwnnw fawr mwy na chyfieithiad o'r Llyfr Gweddi Pabyddol, does dim rhyfedd. Ond mae'r Ddeddf Unffurfiaeth yn dileu'r offeren, fel y gwyddost ti. Mae'r ofergoel am y Fam Fendigaid tan gwmwl hefyd.'

'Fe wn am fwy nag un sy'n mynd i anwybyddu'r deddfe, doed a ddelo,' sylwodd Huw, 'a beth am yr esgobion eraill, a'r offeiriaid? Wna'r Esgob Goldwell, yn Llanelwy, ddim derbyn iot o'r newidiade. Ond beth am Dyddewi a Bangor?'

'Mae'r offeiriaid bron yn ddieithriad yn dilyn fel defed, mwya'r piti, yn lle o argyhoeddiad.'

'A'r esgobion?'

'Gwrthod, er i Richard Davies bledio a dadle hefo nhw. Mae o'n ddyn cytbwys iawn, Davies. Fe wnaeth ei ore glas i'w hargyhoeddi nhw. Ar un adeg fe edrychai fel pe byddai Henry Morgan, yn Abergwili, am droi, ond fel arall y penderfynodd o yn y diwedd.'

'A gwrthod wnaeth Morys Clynnog, darpar esgob Bangor, yn ogystal?'

'Ie, ar ei ben. Fe ddychwelodd o Rufain, ar ôl bod yno i gadarnhau ei apwyntiad, ac fe lynodd fel gele wrth ei ddadleuon. Yr wythnos diwetha ym Mangor fe dreuliodd yr Ymwelwyr orie bob dydd yn pwyso'n galed. Doedd dim troi arno fo. Piti oedd hynny. Bron nad oedd o'n fodlon gweld yr Ysgrythur Lân mewn Cymraeg, ac un o'i Archddiaconiaid hefyd yr un fath. Gruffudd Robert, wrth ei enw. Welais i erioed y fath golled, achos yrŵan, mynd fydd raid i'r ddau ohonyn nhw.'

'Allan o'r wlad, wyt ti'n feddwl?'

'Na, nid o anghenraid, Huw, ond fe gollan nhw'r cwbl, mae hynny'n sicr ddigon.'

'Rwy'n sylwi mai'r Cymry Cymraeg yn eu mysg sy'n gwrthod cydymffurfio, a'r Sais o Landaf yn derbyn.'

'Ie, mewn gwirionedd mae hynny'n glod iddyn nhw ac yn drueni ar yr un pryd.'

'Wyt ti'n ofni mai Saeson a gaiff y swyddi, felly, Siôn?'

'Anodd dweud, ond mae'n ymddangos fel sefyllfa hwylus dros ben efo tair esgobaeth am fynd yn wag a thri Ymwelydd dysgedig a phraff wrth y gwaith hwn o ymholi. Dyna oeddwn i'n weld mor anrhydeddus yn Richard Davies.'

'Am ei fod yn gweithio yn erbyn ei les ei hun wrth bwyso ar Morgan a Morys Clynnog i dderbyn y deddfau, wyt ti'n feddwl?'

'Yn hollol, a phawb yn crafangu am swyddi o bob math fel y maen nhw ers cenhedlaeth. Chei di ddim llawer a fyddai'n gwneud fel y gwnaeth Davies.'

'Rwyt ti yn llygad dy le, Siôn. Dyn pa oed ydi'r Richard Davies yma?'

'O, mae o'n tynnu ymlaen am ei drigain.'

'Wyt ti ddim i fod yn Llanelwy hefo nhw, i'w gwarchod?'

'Dyna oedd y syniad. Doedd y Cyfrin Gyngor ddim yn siŵr o ymddygiad yr uchelwyr yng Nghymru ond does yna ddim siw na miw o brotest wedi bod oddi wrth 'run enaid byw.'

'Ie, wel, beth wnei di? Mae'r ustusiaid am gadw eu breintie. Maen nhw wedi bod dan draed yn ddigon hir. Mae eu balchder yn eu tras yn dod o flaen bob peth. Hyd yn oed crefydd ei hun.'

'Ie, ac mae'r boneddigion yma yn gwybod nad oes yna neb efo cythreuldeb ac egni yr hen Rowland Lee mwyach tua Llwydlo yna. Ond gwrando, Huw, mae Richard Davies wedi gofyn imi drefnu cyfarfod rhyngddo a William Salesbury, cyn i'r Comisiwn ddychwelyd i San Steffan.'

'Ydi, wir? Mae hynny'n awgrymog iawn. Rwy'n clywed bod Salesbury mewn hwyliau da. Fe fu'n isel-ysbryd dros ben ond mae o wedi ailafael yn ei gyfieithiade.'

'Pwy ddywedodd hynny wrthyt ti?'

'Cyfaill newydd a wnes i, a bardd tan gamp, Siôn. Llanc o'r enw Wiliam Llŷn. Mae o'n medru'r Gerdd Dafod cystal â'r un dyn byw.'

'Felly. Un o ddisgyblion Gruffudd, mae'n debyg?'

'Ie. Mae Gruffudd yn ceisio'i sefydlu fel bardd i Ferain ac mae Wiliam Cynwal wedi digio'n o arw.'

'Beth sydd ar Cynwal? Mae ganddo ddigonedd o dai yn agored iddo. Sôn am hyfforddi, fe fues i'n dysgu rhai o'r mesure i Richard Davies ar y daith yma. Roedd mwy na chrap ganddo ar y gynghanedd, ond ar wahân i'r cywydd deuair hirion a'r englyn unodl union doedd ganddo fawr o syniad am y mesure eraill.'

'Gwylia di rhag ofn i Cynwal glywed iti fod yn dadlennu cyfrinache'r beirdd. Ond yn ôl Simwnt Fychan nid ydi hynny'n ddrwg o gwbl. Llawdrwm iawn ar y traddodiad barddol oedd o yn Lleweni llynedd.'

'Mae'n ddigon hawdd i Simwnt rebelu ond beth gawn ni yn lle'r hen fesure? A beth gawn ni sy'n ddigon urddasol? P'run bynnag, beth feddyli di o gael cyfarfod â William Salesbury a'r Parchedig Richard Davies? Fe af i Lanelwy yfory i weld sut raglen sydd gan y Comisiynwyr ac wedyn fe af i wahodd Salesbury draw yma. Wn i ddim a hoffet ti ddŵad hefo mi ar draws Hiraethog i'w hudo?'

'Ar bob cyfri. Mae'r gweision yma yn ddigon abl i'w gadael.'

'I'r dim. Fe fydd angen caseg arna i, Huw. Fe ddechreuodd fy nghaseg goch gloffi i lawr wrth Wicwer Isa ar y llwybr o Lanelwy. "Heb garn, heb geffyl", fe wyddost yn burion. Beth sydd gen ti ar gael yma i'w gynnig imi?'

Aethant i drafod ceffylau a phrisiau cynyddol gwenith a haidd weddill eu harhosiad ar y dorlan uchel cyn ei throi hi am y tŷ i gadw noswyl.

* * *

Draw yn stablau'r Wicwer yr oedd siarad mwy dirgel i'w gael na phrisiau'r farchnad a rhagoriaethau ceffylau. Yno, yn y gwellt sych yn y llofft stabl ganol, gorweddai gweision y plas wedi darfod eu hwyrbryd yn y tŷ. Cyn iddynt gael eu gwala o bonsh maip gynnau fach buont yn porthi, dyfrhau ac yn c'nau'r ceffylau blinedig, ond yrŵan ymlacient am y tro cyntaf ers y bore bach.

'Hwde'r gannwyll frwyn 'ma, Catrin Cadwalad. Cyn hi, inni gael gweld 'yn gilydd,' gorchmynnodd Raff ap

Hwmffre gan wybod y byddai'n ei chythruddo wrth ei chymell yn y fath fodd.

'Cyn hi dy hun, y diogyn 'ffen, rwyt ti'n hŷn a mwy abl na mi,' atebodd y forwyn ffraeth.

Er ei thlysed, cafodd hwth a'i taflodd ar wastad ei chefn i'r gwellt ac ar draws coesau Rhys Gutyn. Damniodd hwnnw'n uchel.

'Myn y Firi Faglog, rwyt ti'n gofyn amdani heno. Colli'r ponsh poeth yna am fy mhen yn y gegin ac yrŵan trio torri fy nghoese. Tyrd yma'r gnawes.'

Yr oedd reiat ar ddechrau pan ddistawodd Siôn Prys bawb.

'Sadiwch neu ewch o 'ma!' bloeddiodd, yn fyr ei dymer. 'Mae arna i eisie clywed hanes y galanas neithiwr gan 'rhen Robin. Yrŵan, Dafydd Bach, cyn di'r frwynen yma, da was, a gad ti lonydd i'r lefren yna am ysbaid, Rhys Gutyn.'

Oni bai am bwysigrwydd yr hanes a gafodd Robin Cymynwr gan ei frawd Huw Tyddynreithin, gwas Syr Siôn Salsbri, ni chawsai Catrin Cadwalad, Cae Drain, lonydd gan y gweision heini. Yr oedd hi yno, yn ôl ei harfer, yn y llofft stabal wedi noswyl i fwynhau cael ei phlagio a'i chwarae ar adegau gan Siôn Prys neu Rhys Gutyn. Nid oedd fawr o wahaniaeth gan Catrin gan ei bod yn hoffi'r ddau cystal â'i gilydd. Am y foment nid oedd amser i gamboli.

Clustfeiniai pawb ar yr hen Robin Cymynwr yn adrodd ei newyddion am y dial a fu ar lofrudd y forwyn fach o Leweni.

'Heddiw'r pnawn glywest ti?' holai Dafydd Bach.

'Ie, fachgen. Doedd Huw, 'mrawd, ddim hefo'r bechgyn ond mi gafodd y cwbwl oddi ar ene Heulyn Goch. Heulyn a drefnodd y galanas gwaed. Roedd o wedi clywed bod Dai Nantglyn yn yfed yn Rhydtalog unweth yr wythnos. Methu aros yn ei gaets tua Bodidris 'na.'

'Ie, does 'na ddim mwy na thair milltir oddi yno i Blas Bodidris,' sylwodd Rhys Gutyn.

'Cau dy geg a gwranda,' brathodd Siôn Prys.

'Wel, neithiwr,' meddai'r hen ŵr, 'aeth pedwar o deulu Betrys Tyddyn Heulyn i fyny i rosydd Llandegla. Wedi gweld bod Dai Nantglyn yn potio yn Rhydtalog mi aethon i wardio yn y ffosydd ryw filltir i gyfeiriad Bodidris, gyferbyn â Llyn Cyfynwy.'

'Pa bedwar aeth? Oedd Heulyn Goch efo nhw?' gofynnodd y forwyn.

'Paid â holi, lodes, fyddi di'n gwbod dim wedyn,' atebodd yr hen goediwr.

'Ie, dos yn dy flaen, Robin,' porthodd Siôn Prys.

'Mi arhosodd dau tu isa i'r ddau arall, ddecllath neu fwy, i neud yn siŵr y byddai Dai Nantglyn mewn lloc rhyngddyn nhw. Ac felly y bu hi. Ymhen dwyawr dyma'r cnaf i lawr y ffordd, yn ddigwmni yn y twllwch, tan ganu. Ond pan gododd dau o'i flaen a'i slensio fe dewodd fel bronfraith yn gweld barcud.'

'Ac mi gafwyd iawn, Robin?' meddai Siôn Prys.

'Mi gafwyd iawn, heb gyfraith Lloegr. Mi fydd yn rhaid i'r Sesiwn Fawr chwilio dŵr Llyn Cyfynwy i gael y dystiolaeth. Yrŵan, dim gair wrth dy chwaer Lowri, Dafydd Bach, nac wrth Modlen chwaith. Gad i'r Wicwer gael yr hanes yn syth o lawr y Dyffryn neu o Ddimbech. Fydd neb yn synnu bod Dai Nantglyn ar goll a fydd Lloyd, Bodidris, ddim yn chwannog i holi llawer am ei hynt.'

'Na fydd. Gore oll os bydd hi'n dalm o amser cyn i'r bugeiliaid gael hyd i'r corff,' meddai Siôn Prys.

Ymgroesodd pawb wrth y cyfeiriad at y corff a orweddai yn nyfroedd mawn y rhosydd uchel. Gwnaethant ati yn syth bin i ddechrau anghofio'r digwyddiad. Yr oedd yna fwy na digon o greulondeb ac o ddioddef yn eu bywydau heb iddynt fynd i bensynnu yn ei gylch. P'run bynnag, oni thalwyd galanas gwaed dyladwy?

'Dwi am fynd lawr i weld caseg goch Siôn Tudur,' cyhoeddodd yr hen ŵr a chodi i fynd am y penystol. 'Mi irais 'i hegwyd hi efo saim gŵydd. Efalle bod y chwydd wedi lleihau ryw gymaint. Wyt ti am ddŵad i weld, Dafydd?'

'Ddo i,' atebodd y gwas bach gan godi i'w ddilyn i lawr o'r llofft.

'Cym bwyll,' meddai Catrin Cadwalad wrth y llanc, 'Ma' gen i rywbeth i'w ofyn iti ers tro. Dwed i mi, ynglŷn â Lowri dy chwaer, ma' hi 'di mynd mor bell â gwraig o uchel dras. Ydi hi 'di bod ddigon amal yng ngwely Mistar Tudur erbyn hyn i wneud iddo addo rhywbeth gwell na phlentyn pen domen iddi?'

'Wn i ddim be sy gen ti dan sylw . . .' dechreuodd Dafydd yn wyllt.

'Gad iddo fo, Catrin Cadwalad! A dal dy dafod!' bloeddiodd Siôn Prys. 'Rwyt ti wedi dweud gormod yn barod er dy les dy hun os oes hanner coel ar be ddywedi di.'

'Mi wna i ryw les iti Catrin, dim ond i ti ddŵad i'r gwellt yma,' cellweiriodd Rhys Gutyn. 'Dwi ddim wedi talu i ti am ymanafyd fy nghoese gynne.'

Daliodd Rhys Gutyn hi gerfydd ei hysgwyddau.

'Dos di lawr, bwchan, efo'r hen Robin,' meddai wrth Dafydd, 'ac mi gaiff Cadi wers neu ddwy gyn Siôn a finne rydd daw ar ei brôl hi'n ddisymwth.'

'Ie,' ychwanegodd Siôn Prys, 'ac os daw awydd drosta ti i roi clets ar ei thin hi, rho di floedd ar droed yr ystol ac mi trown ni hi wyneb i waered i ti ga'l gneud.'

Disgynnodd Dafydd yr ystol fel wiwer gan adael Catrin Cadwalad yn hafflau ei chariadon, fel bu raid iddo droeon o'r blaen oblegid swildod. Nid oedd deall ar ferched yn ôl ei ddoethineb deuddeng mlwydd. Nid fel yr oedd deall ar geffylau. Dywedodd hynny wrth yr hen Robin pan gyrhaeddodd ato i dendio'r gaseg goch. Gallent ill dau brin glywed chwerthin ac ysgrechian y forwyn bowld o bellter y llofft stabal ganol.

'Hen bethe gwirion ydi merched, Robin.'

'Wel, mi gei lai o siom wrth feithrin creadur a mwy o barch, Dafydd Bach, mae hynny'n wir, ond dwi'n ame a gei di fwy o sbri, chwaith, na phan ddechreui di fercheta.'

'Dwi byth am briodi, Robin,' cyhoeddodd Dafydd yn gadarn.

'Gawn ni weld am hynny hefyd. Ac mi gei di weld llawer tro ar fyd os nad ydw i'n 'i methu hi.'

'Sut hynny, Robin?'

'Ma' 'na ryw aflonyddwch yn y gwynt. Mi glywes bod Siôn Tudur wedi hebrwng rhyw ddynion dierth i Lanelwy 'na. Ac ma' dynion dierth yn troi'r drol bob amser er 'u lles 'u hunen. Cred di fi.'

'Ond ma' Siôn Tudur yn ddyn nobl.'

'Mae o wedi bod tua Llunden 'na yn rhy hir, weli di. Mi gei di fyw i weld fy ngeirie i'n cael 'u gwireddu. Ond estyn di dipyn rhagor o'r saim 'na imi gael ymgeleddu rhagor ar y gaseg 'ma, Dafydd.'

Tynnodd yr hen ŵr ei ddwylo caredig dros bedrain y gaseg aflonydd. Gweryrodd hithau'n isel.

'Da ti, da ti, 'merch i. Rwyt *ti'n* ddigon ifanc i wella. Mae hi'n bryd i mi hel fy sgrepen o'r hen fyd 'ma, wyddost ti. Mae o'n mynd yn ddierth imi.'

Wedi iddo roi'r blwch saim yn nwylo corniog Robin Cymynwr aeth Dafydd Bach allan i'r buarth tywyll. Rhwng geiriau prudd yr hen ŵr a thafod faleisus Catrin Cadwalad teimlai Dafydd yn ddigon digalon. Yr oedd am ofyn i Lowri yfory nesaf oedd hi a Meistr Huw am briodi.

Pennod XXII

Llusgo a wnaeth y misoedd o Fawrth i Ebrill, o Fai i Fehefin i Catrin o Ferain. Ychydig o lawenydd a gafodd eleni yn nyfodiad y gwanwyn a'r rhialtwch pan ddaeth y beirdd i'r plasau dros y Pasg ac wedyn y Sulgwyn. Erbyn hyn yr oedd mis Gorffennaf wedi tynnu i ben ei dennyn a phoethder haf yn pwyso ar gnydau toreithiog Dyffryn Clwyd gan addo aeddfedu'r grawn yn gynnar. Yr oedd y gwres yn drymder ar ysbryd a chorff Catrin. Cynhaliai ei chorff ieuanc ei baban ers dros chwe mis, ac yfory yr oedd ei phen blwydd hithau'n bedair ar bymtheg oed.

Gwnaethai John Salesbury ei orau glas i ennill ei maddeuant dros y misoedd diwethaf, am ei eiriau a'i weithred anllad. Baban pum mis a gredai ef, a phawb arall ym Merain a Lleweni, a gariai Catrin. Nid oedd amheuaeth ynglŷn â balchder John Salesbury yn ei etifedd tybiedig. Yr oedd ei ddiddordeb yn fwy na balchder teuluol ei dad, Syr Siôn, a Dâm Siân ei fam. Deddfasai Syr Siôn mai Tomos a fyddai enw'r etifedd, neu Thomas, fel y mynnai Dâm Siân. Ond dangosodd John fwy o serch gwirioneddol tuag at ei wraig hardd nag a wnaethai erioed o'r blaen. Yr oedd fel pe bai wedi cael rhyw buredigaeth ryfedd ar ôl y noson honno pan drechodd Catrin yn erbyn ei hewyllys, ac yr oedd gobaith etifedd wedi ei weddnewid. Erbyn hyn credai Catrin yn ei ddidwylled yn bur llwyr ond eto ni faddeuodd iddo'n llawn.

Yn ffortunus iddi hi efallai, bu ganddi esgus da dros beidio â chaniatáu unrhyw gyfathrach rywiol a hynny heb darfu John Salesbury o gwbl. Onid oedd pawb yn dweud nad oedd wiw dwyn pwysau ar faban ar ôl y mis cyntaf?

Cyn belled ag y gwelai Catrin rhoddodd John heibio'i branciau gyda merched eraill hefyd. Gwnaeth hyn argraff bendant arni. Ond am ba hyd? A pha hawl a oedd ganddi hi i ddisgwyl hynny, p'run bynnag, pan nad oedd y rheswm dros ddiwygiad John yn wir ddilys? Hyhi oedd yr unig dwyllwr yrŵan ac yr oedd hynny'n chwithig.

Ni welsai Huw Tudur ers mis. Aeth yn gwbl amhosibl iddi ddianc i gadw oed ag ef mwyach a hithau wedi mynd mor bell efo'r plentyn. Unwaith y dechreuai baban gicio nid doeth oedd cerdded llawer, yr oedd hynny'n hollol ddealledig. Methodd hithau gelu'r ffaith bod y bychan yn aflonyddu o'i mewn, a Dâm Siân yn synnu ei fod wrthi cyn y gwnaethai yr un o'i phlant hi. Bu raid i Catrin fodloni felly ar Berain a'i gyffiniau fel carchar dros dro, a'i waliau a'i wrychoedd yn dal ar ei gwynt. Trist oedd ganddi feddwl am Berain annwyl fel carchar hefyd, ond felly yr ymddangosai ar adegau. Pan ymwelai Marged Wen a'i thad â Berain, ni allai wneud unrhyw esgus yn y byd dros fynd allan o sŵn ei llysfam ar ôl ei goddef am ryw hyd cwrtais o amser.

'Mae'n adeg braf ar ddechrau Awst fel hyn rhwng dau gynhaeaf,' meddai Marged gan ei gwneud ei hun yn gyfforddus yn neuadd Berain. Cyraeddasai Marged Wen ar un o'i phererindodau cyson. Yr esgus oedd pen blwydd Catrin.

Hanes y Comisiynwyr i lawr yn Llanelwy oedd ei holl sgwrs.

'C'nafon drwg ydyn nhw,' cwynai. 'Dwi'n siŵr nad ydi'r Frenhines ddim yn bwriadu iddyn nhw yrru'r hen Goldwell ddiniwed i ffwrdd.'

'Wn i ddim, Marged,' atebodd Catrin gan geisio lle mwy cysurus ar ei chlustogau esmwyth. 'Ar ôl gweld a chlywed rhai pethe yn Llunden, rwy'n ame yn fawr. Mae

John White, Esgob Lincoln, wedi colli ei swydd fel Warden Winchester, rwy'n deall.'

Daeth y cof am Lundain â thon o hiraeth dros Catrin a lladd yr awydd a gododd arni i ddadlau â Marged, ond parablodd honno ymlaen mor gwynfanllyd â hen ferch.

'Pabydd da, dwi'n siŵr,' meddai Marged gan gyfeirio at White. Ysgydwodd ei phen. 'A dyna i ti'r offeiried priod wedyn. Dwi'n sicr nad ydi Ei Mawrhydi ddim yn ffafriol i'r offeiried 'ma briodi.' Cododd ei dwylo tewion mewn enbydrwydd. 'Gwarchod y gwirion, chreda i ddim gair o'u homilïe na'u gweddïe, chwaith, os caniateir iddyn nhw briodi. Ac am weinyddu'r cymun bendigaid . . . Wel, Mair a'n gwaredo! Efalle mai newydd ddod oddi wrth 'u gwragedd fyddan nhw ac wedyn mynd i ymhél â'r bara cysegredig yn syth bin.'

'Fydd yna ddim bara cysegredig i'w gael os aiff pethe lawer pellach, Marged, ac mae bonedd Cymru mor ddi-hid drwy'r cwbl. Os caiff fy mab fyw, Marged, fe'i gwnaf yn ymladdwr dros y Ffydd ac fe fydd unrhyw addysg ac unrhyw swyddi a gaiff i gyd i'r diben hwnnw.'

Am y tro cyntaf ers misoedd dangosodd Catrin gyfran o'r asbri a'r sioncrwydd a'i nodweddai yn naturiol. Paham y dylai hi golli ei bywiogrwydd, p'run bynnag? Cafodd Catrin fflach o obaith o feddwl am feithrin ei chyntafanedig yn ddyn a fentrai bethau fel y gwnâi hi ei hun pe ganesid hi'n fachgen. Byddai am iddo gyfuno rhywfaint o sadrwydd ei thad, Tudur ap Robert, ynghyd ag ysbryd anturus ei dad. Fe fyddai urddas yr enw Salesbury yn fanteisiol hefyd. Gallai, fe allai wneud defnydd buddiol gwerth chweil o statws Lleweni a Berain. A beth am hawl Mari Stiwart i'r orsedd? Yr oedd yn gymaint o hawl ag a oedd gan Elizabeth Tudur bob tamaid. Pwy a wyddai na ddychwelai Mari o Ffrainc ryw ddydd? Na, nid oedd mor anobeithiol â hynny ar wir grefydd nac am hapusrwydd i

Catrin. Wedi geni ei mab fe gâi ei chariad, Huw Tudur, yn ôl, yn goron iddi hithau ar y cwbl.

'Beth ddywedaist ti am y cynhaeaf gynne, Marged?' gofynnodd i'w mam wen.

'Dweud 'i bod hi'n amser tawel braf rhwng dau gynhaeaf, am wn i.'

'Ydi. Rwyt ti'n iawn.'

'Wel wrth gwrs fy mod i'n iawn. Beth sydd arnat ti? Mae rhyw olwg pell iawn yn dy lygaid di.'

'Mae'n ddrwg gen i. Hel meddylie roeddwn i. Rhyw deimlo fy mod *i* rhwng dau gynhaeaf mewn gwirionedd. Na hidia, mae'n bryd inni gael bwyd. Galw'r forwyn, wnei di? Mae gen i awydd rhywbeth blasus i ginio.'

Yn hwyr y prynhawn crwydrodd meddwl Catrin i'r un cyfeiriad eto wrth iddi feddwl am fynd i'w gwely cyn i'r haul fachlud. Yr oedd yn annoeth i neb fod wrth ben ei thraed yn feichiog wedi i'r haul fynd i lawr.

Hebryngodd John Salesbury hi i'r llofft yn ddigon caredig.

'Rwyt ti'n edrych yn llawer gwell heddiw, Catrin. Yn debycach i ti dy hun. Dydi'r bachgen ddim yn dy boeni o gwbl?' gofynnodd gan agor y drws iddi ar ben y grisiau.

'Nac ydi, poeni dim arna i. Prysured mis Hydref, ddyweda i.'

'Mis Hydref? Mis Tachwedd wyt ti'n olygu,' cywirodd John Salesbury.

'Y, ie, mis Tachwedd, rwyt ti'n iawn.'

Ni sylwodd ei gŵr iddi gochi am foment.

'Fe fyddaf yn iawn yrŵan, John,' ychwanegodd. 'Anfon y forwyn fach i fyny ymhen ychydig, os gweli'n dda.'

Yn ei chyflwr presennol yr oedd arni eisiau bod yn ei choban cyn i'r forwyn ddod i drin ei gwallt. Wrth ddadwisgo trodd ei meddwl at Huw Tudur. Ceisiodd beidio â gadael i'r ffaith na welai ef, ond drwy ddamwain, am ddeufis neu dri eto, aflonyddu dim arni. Ond rhyfedd na fyddai'n chwilio am esgus i ymweld â Berain hefyd. Ni fyddai'n anodd iddo. Tybed a allai hi gael neges ato'n ddirgel?

Edrychodd Catrin ymlaen at noson o gwsg esmwythach nag a gafodd ers amser maith.

* * *

Ychydig filltiroedd i ffwrdd marchogai Huw Tudur ar y daith fer yn ôl i'r Wicwer o Lanelwy. Bu ef a Siôn Tudur ym mhlas yr Esgob Goldwell yng nghwmni William Salesbury, yr ysgolhaig, a'r tri Chomisiynwr. Cafwyd sgwrsio doeth ac ystyriol ers yn gynnar y bore, a gwnaethpwyd cymaint o argraff ar Huw Tudur fel y teimlai bod rheidrwydd arno i wneud rhai penderfyniadau hollbwysig. Bu drwy'r tebycaf peth i gyffro crefyddol ag a brofodd erioed.

Gadawsant William Salesbury i aros i drafod ac i ddadlau â Richard Davies yn y plas, ac yn awr dilynai Huw ei frawd yn ôl i fyny Dyffryn Elwy am Wicwer.

'Bydd gan Blas Coch wenith dihafal eleni,' gwaeddodd Siôn Tudur dros ei ysgwydd. 'Dim llawer o ysgall ynddo fo chwaith. Tywys llawn arno i gyd.'

Ni chymerai Huw fawr o sylw o wychder y dyffryn o'i gwmpas ar ddiwedd y diwrnod tesog hwn o Awst. Atgofio yr oedd argyhoeddiad a chryfder dadleuon Richard Davies a Salesbury. Braint fawr fu cael bod yn eu cwmni er mai creadur piwis braidd oedd Salesbury. Edrychai'n llwyd ac eiddil a gwnâi ei ddillad tywyll iddo edrych yn hýn na deugain oed. Eto yr oedd tân yn ei lygaid duon a siaradai yn fân ac yn fuan a diwastraff. Dyn mwy hamddenol oedd y Rheithor Davies, tal, llydan a chlên. Pwysai ei eiriau a mynnai sylw gan edrych yn wastad yn hollol i wyneb ei wrandawr. Nid oedd rhyfedd yn y byd i Richard Davies brofi'n drech na John Knox ei hun yn eu dadl fawr yn Frankfurt gynt.

Bu Siôn Tudur a Huw yn nôl William Salesbury i lawr o Hiraethog echdoe ac arhosodd yn Wicwer hyd heddiw'r bore. Cawsai Modlen ef yn anodd i'w blesio ac yr oedd yn falch o weld ei gefn pan ymadawsant am blas yr esgob yn gynnar yn y dydd.

'Mi fydda i'n medru gwneud efo bron bawb dwi'n nabod,' meddai hi yng nghlust Huw Tudur wrth iddynt ymadael, 'ond mi fydd hwnna yn dreth ar y Bod Mawr ei hun ryw ddiwrnod.'

Allan yng ngardd y plas ar ei ben ei hun y cawsant hyd i Richard Davies. Nid oedd y ddau Gomisiynwr arall wedi codi er ei bod yn tynnu am wyth o'r gloch y bore. Croesawodd y Parchedig Richard Davies hwy yn gynnes ac yr oedd dagrau yn ei lygaid wrth wasgu William Salesbury at ei fynwes lydan. Gwyddai'r offeiriad yn dda am alluoedd Salesbury. Astudiwyd y llyfrau a gyhoeddodd Salesbury eisoes yn fanwl ganddo, a thra bu Davies yn alltud yr yr Almaen, bu'n dyheu am y dydd arbennig yma—y diwrnod y câi'r cyfle i sbarduno'r gŵr bach gwelw hwn i'w briod waith dan frenhines Brotestannaidd. Nid oedd disgleiriach ysgolhaig yn ynysoedd Prydain ac fe wyddai Richard Davies gymaint oedd angen Cymru am ddysg a chwyldro diwylliannol ac am yr Efengyl yn iaith y wlad. Gwyddai hefyd am yr iselder ysbryd a fu'n gwmwl ar Salesbury ers amser maith oherwydd y gwahardd a fu arno rhag argraffu dim a hyrwyddai'r grefydd newydd.

Safodd Davies yn ôl ac edrych yn ddyfal i wyneb hirddwys Salesbury.

'Ailgydiais yn y cyfieithu i'r Frytaniaith,' cyhoeddodd Salesbury. Yr oedd sŵn herfeiddiol yn y llais.

Nodiodd Richard Davies ei ben yn araf i fyny ac i lawr

fel pe bai'n methu peidio â chymeradwyo'r geiriau a glywodd.

'Ie, ie,' meddai'n bwyllog. 'Gweddïais innau er ystalm y clywn y geiriau yna o dy enau, William Salesbury. Mae gennym lawer i'w drafod. Bendith yr Hollalluog arnat ti.'

Yna trodd gyda gwên at Siôn Tudur a Huw.

'Maddeuwch eich dau imi am eich anwybyddu ond mae hon yn awr fawr yn hanes ein pobl. Yn deilwng o'r cywydd gorau a fedri, Siôn Tudur. Dewch, fe awn i'r plas am awr neu ddwy hyd nes i'r gwlith godi. Gallwn ddychwelyd i'r ardd eto. Mae'r haul yn tywynnu mewn difrif calon heddiw, frodyr. Ydi, myn y Firi Faglog! os maddeuwch y llw Pabyddol.'

Agorodd cyfarfyddiad Davies â Salesbury lygaid Huw i beth a olygai crefydd a dysg i'r ddau ŵr hynod yma. Yr oedd ganddo ddigon o ddysg ei hun i ddeall y rhan fwyaf o sgwrs y dydd hwnnw. O leiaf fe ddeallai gymhellion ac amcanion y ddau ac fe'i taniwyd gan resymoliaeth eu dadleuon cadarn ac anhunanol. Nid ceisio eu lles eu hunain yr oeddynt fel eu cyd-foneddigion, ond ysgogid hwy gan haint rhyw frwdfrydedd dros oleuo pob dyn.

'Mae angen diffinio Ffydd yr Eglwys fel dychweliad at y Tadau,' pwysleisiai Davies. 'Ac yr oedd hen eglwys y Brytaniaid yn bur.'

'Dyna lygad y gwirionedd,' cytunai Salesbury, 'ac ni chawn well lawforwyn na'r argraffwasg i wasanaethu'n pwrpas. Y mae'r amser yn aeddfed ar lawer cyfrif ac nid yn lleiaf oherwydd yr angen am ddyrchafu ein hen genedl ni i'w hiawn urddas.'

Diddorol i Huw Tudur oedd y pwyslais a roddai'r ddau ysgolhaig fel ei gilydd ar ddychwelyd at yr Hebraeg a'r Groeg i gael gwirionedd y Beibl cyn ei droi i'r Gymraeg. Nid oedd Lladin y Fwlgat yn ddigonol. Derbyniai Huw'r safbwynt bod y gwirionedd yn yr Ysgrythurau ac nid gan offeiriadaeth yr hen ffydd babyddol. Rhaid felly oedd cael at union ystyron y gwreiddiol. Deuai'r ffynnon o flaen yr afon yn ôl Salesbury.

'Traddodiad yr afon a ddilynodd Erasmus, Luther a Tyndale ac felly hefyd Coverdale,' eglurai.

'Ie, ond mae peth perygl gwneud cam â phriod-ddull y Gymraeg wrth ddilyn yr Hebraeg a'r Roeg yn oragos, William Salesbury. Yr wyt ti dy hun yn mawrygu urddas traddodiad iaith,' dadleuodd Davies.

'Ydw, ydw, ond fe adenillir urddas newydd i ymadrodd y Frytaniaith drwy gynnwys yr eirfa glasurol i'w harbed rhag dirywio yn fratiaith bro.'

Tynnodd Salesbury lawysgrif o'r waled a gludodd i'w ganlyn ac aeth ymlaen i gymharu fersiynau gwahanol gyfieithwyr gan fanylu ar air cyswllt yma ac amser ymadrodd mewn lle arall. Yr oedd Huw ar goll erbyn hyn, er ei dipyn Lladin ysgol, ond gwelai'n glir fanyldeb a gofal y ddau ysgolhaig a'u sêl diderfyn dros y gwaith mawr a welent o'u blaenau.

Cawsant bryd o fwyd ganol dydd ac ymunodd Rowland Meurig a Thomas Young, y ddau offeiriad a gydweithiai â Richard Davies, â'r cwmni. Dyn byr cringoch, cwta ei ymadrodd oedd Meurig a'i ddiddordeb pennaf yn y bwyd moethus o'u blaenau. Dyn tal main, parod ei wên oedd y deheuwr, Young, ac yn dueddol o droi i'r Saesneg yn aml. Tynnai goes Richard Davies bob tro y cychwynnai'r gwrda hwnnw ar destun go ddifrifol. Tybed a oedd ychydig yn wenwynllyd o Davies?

'Pay more attention to the wine, my friend. You must acquire a good taste against the day when you are consecrated bishop of this see. I can envisage your ordaining our scholar friend to holy orders as your first act,' pryfociodd Young.

Cuchiodd Richard Davies ei aeliau ond ymataliodd rhag ateb yn ôl. Trodd Young at Huw Tudur.

'I swear that I have never set eyes on two thieves as thick as my good friend Richard and William Salesbury. It were better for both to retire to a monastery if only we still had those wretched institutions among us. They tell me you were in the late queen's Guard, God rest her Roman soul, with your brother, Huw Tudur.'

Aeth y sgwrs i gyfeiriad Llundain; Huw yn siarad Cymraeg ac yntau Saesneg, ac felly y buont weddill y pryd bwyd. Pan holodd Huw ef pam na siaradai Gymraeg ac yntau'n hyddysg yn yr iaith fe roddodd Young ateb cloff iawn yn nhyb Huw.

'Wi wedi mynd nawr, ti'n gweld, wi'n ca'l trafferth mowr iawn i ddiall Cwmrag y Gogledd. Ma'n nhw wedi, beth yw'r gair, ma'n nhw wedi ymddieithrio fwyfwy.'

Clywodd Salesbury hyn a chawsant bregeth huawdl ganddo ar yr angen am iaith safonol newydd i wasanaethu fel y bu hen iaith y Gyfundrefn Farddol yn gwneud am ganrifoedd. Er mor chwannog oedd i gellwair, hoeliwyd sylw Thomas Young yn ogystal â phawb arall.

'Os gwêl Duw yn dda,' meddai Salesbury, 'i'ch dyrchafu chi eich tri yn esgobion anrhydeddus a theilwng yng Nghymru, erfyniaf arnoch i sicrhau y bydd senedd Ei Mawrhydi yn deddfu cyhoeddi'r Beibl Cysegrlan yn iaith y Brytaniaid er lles eneidiau'n pobl.'

Er i'r math hwn o siarad cyfrifol nodweddu sgyrsiau William Salesbury, nid oedd arlliw o hunangyfiawnder ar gyfyl y dyn.

Collodd Huw gwmpeini ei frawd yn y prynhawn. Denwyd Siôn Tudur gan Meurig a Young i fynd allan am awr neu ddwy o bysgota ar lannau'r Clwyd. Aeth yntau i lyfrgell y plas gyda Salesbury a Davies. Ni fu unrhyw sôn am yr Esgob Goldwell na golwg ohono yn ei blas ei hun.

Deallai Huw ei fod wedi gwrthod hyd yn hyn i ymresymu o gwbl â'r Comisiynwyr ar ôl eu derbyn a datgan ei ymlyniad wrth yr Hen Ffydd. Ni feiddiodd Huw holi dim onid oedd Richard Davies am grybwyll y mater ei hun.

Erbyn hwyr brynhawn yr oedd Huw Tudur yn gadarnach Protestant nag y bu erioed, os oedd hynny'n bosibl. Gwelai nad oedd dim oll i'w ddisgwyl ar hyn o bryd oddi wrth foneddigion ac ustusiaid Cymru. Gan yr ysgolheigion yr oedd yr ateb i ddyfodol y bobl. Drwy ysgolion a dysg yr Efengyl y ceid cyfiawnder ac urddas mewn bywyd. Yr oedd yn bryd i Huw benderfynu beth yr oedd ef ei hun am ei gyfrannu i'w bobl. Pa ran o'r gwaith a allai ef ei ddwyn yn ei flaen?

A dyna Lowri wedyn. Ni fu'n deg â Lowri o gwbl. Pwy oedd ef i sôn am gyfiawnder?

Pennod XXIII

Yr oedd Dâm Siân Salsbri, yn ei holl grandrwydd, wedi anrhydeddu Tudur ap Robert a Marged Wen drwy ymweld â hwy yn eu cartref newydd ar Ddôl Belydr ger Pont y Capel yn Nyffryn Elwy. Daethai i roi sêl ei bendith ar y tŷ cerrig-nadd sylweddol, yn yr arddull ddiweddaraf, a godwyd gan ap Robert. Nid oedd yn annedd mor anferthol ag a gynllunnid erbyn hyn gan nifer o uchelwyr pennaf siroedd y Gogledd, ond ar y ddôl gyfyng hon edrychai fel palas, a'i bum llofft gysgu wrth fodd calon Marged Wen.

Anfonwyd cadair gist dderw ymlaen llaw yn anrheg deilwng o Leweni ar gyfer y tŷ, a safai Dâm Siân gan edmygu ei hanrheg ei hun yn neuadd Dôl Belydr. Bu Tudur ap Robert yn ei hebrwng o gwmpas y muriau tu allan, iddi gael gweld y gwaith ar y ffenestri a'r cyrn, ond yrŵan yr oedd dan gronglwyd y tŷ gyda Marged Wen. Ymdeimlai Marged yn ddwfn â'r anrhydedd a osodod Dâm Siân Salsbri arnynt. Dyma beth oedd cael byw fel uchelwraig ac yn ei thŷ ei hun o'r diwedd.

'Ryden ni'n ddiolchgar iawn am y gader, Dâm Siân. Mae'n gweddu'n dda i'r paneli tu cefn iddi,' meddai Marged.

'Ydi, mae'n rhaid dweud,' cytunai meistres Lleweni. 'Fe ddylasech fforddio mwy o baneli i dŷ cystal â hwn, serch hynny, Marged Wen. Gall Tudur ap Robert eu fforddio'n burion. Ac yrŵan ydi'r adeg. Codi byth a beunydd mae prisie popeth. Dim ond dyfaru a wnewch cyn hir. Credwch fi.'

'Dwi'n crugo na fyddwn wedi gwneud o'r dechre, Dâm Siân.'

'Prinhau fydd derw yn y pen draw, yn ôl Syr Siôn, er

cymaint sy'n sefyll ar hyn o bryd. Mae Sir y Fflint yn prysur fynd yn foel gyda'r gweithfeydd newydd yma yn llosgi cymaint.'

'O! perswadiwch Tudur ap Robert, da chi, Dâm Siân. Mae paneli yn edrych mor urddasol. Ond dewch i eistedd yn y ffenest 'ma. Does dim trefn ar yr ardd eto, fel y gwelsoch gynne, neu oni bai am hynny fe fydde'n ddiwrnod hyfryd i eistedd allan. Ddim rhy boeth.'

Eisteddai Dâm Siân ar gadair gefn-uchel a osodwyd ar ei chyfer ac eisteddodd Marged i'w dilyn gan daenu'r sgert newydd gafodd o Gaer y Sulgwyn diwethaf yn ofalus, yn union yn null yr uchelwraig o Leweni. Estynnodd ei theisennau melys o'r bwrdd bach wrth ei phenelin a'u cynnig i Dâm Siân. Safai costrelaid fechan o win Madeira ffasiynol yno hefyd.

'Sut mae iechyd Catrin?' holodd Marged yn ddiniwed ddigon wrth gynnig y teisennau i Dâm Siân. Fe wyddai Marged yn burion bod gan Catrin o Ferain obaith magu unwaith eto am yr eildro ond ni chymerodd arni iddi glywed gair am hynny.

'O, mae Kathryn wedi dod ati ei hun yn dda iawn bellach, Marged Wen. Fe gafodd hen flwyddyn wantan iawn ar ôl colli'r un cyntaf. O! dyna fyd gawson ni efo hi. Fe rybuddiais ddigon arni os rhybuddiodd neb, ond pengaled iawn fu Kathryn erioed. Mwy penderfynol o'r hanner nag Elisabeth. Rwy'n edrych ymlaen at iddi gael etifedd arall yn eithaf buan. Gore po gynta. Bydd yn rhaid iddi gymryd pob gofal y tro nesa ac rwy'n ffyddiog ei bod hithe'n cydsynio â hynny erbyn hyn. Dyna ei dyletswydd, wrth gwrs, fel pob un ohonom. Teisenne blasus ydi'r rhain, Marged.'

'Fe ddylsent fod, â phedwar wy ynddyn nhw,' meddai Marged a mymryn o fin yn ei llais oherwydd ei siom fod

Dâm Siân wedi troi'r stori a gwrthod y cyfle i ymddiried ynddi ynglŷn ag ail feichiogrwydd Catrin.

Aeth Dâm Siân Salesbury ati i sôn am y trefniadau a oedd ar y gweill ar gyfer priodas Elisabeth ei merch ei hun ag Owen Brereton. Y peth a'i poenai fwyaf oedd na fyddai'n briodas yn yr hen ddull, ar ôl i'r esgob newydd ddisodli'r hen Goldwell yn Llanelwy. Cysegrwyd Richard Davies yno ers mis Ionawr ac erbyn hyn yr oedd pob offeiriad yn cydymffurfio ag Eglwys y Frenhines Elizabeth yn Nyffryn Clwyd, yn ôl pob golwg. Honnai Dâm Siân bod Llewenni yn dod o dan Esgob Bangor am fod ynys o'r esgobaeth honno yn ardal Botffari. Yr oedd ganddi ryw gynllun i ddod ag offeiriad Pabyddol yno i gysegru'r briodas dan drwyn Richard Davies, ond cynghorai Syr Siôn iddi beidio â bod mor fyrbwyll.

Yr oedd blwyddyn wedi mynd ers i aeres ieuanc Berain erthylu'n ddisymwth. Derbyniasai pawb, gan gynnwys William Humphrey y meddyg o Ddinbych, eglurhad Dâm Siân mai gorwneud a barodd i Catrin golli'r plentyn, ac nad oedd unrhyw nam nac afiechyd ar blentyn ei mab. Dim ond llestr, wedi'r cyfan, oedd corff merch i gynnal y peth byw a ddodai dyn ynddi. Ni allai dim fod o'i le ar epil o had Salesbury. Yr oedd John Salesbury, fel Pabydd da, os nad gorselog, wedi derbyn y digwyddiad fel cosb haeddiannol am ei anwadalwch carwriaethol o bryd i'w gilydd yn nhref Dinbych a'r cyffiniau. Cawsai'r clefyd newydd, a oedd yn fwrn ar wrêng a bonedd ers darganfod India'r Gorllewin, ond yr oedd yn ffyddiog erbyn hyn ei fod ef ei hun yn lân o glefyd Ffrainc, fel y'i gelwid. Oni chymerodd ddosau trymion o arian byw ar gyngor yr apothecari? Na, yr oedd yn holliach yrŵan ac ni fyddai unrhyw dramgwydd pellach gyda'r ail blentyn. Yn wir, teimlai John Salesbury bod ei briodas ef a Catrin yn sefyll ar gadarnach tir o lawer nag o'r blaen.

Dim ond Catrin a wyddai beth a achosodd yr erthyliad hyll a phoenus. Ni phrofodd beth oedd bod yn sâl o'r blaen, a Duw a ŵyr iddi fod yn ddigon sâl i ddymuno cael marw. Gwnaeth y boen arteithiol a'r gwendid llethol hi'n hollol fusgrell. Cawsai dwymyn amryw o weithiau a'i ffwndrodd yn lân, a phan ddeuai ati ei hun câi ysbeidiau hir o ddim ond crio a chrio gan holi ei hun pam, pam y bu raid i Huw Tudur wneud peth mor greulon. Dewis neb gwell na morwyn yn wraig ac yntau wedi bod yn gywely iddi hi. Morwyn anllythrennog ddi-ddysg yn fwy o werth yn ei olwg nag uchelwraig oedd yn destun mawl i feirdd gorau Gogledd Cymru. Ac i ble'r aethai ei gwrteisi? Ymddygodd mor llechwraidd â gwerinwr. Dim neges o eglurhad na rhybudd yn y byd. O! y cywilydd a deimlodd wedi iddi ddechrau gwella.

Ar ddamwain y clywsai Catrin am y briodas. Digwyddodd fynd i'r gegin ym Mhlas Berain pan oedd yr hanes yn destun sgwrs fywiog ymysg y morynion. Ni allai gredu ei chlustiau. Am rywun arall y siaradent, siawns. Ond na. Clywsai'r morynion hi'n syrthio'n glwt diymadferth y tu ôl iddynt ar y llawr cerrig. Pan ddadebrodd daeth y boen i'w rhwygo gorff ac enaid a dechreuodd hyrddio. Yn ffortunus yr oedd Magi Cae Glas yn y gegin. Gwelsai Magi bron cymaint o erthylu gan wraig ac anifail ag a gafodd o flynyddoedd ar y ddaear ac adnabu'r arwyddion yn syth bin. Ni fyddai Catrin byw oni bai amdani hi.

Yn ystod ei salwch, bob tro y chwiliai Catrin am reswm dros ymddygiad Huw Tudur deuai i'r un casgliad. Yr hen Brotestaniaeth felltith yna oedd wedi ei draflyncu a'i drawsnewid. Gwaith y diafol oedd y cwbl, yn cael ei arwain gan yr esgob busneslyd newydd yn Llanelwy, a hynny gyda chaniatâd ei chyfnither y Frenhines Elizabeth Tudur. Yr oedd yn siŵr o fod yn fwriad Duw i'w difetha hi a'i syniadau annefosiynol yn y diwedd. Prysured y dydd, meddyliai Catrin.

Yn ei llofft unig ym Merain gweddïodd drosodd a throsodd ar y Fam Fendigaid i ddifa'r grefydd newydd o'r tir a dwyn ei baban yn ôl iddi hithau a'i chariad hefyd. Bu'r Santes yn driw iawn iddi erioed ond nid ymddangosai mwyach fel pe bai'n gwrando o gwbl nac yn cymryd unrhyw sylw. Pan gafodd Catrin, ymhen hir a hwyr, ddigon o lonyddwch i weddïo'n fwy ystyriol a llai gorffwyll dechreusai sylweddoli paham nad atebai Mair. Onid gofyn y bu am i'r Fam Fendigaid ddwyn ei pharch a'i hurddas yn ôl iddi hi ei hun mewn gwirionedd, er mwyn i'w harddwch a'i llawenydd flodeuo unwaith yn rhagor? Ceisio'i lles yn hunanol y buasai gydol yr adeg.

Yn araf deg gwnaeth amser ei waith caredig ar ei chorff a fu mor llipa, ac adferodd haul yr haf y lliw i'w hwyneb tlws; dechreuodd amser hefyd drwsio'r anaf a gafodd ei pherson. Un diwrnod, a Catrin wedi bod fel crwydryn diamcan yn bwhwman yma ac acw o gwmpas Berain, aeth i fyny i'w llofft i ymgynghori am y canfed tro o flaen delw'r Forwyn. Edrychai Mair i lawr arni yn fwy dyfal nag a wnaethai ers tro, a pha ryfedd? Yr oedd ganddi neges i Catrin o Ferain. Teimlodd Catrin mai byrdwn y neges oedd, 'Maga di blant i mi a'r wir Eglwys ac fe gei dithau dy heddwch yn ôl a'th brydferthwch i'w ganlyn.'

Y newid *hwn* a welodd Dâm Siân Salsbri yn ei merch yng nghyfraith ac a gamddehonglwyd ganddi fel rhyw ufudd-dod newydd yn Catrin. Yr *oedd* yn ufudd-dod ar ryw olwg, a weithiai er lles urddas a buddiannau Salsbriaid Lleweni, ond deilliai o benderfyniad aeres Berain ei hun i anrhydeddu ei henw da a'i thras hi ei hun.

'Rwy'n falch iawn o dy weld, Kathryn, yn ymddiddori yn y cynlluniau ar gyfer John. Fe fydd gartref ym Merain hefo ti hanner yr amser, fel y gwyddost, ond mae'n hyfryd meddwl dy fod â'th holl galon o'r diwedd yn cefnogi ei aelodaeth yn yr Inner Temple yr hydref hwn,' meddai Dâm Siân y diwrnod y bu Catrin i lawr yn Llewenni yn torri'r newydd bod John a hithau wedi cenhedlu plentyn unwaith eto.

'Diolch, Dâm Siân. Fe fydd gen inne ddigon i ddifyrru'r amser pan ddaw fy nhymp.'

'Ie, ond peidio â gwneud cymaint. Rhaid i chi gadw morwyn ychwanegol ym Merain. Gall John fforddio'n rhwydd ddigon. Fydd dim rhaid iddo boeni am gostau Ysbyty'r Gyfraith. Mae Syr Siôn wedi addunedu talu'r hanner canpunt bob sesiwn.'

'Mae gan Syr Siôn law ffraeth iawn bob amser. Rwyf finne'n falch dros ben bod Edward Morgan, Llanasa, yn cydymaelodi â John. O beth a glywa i, mae Edward Morgan yn ŵr sobor a chyfrifol, Dâm Siân.'

'Ydi, ond fe gawn weld a geidw'n sobor ar ôl gwylio rhialtwch y masgiau yn San Steffan. Os ydyn nhw hanner mor ddigywilydd ag y disgrifiodd Elisabeth a thithe nhw, fe gyll yntau beth o'i wep hir.'

Chwarddodd Catrin wrth ddychmygu wyneb syn Edward Morgan ddiniwed pe cipid ef i ddawnsio gan dwr o ferched llys hanner noeth, yn hwyl rhyw adloniant neu'i gilydd.

'Dyna'r tro cynta i ti chwerthin am ben dim byd ers wn i ddim pa bryd, Kathryn fach,' meddai Dâm Siân, a'r caredigrwydd hwnnw a orweddai o dan ei hurddas gwneud, i'w weld yn ei dau lygad golau.

Gwir a ddywedai ei mam yng nghyfraith. Dychwelodd nid yn unig holl ogoniant pryd a gwedd Catrin ond ei hynawsedd fel person hefyd.

'Ydi hynny'n wir? Mae'n ddrwg gen i os bues i'n llawn trymder ac yn flinder i bawb. Rwy'n iawn erbyn hyn.'

'Wyt, fe wela i oddi wrth gywair dy wallt di, er enghraifft. Mae graen arno eto yn ôl dy hen arfer, Kathryn.'

Am fisoedd bu ei golwg yn ddifai i'w dannedd, yn ei meddwl ei hun, ond bu'n trafferthu, fel y'i hyfforddwyd yn Llweni, ers peth amser yrŵan, hyd at y gwalc bach del goruwch ei thalcen.

Wedi synhwyro bod hwyl iawn ar Catrin, siaradai Dâm Siân fel pwll tro.

'Rhyngon ni ein dwy mae yna lawer o gynllunio ac efalle gynllwynio eto i'w wneud cyn y ciliwn ni i'n corneli,' meddai.

'Dâm Siân! does dim lle i sôn am gorneli yn ein hoedran ni,' gwenieithiodd Catrin.

'Nacoes, wir, Kathryn, rwyt ti yn llygad dy le. Yrŵan, mae gen i rai dyletswydde i'w cyflawni ynglŷn â'r plant, ac anrheg i Dudur ap Robert, felly bydd yn rhaid imi dy adael am ychydig. Efallai yr hoffet fynd allan i'r gerddi at Elisabeth a'r plant hynaf. Ond cyn imi fynd mae'n rhaid imi rannu'r syniad a gefais neithiwr hefo ti.'

'O, ie? Rhyw welliant pellach i'r tŷ, Dâm Siân?'

'Na, na. Meddwl am etifedd i John yr oeddwn i. Does dim syndod yn y byd dy fod tithe wedi dod â'r newyddion gore posibl i'th ganlyn heddiw. Bendith arnat ti.'

'Mae hi braidd yn rhy gynnar i gynllunio ei ddyfodol. Beth os . . . ?'

'Mae'n rhaid bod ar y blaen yn yr hen fyd yma, Kathryn. Y cyntaf i'r felin gaiff falu. Yrŵan, meddwl yr oeddwn i, gan fod John yn sicr o wneud cysylltiade gwerth chweil gyda theulu Dudley, ac eraill yn yr Inner Temple, fe fydde'n ddoeth anfon yr etifedd i un o golege Caergrawnt. Coleg y Drindod efalle. Byddwn yn bwrw ein rhwyd i ddyfroedd dylanwadol gwahanol felly.'

'O! Dâm Siân, does dim curo arnoch chi,' chwarddodd Catrin. 'Wedyn fe anfonwn ni'r ail i Goleg yr Iesu i wneud yn berffaith siŵr o bob pysgodyn. Fe ddylen ni gynhyrchu digon o siryfion ac arglwyddi rhaglaw wedyn.'

'Siryf, ddywedaist ti, Kathryn? Os caf fyw ac os byddaf iach, fe goda i Lywydd Cyngor Cymru i Leweni cyn gorffen. Paid ti ag anghofio pwy wyt ti, Kathryn. Un o'r Tuduriaid, a thir gennyt ti ym Mhenmynydd, Môn i brofi hynny. Mae gwell tras i dy enw na holl Salsbriaid Lleweni hefo'i gilydd a bydd dy diroedd di a John yn fwy niferus na'r un teulu yn siroedd y Gogledd.'

Dyna'r tro cyntaf erioed i Ddâm Siân gyfaddef, mwy neu lai, ei bod hi'n ail i Catrin mewn gwirionedd, a bod ffyniant Lleweni'n dibynnu ar y cysylltiadau a'r cyfoeth a oedd yn eiddo i Ferain. Cynyddu fwyfwy a fyddai'r gystadleuaeth am flaenoriaeth ymysg yr uchelwyr a dyma paham nad oedd fawr neb o bwys yn creu stŵr am faterion crefyddol. Fe gâi Dâm Siân gyfle eto i glaearu tipyn ar deimladau crefyddol Catrin. Unwaith y llwyddai i wneud hynny ni fyddai undim i wrthsefyll dylanwad aeres ieuanc Berain.

'Ond yrŵan,' meddai Dâm Siân, 'dyna ddigon am bethe o'r fath. Beth am ddod yn gwmni i mi i dŷ newydd dy dad yn Nôl Belydr? Rwy'n deall nad wyt wedi bod ar gyfyl y lle eto. Rwyf am anfon y gadair acw'n anrheg i Dudur ap Robert. Ar dywydd fel hyn y mae'n sicr o fod yn fendigedig o gwmpas Pont y Capel. Byddai rhyw bererindod bach hyd Ffynnon Fair yn llesol hefyd. Beth ddywedi di?'

'Na. Dim diolch, Dâm Siân. Ddim ar hyn o bryd. Ond fe af i weld tŷ fy nhad ar Ddôl Belydr cyn hir.'

'O'r gore, Kathryn. Mae'n chwith gen i na ddeui di ond eto'n mae'n braf dy weld yn gwneud penderfyniade unwaith yn rhagor,' gwenodd Dâm Siân. 'Yrŵan, esgusoda fi, rwyf am fynd i wneud y trefniade i ddanfon yr anrheg i dy dad.'

Y rhain oedd y cyfrinachau a wrthodai Dâm Siân eu rhannu gyda Marged Wen yn Nôl Belydr.

Wedi i Ddâm Siân fynd cawsai Catrin lonydd i grwydro'r neuadd fawreddog yn Lleweni lle gwelodd gymaint o rialtwch a miri a chyffro, a lle y disgwyliai y câi weld rhagor yn y dyfodol. Aethai at droed y grisiau mawr a'u dringo'n araf, nid oherwydd blinder corff o gwbl ond i ailfeddiannu rhai o'i phrofiadau yn y plas. Cofiai'r tro cyntaf iddi ddringo'r grisiau hyn yn ddeng mlwydd oed, adeg ei phriodas, a chymaint o arswyd oedd arni ac o hiraeth am blas bach cartrefol Berain. Hawyr Bach! Yr oedd deng mlynedd arall wedi mynd ers hynny. Beth oedd wedi ei dyngedfennu am y blynyddoedd nesaf, tybed? Llundain, yn siŵr ddigon, a'r cyfandir efallai?

Symudodd Catrin yn hamddenol i lawr yr oriel hir. Edrychodd ar y tapestrïau llaes a'r darluniau o boptu gan gynnwys ei llun hi ei hun, ond heb eu gweld. Cyrhaeddodd ben draw'r oriel. Dyma ddrws ei hystafell gysgu gynt. Estynnodd ei llaw allan at y dwrn. Trodd yn rhwydd. A fyddai mor rhwydd troi'r ddwy flynedd ddiwethaf yn ôl, pe dymunai? Soniodd Dâm Siân gynnau fach am Bont y Capel a Ffynnon Fair. Treiglodd dwy flynedd ers i'r gŵr ieuanc gosgeiddig hwnnw, ar ganllaw'r bont gyda'i glogyn lliwgar a'i gleddyf main, ei drysu'n lân. Cofiodd y ddau gwpled yn rhwydd, a llais meddal Huw Tudur yn eu hadrodd,

> Mae yno dwyn ym min dôl,
> Ym min afon, man nefol;
> I nithio mawl ni thy' mwy
> Ryw lwyn ail ar lan Elwy.

Pont y Capel, tawelwch y llwch yng Nghapel Mair, y carlamu gwyllt difeddwl ar y gaseg fach i ogofâu Cefn Meiriadog neu goed Wicwer, y cadw oed cyfrinachol yn Llundain amser y coroni, a'r caru nwydwyllt yr ochr arall i'r drws hwn. Beth am geisio . . . ? Na, nid oes byth droi yn ôl cwbl lwyddiannus.

Caeodd Catrin ddrws cadarn yr ystafell gysgu, oedd mor llawn atgofion, yn dynn, heb geisio mynd i mewn iddi o gwbl. Atgof mwyach, nid cyffro, a orweddai yn ystafelloedd y gorffennol. Trodd i gerdded yn ôl i lawr yr oriel tua phen y grisiau. Arhosodd y tro hwn i edrych o ddifrif ar rai o'r darluniau. Llun Syr Tomos Salsbri a fu'n ymladd ar Faes Bosworth. Dyn cydnerth hardd. Tybed ai fel yna yr edrychai mewn gwirionedd gan mai ei fab Rhosier, a wasanaethodd yn angladd Harri Tudur, ac a urddwyd yn farchog, a ddisgrifiodd ei dad i'r arlunydd yng Nghaer wrth gael ei lun ef ei hun wedi ei dynnu? A dyma Syr Siôn Salsbri, caredig a chadarn, a Dâm Siân. Oeddent, roeddent yn edrych yn debyg iddyn nhw'u hunain, mae'n rhaid dweud. Byddai gwell cyfle iddi hithau gael darlun newydd ohoni ei hun gan fod John yn mynd i'r Inner Temple. Gallai drafeilio efo John ac aros am ysbaid i siopa yn Siepseid ac eistedd i gael ei llun wedi ei baentio. Faint a gostiai'r tramorwr Hans Eworth, tybed? Ond dyna i ble yr hoffai Catrin gael trafeilio. I Rufain. Gweld y tapestri ar y llaw dde, a ddangosai olygfa Eidalaidd, a'i hatgoffodd am un o'i hoff ddymuniadau. Nid oedd teithio ar y cyfandir yn afresymol i ferched y dyddiau hyn. Efallai mai swydd debyg i un Rhisiart Clwch, yn Antwerp, a fyddai gan John ryw ddydd i ddod. Yr oedd posibiliadau dihysbydd a gorwelion eang ar gael.

Yn union ar ben y grisiau gosodasai Dâm Siân ddrych hirgul drudfawr. Gwelodd Catrin ei hun ynddo, o'i gwallt rhuddaur sidan dan gantel o fân berlau, i'r llopanau melfed am ei thraed. Yr oedd yn gwbl fodlon. Yn ugain oed ac yn anterth harddwch merch fonheddig, bwriadai agor drysau newydd iddi ei hun ac i'w theulu.

Dychwelodd Catrin o Ferain i lawr y grisiau llydan yn Lleweni yn benuchel a hoyw.

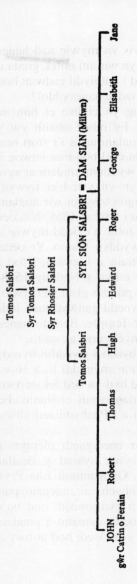

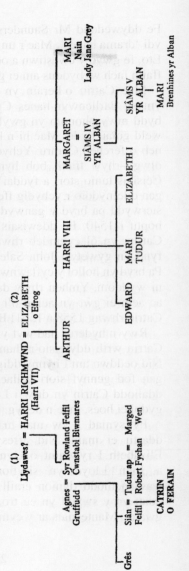

briodod Elisabeth Salesbury, Llweni. Mae'n debyg nad Brereton ddaeth yn wr iddi ond Siôn Salesbury, Bachymbyd. Credaf fod defnyddio Siôn Salsbri am y tad a John Salesbury am y mab yn help mawr i'r darllenydd wahaniaethu rhyngddynt a hefyd mae'n adlewyrchu'r Seisnigo yn ystod oes Elizabeth I. Lluniais y ffurf Kathryn ar gyfer Dâm Siân er mwyn mursendod yr 'th'. Fe ysgrifennai hi ei hun y ffurfiau Katheryn, Katryn a Katherin ar ddogfennau.

Yn ogystal â cheisio bod yn ffyddlon i gymeriad Catrin, yn ôl a wyddom amdani, gobeithiaf fy mod wedi gwneud yr un tegwch â naws, tueddiadau a phroblemau'r cyfnod pwysig hwn yn hanes Cymru. Ond yn y pen draw myfi fy hun biau pob un o'r cymeriadau. Dyna pam mai nofel ydi hon ac nid dogfen o unrhyw fath.

Hoffwn egluro mai bwriadol hollol yw'r siarad urddasol braidd gan y cymeriadau uchelwrol. Eithriad yw Marged Wen. Ar fy ngwaethaf yr oedd hi'n mynnu siarad yn debycach i'r gwerinwyr yn y stori. Os methais gyda thafodiaith Dyffryn Clwyd—ymddiheuriadau.

Rhag ofn i rai ohonoch fynd am dro i chwilio am Bont y Capel, fe'i hysgubwyd ymaith gan orlif afon Elwy yn 1624. Ai dyna egluro enw'r Bont Newydd yn uwch i fyny'r cwm? Ond mae adfeilion Capel Mair yn dal i swatio o dan dorlan uchel y Wicwer. Y Wigfair yw'r enw mwyach, ond dywed Siôn Tudur ei hun, 'Mae'n wasach o mewn Wicwair'. Mae Dôl Belydr yn furddun erbyn hyn, ond os ewch i'r cyffiniau, siawns na chlywch chwithau adlais o gywydd hyfryd Siôn Tudur yn y mangoed.

R.C.H.

Fe ddywedodd Mr Saunders Lewis yn rhywle nad hanes ydi 'drama hanes'. Mae'r un peth yn wir am nofel, greda i. Eto, fe gwyd y cwestiwn a oes raid i nofelydd gadw at bob ffaith fach wybyddus am ei gymeriadau hanesyddol?

Mae Catrin o Ferain yn enwog yn ei bro ei hun ac ymysg darllenwyr hanes Cymru. Fy mhrif obaith yw y bydd mwy ohonom yn gwybod amdani ar ôl i'r stori hon weld golau dydd. Mae hi'n haeddu cael bod mor enwog â neb o ferched Cymru. Ychydig a wyddom amdani ar ryw olwg—rhyw ffaith bob hyn a hyn yn ystod ei bywyd. Ceisiais lunio stori a fyddai'n ddigon tebygol wir amdani gan ddefnyddio'r ychydig ffeithiau i fyny at 1558. Nid oes sicrwydd pa bryd y ganwyd hi a John. Yr oedd rhywle o boptu i 1540. Fe ddewisais y flwyddyn honno. Yr oedd Catrin, yn ôl cytundeb rhwng Berain a Lleweni, i fod i fynd yn gywely i John Salesbury erbyn y Nadolig 1558. Pa bryd yn hollol y cyflawnwyd eu priodas plant yn rhywiol ni wyddom. Ymhen rhyw dair blynedd ganwyd mab iddi ac aeth ei gŵr yn aelod o'r Inner Temple. Beth fu hanes Catrin rhwng 1558 a 1561! Bu fy nychymyg ar waith.

Rwy'n hyderus nad wyf yn anghyson â gweddill bywyd Catrin wrth ddyfeisio'r rhamant hon rhyngddi hi a Huw. Nid oeddwn am i hynny ddigwydd yn oed fel storïwr, gan fod gennyf stori bellach amdani wedi ei llunio. Fe ddaliodd Catrin yn driw i Leweni a'i Phabyddiaeth drwy gydol ei hoes, mae'n debyg.

Fy syniad i yw mai marw ar enedigaeth plentyn a ddarfu ei mam. Nid aflresymol yw'r syniad y deallai Elizabeth I rywfaint o Gymraeg. Gwnethum Elis Prys a John Lloyd yn siryfion Dinbych ar adegau pan wasanaethodd dynion eraill mewn gwirionedd, ond bu'r ddau yn y swydd yn eu tro, y Doctor cymaint â phedair gwaith. Manteisiais ar y cymysgu sydd wedi bod ar bwy a